英文翻訳術

The colonel's lady

williamsomersetmaugham

東大名誉教授と
名作・モームの『大佐の奥方』を訳す

行方昭夫 著

Gakken

はじめに

　本書『英文翻訳術』は、英語を正確に読み、読みやすい日本文に翻訳しようと願う人たちのために執筆しました。同じシリーズ『英文精読術』を読んでくださった多数の読者から、精読から翻訳に至る方法を分かりやすく説いた本が欲しいという要望がよせられたのが執筆の動機です。

　英文を読み、翻訳に至る道のりを語釈→試訳（もしくは決定訳）→翻訳とすると、前著では語釈から試訳（前著では「決定訳」）に至る道を詳しく説き、翻訳も示しましたが、試訳（決定訳）から翻訳に至る道は詳しくは説きませんでした。ここを詳しく説いた書物はあまりないのではないかと思います。そこで本書では、**試訳をどうすれば、読みやすい翻訳にまで仕上げられるか**、そこに重点を置きました。

　翻訳は、目の前にある英文を単語、熟語、構文などの分析によって正確に意味を確かめ、その上で、日本語として自然な文章にする作業です。英文理解が前段階、スムーズな日本文への転換が後段階、と一応分けて考えてよいのですが、実際の作業では、前後の作業は分かちがたくつながっています。そこで、本書でも、**原文の精読**からスタートします。

　翻訳の技術、方法、コツを伝授したいと願う私ですが、従来あまり方法を意識しないで多数の本を翻訳してきました。恩師と仰ぐ上田勤、朱牟田夏雄両先生からも、翻訳術という形での指導を受けたことはありません。英文を自然な日本語にしようと念願しつつ、自分の英語精読力と日本語表現力をフルに使うと、無意識に訳せたのです。しかし本書では、自分が無意識に行ってきたことを、可能な限り意識化

してみました。幸い、担当編集者の方々の協力をえて、名作短編を丸ごと試訳から翻訳へと練り上げていくコツを詳しく解説できたと思います。翻訳の現場、舞台裏に読者をご案内できたかなと密かに自負しています。

　今回の原文には、モームの短編『大佐の奥方』を選びました。モームの英語が英語学習にいかに役立つかは前著（『英文精読術』）で述べた通りですので繰り返しません。『大佐の奥方』という作品は、有名な『赤毛』につぐ名作です。『赤毛』がモーム文学の前期の代表作であるのに対して、こちらは後期の代表作です。**内容は若い人だけでなく、人生経験豊かな中年以降の方にもたっぷり楽しんで頂けること間違いなしです。**

　この短編は、『赤毛』より短いので、頁数に余裕がありました。そこで『大佐の奥方』を訳すだけではなく、英文一般を訳すための翻訳の心得も追加することになりました。そして熟慮の末、誤訳を避けてよい翻訳を生み出すために必須の例文集を編むことにしました。翻訳の心得をエッセイ風に書き、そこで用いた例文を中心にした暗記用例文集100例を添付しようと考えたのです。実は、私は英文例文集に思い入れが深いのです。

　振り返ってみると、そもそも翻訳のコツらしいものを私が初めて意識したのは、佐々木高政先生の『和文英訳の修業』の冒頭にある暗唱用基本文例集500例を学んだ時でした。**Some things are better left unsaid.** に相当する日本文が「事柄によっては言わぬが花だ」と初めて知った時でした。この要領で**Some fish can fly.** は「何匹かの魚は飛べる」という直訳でなく「魚の中には飛べるものもいる」というより自然な日本文へと翻訳できるのでした。**She is all that a wife should be.** が「彼女は妻として完璧である」というのにも目を見張りました。この本の初版が出たのは私が大学一年生の冬で、

すぐに友人と競うようにして500例を暗記しました。それ以後、研究者になってからも、この時の暗記がどんなに役だったことでしょう。人に英語を教える立場になってからも、いかに多くの学生に暗記を勧めたことでしょう。英語関係の拙著でも常に読者に勧めました。

『和文英訳の修業』は半世紀を超えて版を重ねてきたのですが、発行元の文建書房と共に消えてしまいました。入試から和文英訳が隅に追いやられた事情もあるのでしょうが、私には大きなショックでした。この500例に代わればという願いもあって、例文集を編む気になったのです。

佐々木先生の例文集は網羅的に文法事項で分類してあります。それは100例では無理ですので、日本人の学習者が身に付けていない、従ってよく誤る項目だけに絞りました。例文集めには、私が長年の教師生活で集めたものの他、様々の方のお世話になりました。

まず前著に続いて江川泰一郎先生の『英文法解説』（金子書房）の例文です。先生の例文には必ずこなれた訳文が添えられています。次に別宮貞徳先生の多くの著書からお借りできました。別宮先生は、朱牟田夏雄先生を共通の恩師としているというご縁があって、以前から私が兄事している方です。今回も、どのご著書にある英文でも自由に使ってよいという寛大な許可を下さいました。佐々木先生の500例からも、私の頭に沁みついている数点、お借りしました。

以上のようにして出来上がった第一部（翻訳編）と第二部（翻訳の心得と例文集）からなる本書が、よい翻訳をしようと意欲満々な多くの方々のお役に立つことを切望してやみません。

行方昭夫

本書は2016年に（株）ディーエイチシーより刊行された名著『東大名誉教授と名作・モームの『大佐の奥方』を訳す 英文翻訳術』に一部修正を加え、レイアウト、イラスト等を描きなおしリニューアルしたものです。

Contents

本書の使い方

■ 本書は左開きで短編小説 The Colonel's Lady の英文翻訳を徹底的に学習し、さらには『翻訳の心得』と『暗記用例文集』で翻訳のテクニックを深く学ぶことができ、右開きで"翻訳版『大佐の奥方』"、"『大佐の奥方』をどう読むか"などが楽しめる構成になっています。

■ 翻訳は、The Colonel's Lady を独自に4つのセクションに分け、さらにセクションを分割し、詳細に学習していきます。『翻訳の心得』と『暗記用例文集』は、その1とその2に分け、段階を踏んで翻訳のテクニックを学んでいきます。それでは、学習の進め方を見ていきましょう。

1. 翻訳

1 この枠の中にある英文をひとかたまりとして学習していきます。まずは語釈を見ながらざっと読んでみましょう。

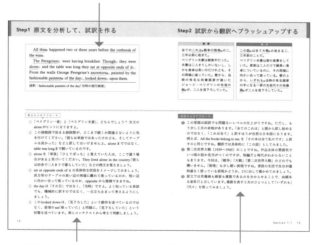

2 左頁では、原文を分析していきます。語釈と解説を見ながら、自分で訳してみてください。

3 右頁では、試訳から翻訳へとブラッシュアップしていきます。解説を見ながら、日本語の言い回しや細かな表現を修正し、翻訳を完成させましょう。

2.『翻訳の心得』と『暗記用例文集』

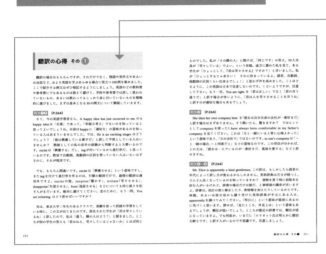

1 まずは『翻訳の心得』を読み、翻訳に必要なテクニックの基礎を学びましょう。「その1」では翻訳に関する概論的なアドバイスを、「その2」では個別のテクニックごとの解説を行っています。

2 翻訳のテクニックを網羅した、100の例文を暗記しましょう。「暗記」と聞いて腰が引けてしまう方もいるかもしれませんが、この100例を覚えておけば、翻訳に悩んだ際に必ず役に立つはずです。

■ 表記について

訳部分において、一部、差別用語とも受け取れる表現が使われていますが、文学上、作品のオリジナリティを尊重するため原語に近い訳を採用していますのでご了承ください。差別を助長する意図は一切、ありません。

■ 解説中の記号について

江川 ⇒『英文法解説 改訂三版』江川泰一郎著・金子書房

'Well, you know poetry isn't much in my line, but—yes, I'd like a copy; I'll read it. I'll take it along to my study. I've got a lot to do this morning.'

「そうだね、その通り、詩はよく知らないんだが、まあもらっておくとしよう。読んでみよう。書斎に持ってゆく。いやあ、今朝は忙しいなあ」

この作品がアメリカの *Good Housekeeping* という家事全般を扱ったミセス向けの人気の高い月刊誌に出たのは、1946年3月でした。当然、作者はこの雑誌の読者を念頭において執筆したでしょう（Section1-4の冒頭も参照のこと）。まずは「戦争勃発の2、3年前」とあるので、1936年頃の話だと分かります。イギリスの上層階級の夫妻、とりわけその奥方が主人公ですね。朝食を取っている部屋の様子や、夫妻の食卓での態度が描かれ、食事を済ませた席に、執事が郵便物を届けにきます。

All this happened two or three years before the outbreak of the war.

The Peregrines were having breakfast. Though they were alone and the table was long they sat at opposite ends of it. From the walls George Peregrine's ancestors, painted by the fashionable painters of the day, looked down upon them. The butler brought in the morning post. There were several letters for the colonel, business letters, *The Times*, and a small parcel for his wife Evie. He looked at his letters and then, opening *The Times*, began to read it. They finished breakfast and rose from the table. He noticed that his wife hadn't opened the parcel.

'What's that?' he asked.

'Only some books.'

'Shall I open it for you?'

'If you like.'

He hated to cut string and so with some difficulty untied the knots.

'But they're all the same,' he said when he had unwrapped the parcel. 'What on earth d'you want six copies of the same book for?' He opened one of them. 'Poetry.' Then he looked at the title-page. *When Pyramids Decay,* he read, by E. K. Hamilton. Eva Katherine Hamilton: that was his wife's maiden name. He looked at her with smiling surprise. 'Have you written a book, Evie? You are a slyboots.'

'I didn't think it would interest you very much. Would you like a copy?'

'Well, you know poetry isn't much in my line, but —— yes, I'd like a copy; I'll read it. I'll take it along to my study. I've got a lot to do this morning.'

He gathered up *The Times*, his letters, and the book, and went out. His study was a large and comfortable room, with a big desk, leather arm-chairs, and what he called 'trophies of the chase' on the walls. On the bookshelves were works of reference, books on farming, gardening, fishing, and shooting, and books on the last war, in which he had won an M.C. and a D.S.O. For before his marriage he had been in the Welsh Guards. At the end of the war he retired and settled down to the life of a country gentleman in the spacious house, some twenty miles from Sheffield, which one of his forebears had built in the reign of George III.

Step1 原文を分析して、試訳を作る

All this① happened two or three years before the outbreak of the war②.

The Peregrines① were having breakfast. Though② they were alone③ and the table was long they sat at opposite ends of it④. From the walls George Peregrine's ancestors③, painted by the fashionable painters③ of the day⑤, looked down⑥ upon them.

語釈：fashionable painters of the day「当時の流行画家」

原文からのアプローチ

① 「ペリグリン一家」と「ペリグリン夫妻」、どちらでしょう？ 次文の alone がヒントになりますよ。

② この接続詞で始まる副詞節が、どこまで続くか間違えないように気を付けてください。「彼らは単独ではあったけれども、そしてテーブルは長かった」などと訳してはいけませんよ。alone までではなく、table was long まで続いているのです。

③ alone を「単独」「ひとりぼっち」と覚えていた人は、ここで違う場合があると気づいてください。They lived alone in the country.「彼らは田舎で二人きりで暮らしていた」などの例文を覚えましょう。

④ sat at opposite ends of it の具体的な状況をイメージしてみましょう。長方形のテーブルの長い辺の両端に離れて座っているのか、短い辺に向かい合って座っているのか、opposite から推測できますね。

⑤ the day は「その日」ではなく、「当時」ですよ。よく知っている単語でも、機械的に訳すのではなく、一旦立ち止まって考えるようにしましょう。

⑥ この looked down は、「見下ろした」という動作を述べているのではなく、前項の sat「座っていた」と同様に、「見下ろしていた」という状態を述べています。常にコンテクストから考えて判断しましょう。

Step2 試訳から翻訳へブラッシュアップする

<table>
<tr><th>試 訳</th><th>翻 訳</th></tr>
<tr>
<td>全てのこれは❶戦争の勃発❷の二、三年以前に起きた。
ペリグリン夫妻は朝食中だった。夫妻は二人きりしかいないし、しかも食卓は長いのだけれども、その両端に座っていた。壁から、当時の有名な肖像画家が描いたジョージ・ペリグリンの先祖の絵❸が、二人を見下ろしていた。</td>
<td>この話❶は全て大戦❷の始まる二、三年前のことだ。
ペリグリン夫妻は朝の食事をしていた。家族は二人だけで細長い食卓についているのに、その両端に向かい合って座っている。壁の上から、いずれも❸当時の有名画家の手になる一家の先祖代々の肖像画❸が二人を見下ろしていた。</td>
</tr>
</table>

試訳からのアプローチ

❶ この冒頭は試訳でも問題ないレベルの仕上がりですね。ただし、もう少し工夫の余地があります。「全てのこれは」と頭から訳し始めるのではなく、「これは全て」と訳すほうが自然な日本語になります。例えば、All the books belong to me. を「その本は全て私のです」と訳すのと同じですね。翻訳では具体的に「この話」としてみました。

❷ 第二次世界大戦（1939〜1945）のことですね。作品全体の雰囲気でいつ頃の話か見当がつくのですが、短編だと時代がわからないこともあります。今回は、「戦争」「大戦」「第二次世界大戦」のどれでも構いません。「勃発」も少し硬い表現ですね。普段の生活で自分が違和感なく使っている表現かどうか、口に出して確かめてみましょう。

❸ 原文では肖像画も画家も複数であるのを分からせることで、由緒ある家系だと示しています。複数を表す工夫のひとつとして「いずれも」「代々」を使ってみましょう。

原文を分析する

> The butler brought in the morning post. There were several letters for the colonel, business letters, *The Times*❶, and a small parcel for his① wife Evie. He① looked at② his① letters and then, opening *The Times*, began to read it①. They① finished breakfast and rose from the table. He① noticed❷ that his① wife hadn't opened the parcel.
>
> 'What's that?' he asked.
>
> 'Only some books③.'
>
> 'Shall I open it for you❸?'
>
> 'If you like❹.'
>
> He hated to cut string and so with some difficulty untied the knots.
>
> ---
>
> 語釈：butler「執事」邸の使用人の長／*The Times* イギリスの権威ある日刊紙／string「紐」数えられる名詞にも数えられない名詞にも使いますが、ここでは後者です。

① 誤解のない限り、こうした代名詞は省いて訳を作りたいです。日本語では代名詞は稀にしか使いませんものね。ここで頻繁に登場する he「彼」の代わりに、「大佐」「夫」が使えるので好都合です。イーヴィについては「妻」「奥方」が使えますし、they「彼ら」は「夫妻」「二人」と訳すとよいですね。

② looked at を「眺めて」と訳すのは、この状況では不自然です。状況を思い浮かべてみてください。大佐は届いている手紙を「さっと見て」、確認したのでしょう。

③ 日本人が苦手とする some が出てきました。でも、実はこの some は、ほとんど訳には表れない some なのです。そして only にも注意が必要です。「数冊の本だけ」などと訳してはいけませんよ。

14

翻訳へブラッシュアップする

試 訳
執事が朝の郵便物を持参した。<u>大佐宛ての数通の手紙、商用の手紙、『タイムズ』❶</u>と、妻のイーヴィ宛ての小さな荷物があった。夫は手紙を<u>眺めて</u>❷から、『タイムズ』を開いて読みだした。夫妻は食事を済ませ、食卓から立ち上がった。大佐は、妻がまだ荷物を開けていないのに<u>気づいた</u>❷。「それは何なの？」彼が尋ねた。 「<u>本が数冊だけです</u>❸」 「<u>君</u>❸に代わって、開けてあげようか？」 「よろしかったら、<u>どうぞ</u>❹」 彼は紐を切るのが嫌いで、多少苦労して結び目をほどいた。

翻 訳
そこに朝の郵便物を届けに執事が現れた。<u>大佐宛てに手紙、と言っても仕事関係の手紙が数通と『タイムズ』❶</u>、それに奥方のイーヴィ宛てに小包が一つあった。主人は手紙を<u>さっと見</u>❷、それから『タイムズ』を開いて読みだした。夫妻は食事が済むと、食卓から立ち上がった。<u>ふと見ると</u>❷、妻はまだ小包を開けていない。 「その小包は何かね？」 「<u>ああ、本なのですよ</u>❸」 「あけてあげようか？」 「ええ、<u>お願いするわ</u>❹」 夫は紐を切るのを好まなかったので、面倒でも、紐をほどいた。

試訳からのアプローチ

❶ 試訳だと、夫には「数通の手紙」「仕事の手紙」「新聞」の3種類が届いたとも読み取れてしまいます。郵便物で夫宛てに来たのは「仕事の手紙」と「新聞」だけだったのを明確にしましょう。

❷ noticed を「気づいた」と訳すのは決して間違いではありませんが、もう少し言い回しを工夫すると、ぐっと読みやすい文章になりますよ。

❸ 日本では話すにせよ、書くにせよ、夫が妻に向かって、「君」と言っていたかどうか、考えどころですね。日本なら、この時代のこの階級の男性の中には妻を「お前」と呼んでいた人もいたようです。

❹ if you like は「よろしかったらどうぞ」ですが、翻訳ならではの工夫をしたいですね。この時点ではまだイーヴィの性格を読み取るのは難しいですが、以後読み進めると分かるように、イーヴィが何かにつけて夫の意向を受け入れる態度であるというコンテクストから、直訳でなくイーヴィの「大佐にお願いする姿勢」が浮かび上がるようにしてみましょう。

原文を分析する

'But they're all the same,' he said when❶ he had unwrapped the parcel. 'What on earth d'you want① six copies of the same book for?' He opened one of them. 'Poetry.' Then he looked at the title-page❷. *When Pyramids Decay*, he read, by E. K. Hamilton. Eva Katherine Hamilton: that was his wife's maiden name. He looked at her with smiling surprise❸. 'Have you written a book, Evie? You are a slyboots②❹.'

語釈：title-page「本の扉」／maiden name「旧姓」

原文からのアプローチ

① want を「欲する」では直訳過ぎませんか？　意味も「必要とする」ですよ。

② slyboots（口語）「ずるい奴」です。いたずらっ子だけど、憎めないという感じです。よく子供について使います。形は複数ですが、単数扱いです。

翻訳へブラッシュアップする

試　訳
「しかしみな同じ本じゃあないか」夫は小包を開いた<u>時に</u>❶言った。「一体どうして同じ本を六冊も<u>欲した</u>①のかね？」その一冊を開いた。「詩なのか」それから<u>題扉</u>❷を見た。『ピラミッドが朽ちる時』著者E.K.ハミルトン。イーヴァ・キャサリン・ハミルトン、これは妻の娘時代の名前だった。彼は<u>微笑し、驚きながら</u>❸、妻を見た。「イーヴィ、本を書いたのかね？<u>ずるい奴だな</u>❹」

翻　訳
「あれ、同じ本じゃないか！」包を開いて❶主人が言った。「一体何だって、同じ本が六冊も<u>要る</u>①んだね？」一冊開いた。「詩なのか」それから<u>題名と著者名</u>❷を読んだ。『ピラミッドが朽ちる時』、E.K.ハミルトン著。イーヴァ・キャサリン・ハミルトン。妻の旧姓だった。<u>驚いたように微笑を浮かべて</u>❸、妻を見やり「イーヴィ、本を書いたのかね？　<u>隅に置けない人だなあ</u>❹」と言った。

試訳からのアプローチ

❶ whenをいつも「〜のとき」と訳してばかりいると、文の流れが悪くなってしまうことがあります。工夫してみましょう。

❷ どの英和辞書にも「題扉」という訳が出ていますけれど、馴染みの薄い用語だと感じます。タイトルページには題名と著者名が書かれていますから、「題扉」とせず、具体的に訳出してみました。なお詩集の題名は、版によっては *Though Pyramids Decay* になっています。

❸ smiling surprise は、たしかに微笑と驚きが混合しているのですが、一工夫して「驚きの微笑」などもよいでしょう。短編『赤毛』にも、passionate grace を「優雅な情熱」と訳すと自然な日本語になる例がありました。

❹ 「ずるい奴」では、非難の気持ちが混入するので、肯定的な訳語を使った方がよいと思います。翻訳では「隅に置けない人」としました。

原文を分析する

'I didn't think it would interest you① very much. Would you like a② copy?'

'Well, you know poetry isn't much in my line③, but ── yes, I'd like a② copy; I'll read it. I'll take it along to my study. I've got a lot to do this morning.'

語釈：in my line「専門で、趣味に合って」

原文からのアプローチ

① 英語では think, believe, seem などの弱い断定的な動詞の場合、I think ＋否定文より I don't think ＋肯定文などのように、文頭で否定する文が好まれます。しかし、日本語の場合は「とは思わなかった」よりも「ないと思った」とするほうが流れのよい訳になることが多いのを覚えておきましょう。

翻訳へブラッシュアップする

試 訳
「あなたがとても面白がると思いませんでした①❶。でも、一冊要ります❷？」 「そうだな、詩はあまり私の専門じゃあない❸のは、知っての通りさ。でもまあ、一冊もらおう❷。読むよ。書斎に持って行く。今朝はやることが多いんだ」

翻 訳
「あなたにはあまり興味ないだろうと思ったものですからね①❶。でもいかが❷？」 「そうだね、その通り、詩はよく知らない❸んだが、まあもらっておくとしよう❷。読んでみよう。書斎に持ってゆく。いやあ、今朝は忙しいなあ❹」

試 訳 からの ア プ ロ ー チ

❶ ここは、詩の出版のことを黙っていたのを大佐に批判されて、弁明している感じを出したいですね。イーヴィは気配りのできるよい人なのです。

❷ 日本人はa＝「ひとつ」と訳しがちなので注意してください。a は訳さなくてよいことがほとんどです。「一冊いかが」と聞かれて、その答えとして「一冊もらおう」と繰り返すのは不自然です。

❸ 「専門じゃあない」というと、研究テーマのようでここでは適切ではありません。「分からない」とした方が自然でしょう。

❹ 全体的に、大佐も妻に気を遣っているような話し方になるように配慮しました。読み進めると分かりますが、大佐は詩には関心がありませんが、かといって正直に「興味がない」とは、詩集を出した妻には言いません。大佐は紳士として妻にも丁寧なのです。

He gathered up *The Times*, his letters, and the book, and went out. His study was a large and comfortable room, with a big desk, leather arm-chairs, and what he called 'trophies of the chase❶' on the walls①.　On the bookshelves were works of reference, books on farming, gardening, fishing, and shooting, and books on the last war, in which② he had won an M.C. and a D.S.O. For before his marriage he had been in the Welsh Guards.　At the end of the war he retired❸ and settled down to the life of a country gentleman② in the spacious house, some③ twenty miles from Sheffield, which one of his forebears❹ had built in the reign of George III.

語釈：the last war「前の戦争」第一次大戦／M.C. Military Cross「戦功十字勲章」／D.S.O. Distinguished Service Order「殊勲賞」／Welsh Guards「ウェールズ近衛歩兵連隊」1915年にジョージ五世によって創立された／country gentleman 広大な屋敷に住む富豪、大地主／Sheffield イングランド中部の工業都市／George III(1738-1820)「ジョージ三世」

原文からのアプローチ

① the walls は複数形になっていますから、ただ「壁」とするのではなく、複数の壁に飾られていることを示したいですね。

② a country gentleman は「郷士」などの訳もあり得ますが、定着した日本語ではないので、説明訳にしてみましょう。

③ この some は、数詞の前について「約、およそ」の意味ですね。

試訳からのアプローチ

❶ trophies of the chase の訳として間違ってはいませんが、「猟の記念品」では日本人にはピンときません。翻訳では具体的に「動物の頭部の剥製」と説明してみました。このように補うことで、情景を浮かび

翻訳へブラッシュアップする

試　訳
主人は『タイムズ』と手紙と本をまとめて部屋を出た。書斎は大きくて快適な部屋で、大きな机、数脚の革の肘掛け椅子があり、壁には①「猟の記念品❶」と称するものが置かれている。書棚には、農業、園芸、釣り、狩猟に関する参考書、それから前の大戦に関する書物があった。彼は、この戦争で戦功十字勲章や殊勲賞を授かっていたのだ❷。というのも、結婚前はウェールズ近衛歩兵連隊にいたからだ。戦後は軍隊を辞し❸、シェフィールドから約③二十マイルの地点にある、広壮な屋敷で郷士②としての生活に落ち着いていた。屋敷は先祖の一人❹がジョージ三世の治世の時代に建てたものであった。

翻　訳
主人は『タイムズ』と手紙と本を抱えて、食堂を後にした。書斎は大きくて居心地のよい部屋だった。大きな机と、革の肘掛け椅子が数脚置かれ、いずれの壁にも①「狩猟記念」と称する動物の頭部の剥製❶がかかっている。書棚に並んでいるのは、農業、園芸、釣り、狩猟の参考図書、それに自らが従軍して戦功十字勲章と殊勲賞を授与された、前大戦に関する図書であった❷。イーヴィと結婚する以前、ウェールズ近衛歩兵連隊所属の軍人だったのだ。終戦とともに退役し❸、地方の名士②として、シェフィールドから二十マイルほど③離れた村に落ち着き、先祖❹がジョージ三世時代に建てた広大な屋敷に暮らしていた。

上がらせることができます。さらに、夫婦の趣味の隔たりをはっきり印象づけるようにしました。

❷ in which を含んだ文は、関係代名詞の扱いに注目してみましょう。試訳はおおむね英語の順序に従って訳し下していますが、翻訳ではおおむね原文の順序を逆にして訳し上げしてみました。一般的には、訳し下げが望ましいとされていますが、場合によりけりです。which以下が短くまとまれば、訳し上げでも、日本語として滑らかに流れる訳になるのです。

❸ 「軍隊を辞し」は硬すぎますね。翻訳では「退役し」としてみました。

❹ 試訳の「先祖の一人」は原文に忠実ですが、「一人」は必要でしょうか。

　大佐の人柄などが描かれ、続いてイーヴィの描写に入ります。どんな夫婦関係であるのか、あまりにも安定し波風など立たぬ夫婦のようなのに、一体どうして物語の主人公になるのか、と読者は疑問に思うかもしれません。もちろん、作者の計算でそうなっているのです。

　また、夫婦に子供がないのを、大佐は残念に思っています。そこからイーヴィについての不満が夫の視点から語られます。逆にイーヴィが夫をどう思っているのかは語られていないのが、注目してよい点ですね。

George Peregrine had an estate of some fifteen hundred acres which he managed with ability; he was a Justice of the Peace and performed his duties conscientiously. During the season he rode to hounds two days a week. He was a good shot, a golfer, and though now a little over fifty could still play a hard game of tennis. He could describe himself with propriety as an all-round sportsman.

He had been putting on weight lately, but was still a fine figure of a man; tall, with grey curly hair, only just beginning to grow thin on the crown, frank blue eyes, good features, and a high colour. He was a public-spirited man, chairman of any number of local organizations and, as became his class and station, a loyal member of the Conservative Party. He looked upon it as his duty to see to the welfare of the people on his estate and it was a satisfaction to him to know that Evie could be trusted to tend the sick and succour the poor. He had built a cottage hospital on the outskirts of the village and paid the wages of a nurse out of his own pocket. All he asked of the recipients of his bounty was that at elections, county or general, they should vote for his candidate. He was a friendly man, affable to his inferiors, considerate with his tenants, and popular with the neighbouring gentry. He would have been pleased and at the same time slightly embarrassed if someone had told him he was a jolly good fellow. That was what he wanted to be. He desired no higher praise.

It was hard luck that he had no children. He would have been an excellent father, kindly but strict, and would have brought up his sons as gentlemen's sons should be brought up, sent them to Eton, you know, taught them to fish, shoot, and ride.

原文を分析する

George Peregrine had① an estate of some fifteen hundred acres which he managed with ability; he was a Justice of the Peace and performed his duties conscientiously. During② the season he rode to hounds two days a week. He was a good shot, a golfer③, and though now a little over fifty❶ could still play a hard game of tennis❷. He could describe himself❸ with propriety④ as an all-round sportsman.

語釈：Justice of the Peace「治安判事」非法律家が任命されるパートタイムの裁判官。主に民事事件を扱います。一種の名誉職で無給、余裕があって人望のある人物が任命されることが多いのです／the season 色んな行事の盛んな時期で、ここでは「狩猟の季節」です／rode to hounds（狩猟用語）「馬に乗り、猟犬の後を追って狩りをする」／with propriety「適切さを持って」

原文からのアプローチ

① have を「持つ」と訳す癖は直しましょう（*cf.* He has power.「彼には力がある」）。

② during も「～の間」とばかり訳していては、ぎこちない日本語から抜け出せませんよ。

③ a golfer には形容詞 good がついていないので、「ゴルフがうまい」というより「ゴルフをたしなむ人」という感じです。

④ with propriety は describe というより文全体を修飾しているので、「～と述べることができたが、まさにその通りだった」と訳せます。

翻訳へブラッシュアップする

試　訳	翻　訳
ジョージ・ペリグリンは約千五百エーカーの土地を持ち①、これをうまく管理していた。治安判事であったが、その任務を良心的に遂行した。狩りの季節の間は②、週に二回馬に乗り猟犬を追って狩りをした。射撃は巧みで、ゴルファーだし、今は五十を少し過ぎているけれど❶、激しいテニス試合が可能だった❷。彼は、自分のことを、適切にオールラウンドなスポーツマンだと述べることができた④❸。	ジョージ・ペリグリンの地所はおよそ千五百エーカーもあった①が、これを上手に管理している。また治安判事としても、誠実に職務を果たしていた。狩猟のシーズンになると②、週に二回、乗馬し猟犬を連れて狩りにでた。銃猟の腕は上々で、ゴルフも好きだし、テニスをやらせれば、もう五十歳を少し過ぎているのに、若い者相手で互角に戦えた❶❷。自分は万能選手だと自負しているが、事実その通りだ④❸。

試訳からのアプローチ

❶ 原文の順のまま、「今は五十を少し過ぎているけれど、」の部分を前に持ってくると、読者は一瞬迷います。翻訳では語順に配慮してみました。

❷ 激しい試合がまだできる、というのを、もっと具体的に目に浮かぶように表現してみましょう。「一時間プレーしても疲れない」でも結構。

❸ 文章に変化を与えるために、翻訳では描出話法で訳して工夫しました。また、「自分のことを適切に述べることができた」というのは不自然な表現ですね。「自負している」「その通りだ」という訳が適当でしょう。

原文を分析する

He <u>had been putting on</u>① weight lately, but was still <u>a fine figure of a man</u>②; tall, with grey curly hair, only just beginning to <u>grow thin</u>❶ on the crown, <u>frank</u>❷ blue eyes, good features, and a high colour. He was <u>a public-spirited man</u>❹, <u>chairman</u>③ of any number of local organizations and, as became his class and station, a loyal member of the Conservative Party.

語釈：a high colour「血色がよい」発音から「ハイカラ」と勘違いしないように。「ハイカラ」は high collar です／public-spirited「公共心に篤い」／as became「～にふさわしいように」／Conservative Party「保守党」訳には直接関係しませんが、イギリスの保守党は、右派中道、保守主義を掲げ、労働党と共に政権交代を繰り返してきました。富裕層、地方出身者、中高年層が支持しますから、ジョージも当然支持者です。そういう知識も、訳を深めていくときに役に立ちますよ。

原文からのアプローチ

① had been putting on と過去完了進行形になっていますね。「had been ＋～ing」で、「～し続けていた」ですね。この時点より前から、年齢を重ねるにつれて体重が少しずつ増えてきているということです。

② a fine figure of a man は「スタイルのいい男」という意味です。a devil of a man「悪魔のような男」や、the oyster of a girl「押し黙ったその娘」なども同じ用法で、of の次の名詞に必ず不定冠詞がつきます。

③ chairman は「議長」でもいいかもしれませんが、会議の司会者と勘違いされる恐れがあります。肩書を並べた名士の名刺によくある「会長」、「理事長」がよりふさわしいのではないでしょうか。

翻訳へブラッシュアップする

<table>
<tr><th>試　訳</th><th>翻　訳</th></tr>
<tr><td>

最近は体重が増えてきたが、それでもまだスタイルのいい男②であった❸。上背があり、ちぢれた白髪は天辺が禿げだした❶だけだった❸。青い率直そうな②目で、目鼻立ちは整い、血色も健康的だった❸。公共心に富み❹、いくつもの地方団体の議長③を務め、彼の階級と身分にふさわしく、保守党の誠実な一員だった❸。

</td><td>

近年体重が増えてきたものの、それでもまだまだ恰好のいい体形②を誇っている。背は高いし、白髪まじりの巻き毛の頭髪は、天辺が少し薄くなりだした❶だけだ。曇りのない②青い眼をして、端正な顔立ちで、血色も申し分ない。世の中に役立つのが好きで❹、いくつもの地方団体の会長③を引き受けている。階級と身分から当然のことで、保守党の忠実な党員だ。

</td></tr>
</table>

試訳からのアプローチ

❶ 「禿げだした」は、少し直接的すぎませんか。

❷ 「率直そうな」もいいのですが、「目」の描写としてもっと伝わるような言葉を探し、翻訳では「曇りのない」としてみました。

❸ 試訳は、全体的に文がすべて「…た」で終わっていますね。音読すれば分かるように、単調で不自然です。たとえば、「血色も健康的だった」を形容詞で終えて「血色はよい」とするだけでも、流れがよくなります。適宜現在形も入れるのも工夫です。

❹ 「公共心に富み」でもよいのですが、文学作品ですから意味を汲み取り読みほどきたいですね。

原文を分析する

He looked upon it as his duty to see to <u>the welfare of the people</u>①
on his estate and <u>it was a satisfaction to him to know</u>② that <u>Evie
could be trusted</u>③ to tend the sick and succour the poor. He had
built a cottage hospital on the outskirts of the village and paid the
wages of a nurse out of his own pocket. <u>All he asked</u>❷ of the
<u>recipients of his bounty</u>❶ was that at elections, county or general,
they <u>should</u>④ vote for <u>his candidate</u>❶.

語釈：see to「〜を取り計らう」／tend the sick「病人の世話をする」／succour
＝help／county or general「地方選挙あるいは総選挙」

原文からのアプローチ

① the welfare of the people を「人々の福祉を計るのを」とすると直訳過
ぎて日本語として分かりにくいですね。この部分は具体的に、かつ
名詞句の直訳ではなく動詞を含んだ日本語にして「小作人が気持ち
よく働ける」とすると、状況が分かりやすくなりませんか？

② it was a satisfaction to him to know の直訳は「彼にとって知ることは
満足だった」ですが、ここは翻訳者の腕の見せどころですよ。まず
は直訳を頭に植え付けてから、生硬な表現の箇所を読みほどいてい
きましょう。

③ Evie could be trusted を「イーヴィが信頼されうる」では、日本語と
しておかしいですね。つまりは「信頼して任せられる」ということ
です。

④ ここはやや変則的な形ではありますが、主にイギリス英語では、要
求などを表す動詞のあとに続く名詞節には should が用いられます。
この場合「〜すべき」という意味は特にありません。

翻訳へブラッシュアップする

試 訳
彼の地所の人々の福祉を計る①のを自分の義務だと見なしていた。だから、病人の世話をしたり、貧者の面倒を見たりすることをイーヴィに任せられる③のを知ることは、彼にとって満足だった②。彼は村のはずれに診療所を建て、看護婦の給料を彼自身のポケットから支払っていた。恩恵の受取人❶に彼が要求したことの全ては②、地方選挙でも総選挙でも、彼の候補者❶に投票すべきだ④ということだった。

翻 訳
自分の土地の小作人たちが気持ちよく働けるように配慮する①のが、地主の責任だと思っていたので、イーヴィに任せておけば③、病人の面倒や貧しい者の世話など全てそつなくやってもらえるのが有難かった②。大佐は村外れに診療所を建て、看護婦の給料は自分が払ってやっている。厚遇を受けた人々❶にはお返しとして②、選挙の時、州の選挙でも総選挙でも、彼が応援する候補者❶に投票してもらえば、それでもう充分だと思っている②。

試訳からのアプローチ

❶ 「恩恵の受取人」や「彼の候補者」のあたりは、直訳でも意味は分かることは分かるのですが、もっと何を指しているのか読み解くことが必要です。ごつごつした文章は避けて、くだいた表現を探してください。翻訳では、受動態を能動態にしてみました。これも時に役立ちます。

❷ 「要求したことの全ては」は、より平易な言葉で言い換えましょう。翻訳では、「お返しとして〜してもらえれば、それでもう充分だと思っている」として、文全体に組み込んでみました。

原文を分析する

He was a friendly man, affable to his inferiors, considerate with his tenants, and popular with the neighbouring gentry. He would have been pleased and at the same time slightly embarrassed <u>if someone had told him</u>①❶ he was a jolly good fellow. <u>That was what he wanted to be</u>❷. He desired no <u>higher praise</u>❸.

 <u>It was hard luck that</u>② he had no children. He would have been an excellent father, kindly but strict, and <u>would have brought up his sons</u>③ as gentlemen's sons should be brought up, <u>sent them</u>③ to Eton, you know, <u>taught them</u>③ to fish, shoot, and ride.

語釈：gentry「紳士階級、郷士階級」／jolly（口語）＝ very／Eton＝Eton College「イートン校」イギリス最古の著名なパブリック・スクールで全寮制の男子校です。中上流子弟のための私立校で、中世以来の伝統があります／you know 強めたり、念を押す感じです。（cf. He is a good pianist, you know.「彼、ピアノがとてもうまいんだよ」）

<u>原文からのアプローチ</u>

① 直訳すると「誰かが彼に言ったら」ですが、受身形「もし誰かに〜と言われたら」としてみるのも読みやすい訳文作りの一手になりえます。態の変換という可能性も常に頭の隅に置いておきましょう。

② It was hard luck that は「〜が不運だった」が直訳ですね。翻訳では一工夫して「〜だけが不運だった」と不運の度合いが高まる表現にしました。

③ brought up his sons、sent them、taught them が、いずれも would have に続いていることを踏まえて訳しましょう。

<u>試訳からのアプローチ</u>

❶ 試訳では間接話法ですが、翻訳では直接話法にすることで、情景を分かりやすくしてみました。

翻訳へブラッシュアップする

<table>
<tr><th>試 訳</th><th>翻 訳</th></tr>
<tr>
<td>

彼は親しみやすい人で、目下の者に愛想がよく、小作人には思いやりがあり、近所の郷士階級の間で人気があった。もし誰かが、彼が非常に好感の持てる人だと告げたとしたら①❶、彼は喜ぶと同時に気まり悪がったことであろう。それが彼がなりたかった姿だった❷。もっと高い褒め言葉❸など彼は望まなかった。

子供がないのは彼には辛い運命だった❷。もしいれば、親切だが厳しい、素晴らしい父親になったところだ。紳士の息子が育てられるべきように育てたであろう。誰も知るように、イートン校に入れ、釣り、狩り、乗馬を教えたところだ。

</td>
<td>

親しみやすい人柄で、目下の者に愛想がよく、小作人に親切で、近隣の紳士階級の間で人望があった。もし誰かに「あんたって、何ていい奴なんだろう」と言われたとしたら①❶、さぞ嬉しがっただろうが、その一方で少々照れたであろう。正に図星であり❷、それ以上の賛辞❸など望んでいないのだ。子供がいないのだけが不運だった❷。もしいれば、優しさと厳しさを持ち合わせた理想的な父親になったところだ。息子であれば❹、紳士の息子として理想的に育ててみせる。つまり、学校は無論❹イートン校に入れ、家では、魚釣り、猟銃の扱い、乗馬を直接❹教えてやるのだ。

</td>
</tr>
</table>

❷ 「それが彼がなりたかった姿だった」では日本語としてぎこちないですね。要は、大佐は過度な褒め言葉を望まないタイプだということです。翻訳では「正に図星であり」としましたが、「まさにその通りで」などでもよいでしょうね。

❸ 原文につられて「もっと高い褒め言葉」と訳していますが、「高い」＋「褒め言葉」というコロケーションは成り立ちません。形容詞と名詞をつなげるときは、常にコロケーションに気をつけましょう。

❹ 全体的に、大佐は、子供がいたとしても男の子にしか関心がないようですね。原文にはないのですが、翻訳では敢えて「息子であれば」という条件を加えました。また、そんな大佐の人柄や意気込みが立体的に出るように、「無論」「直接」を補って、本人が語っているかのような感じを出してみました。

イーヴィと大佐の夫婦関係が簡潔に述べられています。相互に違いを認めて、喧嘩などせず、表面的には仲睦まじい初老の夫婦に見えることが分かります。ここでも夫の視点から描かれていることに注目しましょう。

As it was, his heir was a nephew, son of his brother killed in a motor accident, not a bad boy, but not a chip off the old block, no, sir, far from it; and would you believe it, his fool of a mother was sending him to a co-educational school. Evie had been a sad disappointment to him. Of course she was a lady, and she had a bit of money of her own; she managed the house uncommonly well and she was a good hostess. The village people adored her. She had been a pretty little thing when he married her, with a creamy skin, light brown hair, and a trim figure, healthy too, and not a bad tennis player; he couldn't understand why she'd had no children; of course she was faded now, she must be getting on for five and forty; her skin was drab, her hair had lost its sheen, and she was as thin as a rail. She was always neat and suitably dressed, but she didn't seem to bother how she looked, she wore no make-up and didn't even use lipstick; sometimes at night when she dolled herself up for a party you could tell that once she'd been quite attractive, but ordinarily she was —— well, the sort of woman you simply didn't notice. A nice woman, of course, a good wife, and it wasn't her fault if she was barren, but it was tough on a fellow who wanted an heir of his own loins; she hadn't any vitality, that's what was the matter with her. He supposed he'd been in love with her when he asked her to marry him, at least sufficiently in love for a man who wanted to marry and settle down, but with time he discovered that they had nothing much in common. She didn't care about hunting, and fishing bored her. Naturally they'd drifted apart. He had to do her the justice to admit that she'd never bothered him. There'd been no scenes. They had no quarrels. She seemed to take it for granted that he should go his own way. When he went up to London now and then she never wanted to come with him.

原文を分析する

As it was, his heir was a nephew, son of his brother❷ killed in a motor accident, not a bad boy, but not a chip off the old block❸, no, sir, far from it; and would you believe it①, his fool of a mother② was sending him to a co-educational school. Evie had been a sad disappointment③ to him. Of course④ she was a lady, and she had a bit of money of her own; she managed the house uncommonly well and she was a good hostess❹. The village people adored her❺.

語釈：As it was「実際には」／a chip off the old block「家族の特徴を再現している子」／no, sir 強調の sir です／his fool of a mother＝his foolish mother

---

原文からのアプローチ

① would you believe it は、「まさかこんな話、誰も信じないだろうけど」という意味で、一種の決まり文句の修辞疑問です。「その上」「おまけに」などと訳せばよいでしょう。

② his fool of a mother は直訳すると「彼のばかな母親が～」となりますが、fool を副詞的に訳出し「愚かにも」「呆れたことに」などとするのも、自然な訳文を作る効果的なテクニックのひとつです。

③ 抽象名詞 disappointment に不定冠詞をつけて、具象的な意味を持たせています。だからといって、「一人の悲しい失望の女性だった」などと訳しても、日本語になりません。

④ Of course 以下が、大佐が思ったことを地の文で書いているのに気づきましたか？　そう、描出話法です。大佐の目線を心掛けて訳します。

翻訳へブラッシュアップする

<table>
<tr><th>試 訳</th><th>翻 訳</th></tr>
<tr><td>

実は、<u>彼❶</u>の相続人は交通事故で殺された<u>兄❷</u>の息子である彼の甥だった。悪い子ではなかったけれど、<u>ペリグリン家の性質❸</u>をまったく受け継いでいない。いやあ、それとは全然違う性格の少年だった。<u>その上①</u>、<u>彼❶</u>の母親は<u>愚かにも②</u>、<u>彼❶</u>を男女共学の学校に通わせていた。その点で、イーヴィは<u>彼❶をひどくがっかりさせた③</u>。むろん、彼女は、大佐夫人として上品だったし、自分の財産を少し持っていたし、一家を稀にみるほど巧みに管理していたし、よい<u>ホステス❹</u>だった。村の人々は誰も<u>彼女を敬愛していた❺</u>。

</td><td>

やむをえず、跡取りとしては、車の事故で亡くなった<u>弟❷</u>の倅、自分の甥に決めていた。この少年、悪い子というのではなかったものの、<u>先祖代々の血筋を引く男らしい子❸</u>でなく、むしろ正反対であり、<u>おまけに①</u>、その子の母親は、<u>呆れたことに②</u>、男女共学の学校に通わせていた。その点、イーヴィにひどく<u>失望していた③</u>。もちろん、妻には美点がいくつもある。間違いなく淑女であり、自分名義の財産が少しあるし、家計の管理も手際が非常にいいし、<u>パーティでの客のもてなし❹</u>も申し分ない。<u>村人からも慕われている❺</u>。

</td></tr>
</table>

試訳からのアプローチ

❶ 「彼」を連発したために、「彼」が少年か大佐か兄弟か不明瞭になってしまっていますよ。

❷ 本当に「兄」で間違いないでしょうか？　まさか兄弟と訳す人はいないでしょうけど、brother, sister は扱いに困るのです。状況証拠として、大佐が先祖代々の屋敷を引き継いでいますから、多分長男でしょう。それで翻訳では「弟」にしました。

❸ 「ペリグリン家の性質」は日本語として不自然ですね。chip off the old block は、「性格や外見などが親にそっくりな子ども」を指す言葉で、特に父と子の関係について使われます。

❹ ホステスという日本語は、特殊な職業を類推させることがあるので、使わない方がよいでしょう。訪問客をもてなす女主人ですね。

❺ 試訳では能動態ですが、前文からの流れで考えると、『妻』を主語とした受け身の形で訳すのがいいでしょう。

原文を分析する

She had been a pretty little thing when he married her, with a creamy skin, light brown hair, and a trim figure, <u>healthy too</u>①, and <u>not a bad tennis player</u>②; he couldn't understand why she'd had no children; of course she was faded now, she must be getting on for five and forty; her skin was drab, her hair had lost its sheen, and she was <u>as thin as a rail</u>③. She was always neat and suitably dressed, but she didn't seem to bother how she looked, she wore no make-up and didn't even use lipstick; sometimes at night when she dolled herself up for a party <u>you could tell that</u>❶ once she'd been quite attractive, but ordinarily she was ── well, the sort of woman <u>you simply didn't notice</u>❷.

語釈：thing 形容詞を伴って、軽蔑・非難・憐憫・哀憐・賞賛などの意を込めて女性や幼児を指します／fade「(色が)あせる、老けさせる、しぼませる」／getting on for「〜に手が届く」／drab「くすんだ褐色の、生気がない」／as thin as a rail = very thin 成句です／bother「気にする」／dolled herself up「装った」／quite「非常に」でなく「ある程度」でしょう。米語では very と同じだと考えて大丈夫ですが、英語では微妙でして、コンテクストなどから判断せねばなりません。

原文からのアプローチ

① この too は「大佐と同様」ということではなく、イーヴィについてだけのことで、外見のよさに加えて健康でもあるという意味の too なのです。今と違って、昔の四十五歳は老けていたのが推察できますね。

② not a bad tennis player「テニスもそこそこできた」「まあ、テニスも下手ではなかった」くらいのニュアンスですね。当時のイギリスでは、国技のクリケットをはじめ、テニス、ゴルフは紳士淑女のスポーツなのです。

③ as thin as a rail の「レール」は比喩ですが、日本人にはピンとこないので、訳さなくてもよいでしょう。

翻訳へブラッシュアップする

試 訳
結婚した頃は、クリーム色の肌で、薄茶の髪で、ほっそりした体型で、可愛い小柄な娘だった。彼と同じく健康であった①し、テニスも下手ではない②。どうして子供ができないのか理解できなかった。もちろん、今は老けていた。まもなく四十五歳になるところだ。肌はくすんだ色になり、髪は輝きを失い、そしてレールのように痩せて③しまった。彼女はいつも身ぎれいで、相応しい服装を身につけていたが、自分がどう見えるかに関心がない。お化粧はせず、口紅さえつけていなかった。夜など時々パーティのために装うこともあって、そういう時は、昔はかなり魅力があったのだと誰でも言うことができた❶。でも普段は、そう、人が気を付けることのない❷女性だった。

翻 訳
結婚当初は結構小柄な可愛い女性で、クリーム色の肌に、薄茶の髪で、すらりとした体型であるし、健康でもあるし①、テニスなどもそこそこにやる②。どうして子供ができないのか不可解だった。もちろん、今は老けてきて、四十五に手が届くところだ。肌はくすんできたし、髪はつややかさを失くし、ひどく痩せて③しまった。今でも身だしなみがよく、常によく似合う服装をしていたが、自分が人の目にどう映るかなどまったく気にしない。お化粧はしないし、口紅さえぬらない。夜パーティなどのためにきちんと装うと、若いころは結構魅力的だっただろう、と分かるのだった❶。でも、普段はと言えば、そう、道ですれ違っても❷誰も振り向かない。

試訳からのアプローチ

❶ 「誰でも言うことができた」では直訳過ぎます。たとえば、You can tell that he is well educated. という文も「明らかに彼は教養人だ」「教養人であるのは一目でわかった」などという意味で、「誰が言うか」は意識されないのです。

❷ 「人が気を付けることのない」では、ピンときません。「注目しない」なら分かりますが、「こんな場合、自分はいつもどういう言い方をしているかな？」と胸に聞いてみて下さい。翻訳では「道ですれ違っても」と入れましたが、是非こうして、というのでなく、一例に過ぎません。

原文を分析する

A nice woman, of course, a good wife, and it① wasn't her fault if she was barren, but it① was tough on a fellow who wanted an heir of his own loins; she hadn't② any vitality, that's② what was the matter with her. He supposed he'd been in love with her❶ when he asked her to marry him, at least sufficiently in love for a man who wanted to marry and settle down, but with time he discovered that they had nothing much in common.

語釈：barren「子供ができない」／heir of his own loins「自分の血を分けた跡継ぎ」

原文からのアプローチ

① 1行目のitも2行目のitも「それ」と直訳すると、読者は一瞬まごつきます。「子供ができないことは」と名詞句にするか、可能なら省くのがよいです。

② hadn't、that's という表記になっていますね。これは直接話法での口語での省略形が残っているのです。つまり直接話法と間接話法の中間である描出話法だと見分けるためのコツがこれです。

翻訳へブラッシュアップする

<table>
<tr><th>試 訳</th><th>翻 訳</th></tr>
<tr>
<td>

人はいいし、むろん、良妻でもある。子供ができないということは彼女の責任ではない。それでも、自分の実子を跡取りに望んでいる男にとって、それはつらいことだった。イーヴィにはまったく活力がなかった②─まさにそこが彼女の欠点だ。彼は、求婚した時点では、彼女に恋している❶と思った。少なくとも、結婚し身を固めたいと思う男としては十分に恋している気でいた❶。やがて、二人の間には何一つ共通のものがないと分かってきた。

</td>
<td>

むろん、よい人柄だし、良妻でもある。子供ができなくても彼女に罪はない。とはいえ、実子を跡継ぎにしたいと切望する男には、その点はとてもつらかった。そうだ、あの女には活気というものがまったくないな②、そこが問題なのだ。求婚したときは、愛している❶気でいた。少なくとも、結婚して所帯を構えようと思う男にとって、これくらいで十分と思える程度には愛している❶つもりだった。しかし時が経つにつれて、共通点があまりないと気づくようになった。

</td>
</tr>
</table>

試訳からのアプローチ

❶ 「恋している」でも、もちろんいいのですが、たんなる恋愛関係ではなく結婚に結びついたことを考慮して、翻訳では「愛している」としてみました。この方が、好き嫌いだけで結婚するよりも、ふさわしい相手をじっくり見極めるという大佐の性格に合っていると思ったためです。いかがでしょうか。そもそも、恋愛する場合、「これくらいの愛情があれば、結婚し所帯を持つのに適当だ」と計算して考える人は多いでしょうか。大佐があまりロマンチックな恋愛主義者ではないのをモームはややユーモラスに揶揄しているようです。全体的に、そのあたりが伝わるような訳にしてみました。

原文を分析する

She didn't care about hunting,① and fishing bored her. Naturally they'd drifted apart②. He had to do her the justice to admit that she'd never bothered③ him. There'd been no scenes. They had no quarrels④. She seemed to take it for granted that he should⑤ go his own way❶. When he went up to London now and then she never wanted to come with him❷.

語釈：care about「〜に関心を持つ」／do her the justice to admit「彼女を公平に評して〜と認める」いったん非難してから言い過ぎたと反省して、言葉を補う場合によく使います。(*cf.* We must do him the justice to say he was a good man.「公平に言って、彼は良い人でした」)／scene「泣きわめくような派手な喧嘩」／quarrel「口喧嘩」

原文からのアプローチ

① コンマを見逃さないように。文の句切れをきっちり見分けましょう。

② drifted apart(隔たりができる、愛情が薄れていく)は過去完了形になっています。夫婦の間は以前から距離ができていたことが分かります。

③ bother という動詞は訳しにくいので工夫が要ります。「邪魔する」と抽象的に言わずに、具体的に言い換えるのがいいです。

④ There'd been no scenes. They had no quarrels. 同じ had でも前者は助動詞、後者は本動詞ですので、表記が違います。著者の書き癖でもありましょう。また、scenes や quarrels がなかった、というのは、夫婦の双方が穏やかな人柄だからでなく、相互に無関心だったからのようですね。そういう間柄だと推察できるように訳しましょう。

⑤ この should は、take it for granted that に続く名詞節内に用いられるもので、「〜すべき」と訳す必要はありません。

翻訳へブラッシュアップする

試 訳	翻 訳
彼女は狩りに関心がなかったし、釣りは彼女をすぐ退屈させた。自然に、夫婦は離ればなれになった。彼女が夫の<u>邪魔をした</u>③ことは決してないのは、大佐も認めざるをえなかった。泣きわめくような喧嘩はなかったし、口喧嘩さえなかった。彼女は夫が自分の<u>好きな道をゆく</u>❶のは当然だと思っているようだった。彼がロンドンに時々行く時は、<u>同行しようとは決して言い出さなかった</u>❷。	彼女は狩猟に無関心だし、魚釣りには退屈してしまう。当然、二人は別々の道を歩むようになった。そうかと言って、夫に<u>迷惑や手数を掛けた</u>③ことは決してない。公平に言って、この点は大佐としても認めざるを得ない。喧嘩して泣き出すことなど一回もなかったし、夫の言葉に言い返したりすることもなかった。夫が<u>勝手気ままに振る舞う</u>❶のは当然だと考えているようだった。大佐が時々ロンドンに出かける折にも、<u>「あたしも一緒に行きたいです」などとは絶対に言い出さなかった</u>❷。

試訳からのアプローチ

❶ たしかにgo one's own wayは「わが道を行く」という意味ですが、文脈に合わせてかみ砕いた訳を工夫しましょう。翻訳では「勝手気ままに振る舞う」としてみました。

❷ 翻訳では直接話法に変えてみました。そうする場合、もしイーヴィのような慎重で落ち着いた人と違って気安い性格の妻なら「あたしも連れてってね」などとなるでしょうね。このように直接話法への変換によって、訳者の考えるイーヴィの人柄、夫との関係などを描写できるのです。

　大佐のロンドンでの行状が語られます。この作品の最初の読者が戦前生まれのアメリカの主婦が大半だったことを窺わせる記述があるのに注目しましょう。どこだか分かりますか？　Well, a man, a healthy normal man had to have some fun in his life. の文です。モームは当時戦禍を逃れて娘一家とアメリカに滞在していて、主婦に人気の高い月刊誌からの注文で執筆しましたが、「妻ならざる女性と夜をともに過ごした」と読んだら「不道徳な男だわ」と感じるのが、この時代のアメリカの主婦らしいのです。モームはそういった反応を予想して、それに回答・弁解を──大佐になり代わって──しています。さて、大佐はイーヴィの詩集を読み始めます。どんな印象を受けるのでしょうか。物語は本筋に入っていきます。

He had a girl there, well, she wasn't exactly a girl, she was thirty-five if she was a day, but she was blonde and luscious and he only had to wire ahead of time and they'd dine, do a show, and spend the night together. Well, a man, a healthy normal man had to have some fun in his life. The thought crossed his mind that if Evie hadn't been such a good woman she'd have been a better wife; but it was not the sort of thought that he welcomed and he put it away from him.

　George Peregrine finished his *Times* and being a considerate fellow rang the bell and told the butler to take it to Evie. Then he looked at his watch. It was half past ten and at eleven he had an appointment with one of his tenants. He had half an hour to spare.

　'I'd better have a look at Evie's book,' he said to himself.

　He took it up with a smile. Evie had a lot of highbrow books in her sitting-room, not the sort of books that interested him, but if they amused her he had no objection to her reading them. He noticed that the volume he now held in his hand contained no more than ninety pages. That was all to the good. He shared Edgar Allan Poe's opinion that poems should be short. But as he turned the pages he noticed that several of Evie's had long lines of irregular length and didn't rhyme. He didn't like that. At his first school, when he was a little boy, he remembered learning a poem that began: *The boy stood on the burning deck*, and later, at Eton, one that started: *Ruin seize thee, ruthless King*; and then there was *Henry V*; they'd had to take that, one half. He stared at Evie's pages with consternation.

原文を分析する

He had a girl❶ there, well, she wasn't exactly a girl, she was thirty-five if she was a day①, but she was blonde and luscious and he only had to wire ahead of time and they'd② dine, do a show③, and spend the night together. Well, a man❷, a healthy normal man had to have some fun in his life. The thought crossed his mind that if Evie hadn't been such a good woman❸ she'd have been a better wife; but it was not the sort of thought that he welcomed and he put it away from him.

語釈：luscious [lʌ́ʃəs]「甘美な、うっとりさせる」／only had to「〜しさえすればよかった」(*cf.* You have only to push the button to get a cup of coffee.「ボタンを押すだけで一杯分のコーヒーが出てきます」)／wire「電報を打つ」

原文からのアプローチ

① if she was a day は「たしかに」の意味。if a day とも言います。これは、知らないとうまく訳せませんね。
② この would は過去における習慣を表しています。続いてくる dine、do a show、spend につながっています。
③ do a show は「ショウを観る」と訳します。状況によっては、「ショウを行う」という意味にもなりますが、コンテクストから考えて、「ショウを行う」ではおかしいと気づいてください。

試訳からのアプローチ

❶ girl「若い女性」と訳すのが基本です。「少女」ではいけません。

翻訳へブラッシュアップする

試 訳	翻 訳
そこには<u>少女❶</u>がいた。でも、間違いなく三十五になっていたから正確には若い子でなかった。しかし、彼女はブロンドで魅惑的であり、予め電報を打っておけば、食事をし、<u>ショウを観</u>③、夜を一緒に過ごせた。<u>まあ、男なら❷</u>普通の健康な男なら、人生に楽しみが必要だ。仮にイーヴィがあんなに<u>立派な女❸</u>でなければ、もっとよい妻だったかもしれぬ、という考えが頭をよぎったけれど、それは大佐の歓迎する考えでなかったから、すぐに頭から追い払った。	ロンドンに行けば<u>若い女❶</u>が待っていた。ま、もう三十五歳にはなっていたので、必ずしも若い女とは言えなかったかもしれない。でも、金髪で、色っぽく、予め上京の旨を連絡しておきさえすれば、食事を共にし、<u>ショウを観て</u>③、一夜を共にできた。いけませんかな。でも、<u>男子なら❷</u>、普通の健康な男子なら、時には人生を楽しまねばなりませんよ。もしイーヴィがこんなに<u>善良な主婦❸</u>でなければ、ベッドを共にする妻としてましだったかもしれない、という考えが頭に浮かぶことが時々あった。しかし、大佐として歓迎すべき考えでなかったので、いつも頭から追い払っていた。

❷ Well, a man の well は、さて、何でしょうか？ 言いよどむ時の「えと、あのう…」です。訳は、作者が大佐に成り代わって、保守的で生真面目な女性読者に自分の女遊びを弁明していると解釈したので、翻訳のようにしてみました。Well のせいでそう感じたのです。実は、1 行目にも well があります。これも girl と述べてから、「ちょっと待てよ、もう三十五歳だから、girl とはいえないかな？」と自問自答している感じです。もっと曖昧にしておいてもよいのに、と思う方もいるかもしれませんが、多少深読みして、訳文に変化をつけてもいいでしょう。

❸ 通常なら a good woman ＝ a good wife ですが、そうではないと言っていることと、前文の「健康な男なら楽しみが必要だ」という内容からも、少し説明訳が必要ですね。

原文を分析する

George Peregrine finished his *Times* and① being a considerate fellow② rang the bell and① told the butler to take it to Evie❶. Then he looked at his watch. It was half past ten and at eleven he had an appointment with one of his tenants. He had half an hour to spare❷.

'I'd better③ have a look at Evie's book,' he said to himself.

語釈：considerate「思いやりのある」／tenant「賃借人」

原文からのアプローチ

① and～andとある場合、できる限り「そして～そして」にならないように工夫しましょう。

② being a considerate fellowが理由を表す分詞構文であるのは、すぐに分かりましたか？　文章の真ん中にあるので、何だと思ったかもしれませんね。

③ I'd betterはI had betterですから、訳出上は分かりにくいのですが、「読んでおかないとまずいよな」のようなニュアンスが含まれます。自分でなく人にYou'd betterと言うと、ほぼ「～しなさいよ」という命令口調になるくらいですからね。

翻訳へブラッシュアップする

<table>
<tr><th>試 訳</th><th>翻 訳</th></tr>
<tr>
<td>

ジョージ・ペリグリンは『タイムズ』を済まし、そして①、親切な男だったから②、ベルを鳴らして、そして①執事にイーヴィのもとに届けるように言った❶。それから彼は自分の時計を見た。十時半であり、十一時には小作人の一人と約束があった。半時間余裕があった②。

「イーヴィの本をちょっと見てみようかな③」と大佐は独り言を言った。

</td>
<td>

ジョージ・ペリグリンは『タイムズ』を読み終えると、よく気が利く性分だったから②、すぐベルを鳴らして、執事にイーヴィの部屋に持って行かせた❶。時計を見ると十時半で、十一時にはある小作人が来ることになっている。そうだ、半時間ばかり余裕があるな②。「イーヴィの本を覗いておくことにするか③」と大佐は思った。

</td>
</tr>
</table>

試訳からのアプローチ

❶ tell（人）to do は言うまでもなく「（人）に〜するように言う」ですが、この訳し方にとらわれていては自然な日本語にはなりません。結局はどうしたのかを頭の中で描いて訳を作りましょう。

❷ He had half an hour to spare. の文が描出話法かどうかは、作者に尋ねてもはっきりしないでしょう。単調になりがちな描写にメリハリなどを付けるために、原作者も話法を変化させます。私の英語教育の経験では、描出話法を見落とす場合が、見つける場合よりずっと多いので、描出話法に敏感になってほしいです。英語と日本語のように相違が大きい言語同士の場合、話法を適宜変えるのはデメリットよりメリットが多いです。もちろん、全ての事と同じく過度はいけませんけど。

原文を分析する

He took it up② with a smile❶. Evie had a lot of highbrow books
in her sitting-room, not the sort of books that interested him, but
if they amused her① he had no objection to her reading them.
He noticed② that the volume he now held in his hand contained
no more than ninety pages. That was all to the good③❸. He shared
Edgar Allan Poe's opinion that poems should be short❹.

語釈：highbrow「インテリ、知識人向けの」／Edgar Allan Poe エドガー・ア
ラン・ポー（作家）。『黒猫』などで有名なアメリカの推理小説家ですが、詩
や詩論も書いていて、「詩は短くあるべし」という説を唱えました。文学、
美学的な根拠のある主張ですが、大佐は文学論を理解した上で共鳴してい
るのでなく、ただ表面的に捉えているだけでしょう。

原文からのアプローチ

① if they amused her の they を、「彼ら」「それら」と機械的に訳す人が
いるのは確かですが、訳出しないほうが日本語らしくなることも多
いのです。そもそも、この they が何を指しているか、分かりますか？

② noticed は文尾で「に気づいた」としない方がよいことが多いですよ。
found that…など感覚の動詞はみな同じです。

③ That was all to the good の to the good は We are $1000 to the good.「わ
が社は千ドル黒字だ」などと使いますが、ここはもっと一般的な意
味です。

翻訳へブラッシュアップする

<table>
<tr><th>試　訳</th><th>翻　訳</th></tr>
<tr>
<td>微笑❶を浮かべながら詩集を持ち上げた❷。イーヴィは自室に高尚な本をたくさん所有していた。大佐が興味をもてる種類のものでないけれど、それらが妻を楽しませるのなら①、好きに読んだらいいと思っていた。今手にした本がせいぜい九十頁であるのに気づいた❷。これは好都合だな❸❸。彼は、「詩は短くなければならない」というエドガー・アラン・ポーの意見を分かち持っていた❹。</td>
<td>薄笑い❶を浮かべながら詩集を手に取った❷。イーヴィは自室に高尚な本をたくさん置いていた。大佐が面白がる種類の本でなかったけれど、妻に面白いのであれば①、好きに読んだらいいと彼は思っていた。ふと見ると②、手にした書物はせいぜい九十頁くらいしかない小冊子だ。結構、結構だ❸❸。「詩は短くあるべし」という、かのエドガー・アラン・ポーと詩論に無知な大佐が同意見だったことになる❹。</td>
</tr>
</table>

試訳からのアプローチ

❶ 「微笑」というと喜んでいるような印象を読者に与えてしまいますが、大佐は喜んでいるでしょうか？　had betterからのつながりで、「しょうがない」という笑いですね。翻訳のように「薄笑い」とすると、夫が妻をちょっと下に見ている感じを出すことができると思います。

❷ 「持ち上げた」というとよほど重いのかと思ったら、九十頁足らずですか！「手に取った」「取り上げた」くらいがいいでしょう。

❸ 「好都合だな」をもう一歩進めて、「結構、結構だ」にしてみましょうか。描出話法ならではの表現です。

❹ 詩が短い云々のあたりを書いている時の作者の気持ちにまったく無関心な訳ではいけません。作者が、大佐の無知を揶揄しているのは明白です。作者も詩が短いのに賛同しているかのような訳はいけません。登場人物の背景や心情に考慮のない、無色透明な訳は避けましょう。

原文を分析する

But as he turned the pages he noticed that several of Evie's had long lines of irregular length and didn't rhyme. He didn't like that. At his first school, when he was a little boy, he remembered learning a poem that began: *The boy stood on the burning deck*①, and later, at Eton, one that started: *Ruin seize thee, ruthless King*①; and then there was *Henry V*①; they'd had to take that②, one half. He stared at Evie's pages with consternation❶.

語釈：first school「小学校」／*The boy stood* …イギリス詩人 Felicia Dorothea Hemans（1703-1835）の Casabianca という詩の一節／*Ruin seize thee, ruthless King* イギリス詩人 Thomas Gray（1716-1771）の The Bard という詩の一節。「慈悲なき王よ、汝に破滅あれ」の意です。この seize は原形で、祈願を表します。江川 §167「仮定法現在（3）祈願・願望の文で」やや古風な用法です。（*cf.* Lord have mercy on us!「神よ、慈悲をたれたまえ」）／*Henry V*『ヘンリー五世』シェイクスピアの歴史劇。韻文で書かれているため詩でもあるのです／one half 1学年2学期制の前期か後期／consternation「非常な驚き、狼狽」

原文からのアプローチ

① 斜体部分は文学作品からの引用らしいと気づいたら、引用句辞典やインターネットで出典を調べましょう。そうしてコンテクストを知ることによって、正しい意味に到達できるのです。

② they'd had to take that の they に当たるのは何か？　一瞬戸惑うかもしれません。たとえば「一学期には源氏物語を取らなければならなかった」という日本語を英訳する場合、they had to take *A Tale of Genji*. と主語を they にします。学生たちを指しているというより、何か主語が要るから they にしておけという感じで、ほとんど無意味なのです。翻訳する場合は無視して、訳すに及びません。

翻訳へブラッシュアップする

<table>
<tr><td>

試 訳

しかし頁を繰ってみると、イーヴィの詩のいくつかは、不規則な長さの行が並び韻を踏んでいないのだ。気にくわない。まだ幼い子供だった頃、小学校で「<u>少年は燃ゆる甲板に立てり①</u>」で始まる詩を暗記したのを思い出した。その後イートン校では、「<u>慈悲なき王よ、汝に破滅あれ①</u>」で始まる詩を覚えたこともあった。更に『<u>ヘンリー五世①</u>』を一学期取らされたこともあった②。彼はイーヴィの詩を<u>ぎょっとして❶</u>見つめた。

</td><td>

翻 訳

ところが、頁を繰ってみると、何とイーヴィの詩の中には、不規則な長さの長い行が並んだのもあれば、脚韻を踏んでいないものさえあった。これはおかしいぞ。詩といえば、子供の時に小学校で習った「<u>少年は燃ゆる甲板に立てり①</u>」で始まる詩を思い出す。イートン校に進んでからは、「<u>慈悲なき王よ、汝に破滅あれ①</u>」で始まる詩を教わった。さらに『<u>ヘンリー五世①</u>』も一学期勉強した②。<u>思い出の詩作品と比較して❶</u>、大佐はイーヴィの詩を<u>呆れ顔で❶</u>凝視した。

</td></tr>
</table>

試 訳 か ら の ア プ ロ ー チ

❶「ぎょっとして」はさすがにオーバーです。大佐がなぜwith consternationで詩を見たのかを考える必要があります。つまり、大佐が覚えているのはいずれも古典であり、脚韻を踏む伝統的な作品です。一方、現代詩の中には、形式や韻律に縛られない自由詩もあるのですが、大佐はまったく知りませんね。イーヴィの詩はそういうものらしいのです。伝統的でない形式の詩を見て「なんだこれは」と思ったのでしょう。そのあたりを、翻訳では「思い出の詩作品と比較して」と補足し、理由を説明しました。補足訳は読者の自然な理解のために時々必要になります。

大佐は妻の詩集に違和感を覚えます。中にソネットと称する「十四行詩」もあったので、念のために行数を数えて確認します。こんな何だか分からぬ代物を詩と称して刊行した妻の愚かさに憐みを覚えます。大佐は妻に読んだと告げ、「面白かった」と嘘をつきます。一方、妻は本の話題を避けようとします。

'That's not what I call poetry,' he said.

Fortunately it wasn't all like that. Interspersed with the pieces that looked so odd, lines of three or four words and then a line of ten or fifteen, there were little poems, quite short, that rhymed, thank God, with the lines all the same length. Several of the pages were just headed with the word *Sonnet*, and out of curiosity he counted the lines; there were fourteen of them. He read them. They seemed all right, but he didn't quite know what they were all about. He repeated to himself: *Ruin seize thee, ruthless King.*

'Poor Evie,' he sighed.

At that moment the farmer he was expecting was ushered into the study, and putting the book down he made him welcome. They embarked on their business.

'I read your book, Evie,' he said as they sat down to lunch. 'Jolly good. Did it cost you a packet to have it printed?'

'No, I was lucky. I sent it to a publisher and he took it.'

'Not much money in poetry, my dear,' he said in his good-natured, hearty way.

'No, I don't suppose there is. What did Bannock want to see you about this morning?'

Bannock was the tenant who had interrupted his reading of Evie's poems.

'He's asked me to advance the money for a pedigree bull he wants to buy. He's a good man and I've half a mind to do it.'

George Peregrine saw that Evie didn't want to talk about her book and he was not sorry to change the subject. He was glad she had used her maiden name on the title-page; he didn't suppose anyone would ever hear about the book, but he was proud of his own unusual name and he wouldn't have liked it if some damned penny-a-liner had made fun of Evie's effort in one of the papers.

原文を分析する

'That's not what I call poetry,' he said❶.

Fortunately it wasn't all like that①. Interspersed with the pieces that looked so odd, lines of three or four words and then a line of ten or fifteen, there were little poems②, quite short, that rhymed, thank God, with the lines all the same length. Several of the pages❷ were just headed with③ the word *Sonnet*, and out of curiosity he counted the lines; there were fourteen of them. He read them. They seemed all right, but he didn't quite know what they were all about❸. He repeated to himself: *Ruin seize thee, ruthless King*.

'Poor Evie,' he sighed.

語釈：interspersed with…「…の間に混じって」後にくる there were「〜もあった」とつながります。また、pieces と lines of three or four words and then a line of ten or fifteen とが同格です／*Sonnet*「十四行詩」

原文からのアプローチ

① It wasn't all like that を「全てがそうでなかった」と訳してしまうと、全面否定になります。ここは部分否定ですね。読者も大佐と一緒に詩集を読み、頁を繰っている感じになれる訳文を心がけたいものです。

② little は quite short と同じですから、「短い詩」ということです。

③ headed with は、ページがそれで始まっている、つまりページの最初に書いてある詩のタイトルのことですね。そこを明確にしてみると、大佐が本を手にしている情景がより浮かんでくるのではないでしょうか。

翻訳へブラッシュアップする

試 訳	翻 訳
「これは私が詩と呼ぶものではない」大佐が言った❶。 幸い、全てがそうでなかった①。三、四語の行が並び、その後に十語ないし十五語の行が一行というような、とても奇妙に見える詩の間に混じって、ありがたいことに全部の行が同じ長さの、韻をふんでいるすごく短い詩②もあった。いくつかの頁は❷上にただ「十四行詩」と書いてあった③。大佐は好奇心から行数を数えてみたら、正確に十四行あった。試しに読んでみた。まともらしいのだが、彼には内容がぜんぜん分からなかった❸。思わず、「慈悲なき王よ、汝に破滅あれ」とつぶやいた。 「哀れなものだな、イーヴィも」彼は溜息をついた。	「これはいわゆる詩ではないな」幸いなことに、全部が全部そんなふうというのでもなかった①。三語か四語の数行の次に十語ないし十五語の長い行がある、というような、見るからに奇妙な作品に混じって、もっとまともなものもあった。とても短い詩②で、行は皆同じ長さだし、有難いことに、ちゃんと韻を踏んでいるようだ。頁によっては❷、ただ「十四行詩」という題名になっている③ものもあった。好奇心に駆られて行数を数えてみたら、ちゃんと十四行あった。それならと思って読んでみた。ちゃんとした作品らしいのだが、どういう内容であるか、よく分からない❸。「慈悲なき王よ、汝に破滅あれ」と暗誦してみた。 「イーヴィも可哀そうな奴だな」思わずため息がもれた。

試訳からのアプローチ

❶ 試訳はhe saidを訳していますが、「翻訳」では不必要だと判断しました。英語だと、誰の発言なのか見分けにくいので、誰が言ったか書きますが、日本語では男女、年齢などで大体見当がつくからです。

❷ someやseveralを主語に含む文を直訳すると、たいてい不自然になります。「～のなかには、…なものもあった」などの形にしましょう。

❸ 「それら全てが何についてのことなのか」つまり詩の内容のことです。翻訳では現在形を用いて、読者と大佐の距離を近くしようと試みました。

原文を分析する

At that moment the farmer he was expecting① was ushered into the study, and putting the book down② he made him❶ welcome. They embarked on❷ their business.

'I read your book, Evie,' he said as they sat down to lunch. 'Jolly good. Did it cost you a packet to have it printed?'

'No, I was lucky. I sent it to a publisher and he took it.'

'Not much money in poetry, my dear,' he said in his good-natured, hearty way.

'No, I don't suppose there is③.   What did Bannock want to see you about this morning?'

Bannock was the tenant who had interrupted his reading❸ of Evie's poems.

語釈：usher [ʌʃɚ]「案内する、取り次ぐ」／cost you a packet to「～するのに君に大金を出させる」（*cf.* Working too hard cost him his life.「働きすぎて彼は命を落とした」）／good-natured「温厚な、気立てのよい」／hearty = kind

原文からのアプローチ

① expect は「期待する」の意味の他に、人が来るのを「待つ」という意味もあります。ここでは、大佐は来客を「期待」していたのではなく、「待っていた」のですね。

② putting the book down は大佐の動作です。動作の継続を表現する分詞構文ですね。

③ I don't suppose there is の後には、money in it が省略されています。むろん、「儲かる」という意味です。

試　訳
その時彼が期待していた①小作人が書斎に案内された。そこで、大佐は本を置いて②、客❶を歓迎した。二人は仕事に着手した❷。 「イーヴィ、君の本、読んだよ」昼食の席で彼が言った。「とてもいい本だ。あれ出版するのに金がうんとかかったかね？」 「いいえ、あたし、運がよかったの。出版社に送ったら、そこで出してくれたから」 「詩は金にはならんよ」彼は人のよさそうな、温かい口調で言った。「ええ、なるとは思わないわ③。バノックは今朝はどんな用事でしたの？」 バノックはイーヴィの本を読むのを中断させた❸小作人だった。

翻　訳
ちょうどその時、待っていた①農夫が書斎に案内されてきた。本を置いて②、愛想よく相手❶を迎えた。すぐに仕事の話が始まった❷。 「あの本、読んだよ」昼飯の席につく時、妻に言った。「面白かった。あれ出版するのに大分金がかかっただろうね」 「それが運がよかったんですよ。出版社に送ったら、そこから出してくれましたから」 「とにかく、詩では儲からんからな」夫は親切に優しく言った。「ええ、そうですわね③。今朝、バノックは何の用事でしたの？」 バノックというのは、イーヴィの本を読んでいる時に入ってきた❸小作人だった。

試訳からのアプローチ

❶ 「客」でも悪くはないのですが、小作人ですから身分としては大佐より下になりますので、もてなすタイプの客ではありませんね。翻訳では「相手」と客観的にしてみました。

❷ embark on は「〜に着手する、乗り出す」ですが、ここは「仕事に着手した」というより「仕事の話を始めた」のほうがぴったりですね。

❸ 「読むのを中断させた」の部分、英語に引きずられてぎこちない訳になっていますね。それに「中断させた」だと、小作人が意図して中断させたようにも聞こえます。その場面を思い描き、日本語として自然な訳を考えてみましょう。

原文を分析する

'He's asked me to advance the money for a pedigree bull he wants to buy. He's a good man and I've half a mind to do it①. '

George Peregrine saw② that Evie didn't want to talk about her book and he was not sorry to❶ change the subject.

語釈：pedigree bull「血統書つきの雄牛」／I've half a mind「半分～しようと思う」が直訳で、「ほぼその気になっている」と同じ（*cf.* I've half a mind to resign unless there is a marked improvement.「著しい改善がなければ辞任しようかなと思っている」）。

原文からのアプローチ
▼

① have half a mind to do it の、冠詞 a の位置に注意してください。直訳しようとすると「半分決めた」のように思いますが、どちらかと言うと「ほぼ決めているけど、少し迷っている」くらいのニュアンスです。この half は 1/2 でなく 2/3 の感じです。試訳の「～やろうかどうか考えているところだ」だと、50/50 で迷っているような印象になるので、翻訳のように「～してやろうかと思っている」などがよいでしょう。

② この saw は、「見た」のではなく noticed「気づいた」の意味ですね。

58

翻訳へブラッシュアップする

試 訳
「彼が買いたがっている血統書つきの雄牛がいて、買う金を前貸ししてくれって言うんだ。いい奴だから、出してやろうかどうか考えているところだ①」 ジョージ・ペリグリンは、イーヴィが自分の本のことを話したがらないのに気づいた②。彼は話題を変えることが残念ではなかった❶。

翻 訳
「血統書つきの雄牛を買いたいので、金を貸してくれって言うのだ。いい奴だから、願いを叶えてやろうかと思っているんだ①」 ジョージ・ペリグリンは妻が例の本のことを話題にしたがらないのに気づいた②が、読んでいない大佐にとっては❷持って来いだった❶。

試訳からのアプローチ

❶ 「残念ではなかった」ではちょっと曖昧です。大佐にとってはむしろ、「すすんでそうしたい」くらいの気持ちでしょう。翻訳では「持って来いだった」としてみました。

❷ 原文にはありませんが、翻訳では、大佐がきちんと読んでいないことを強調しました。くどいようにも思えますが、後で問題になるので、読者にしっかり覚えていてほしかったのです。

原文を分析する

He was glad① she had used her maiden name on the title-page; he didn't suppose② anyone would ever③ hear about the book, but he was proud of his own unusual name❶ and he wouldn't have liked it if some damned penny-a-liner❷ had made fun of Evie's effort❸ in one of the papers.

語釈：penny-a-liner「三文文士」

原文からのアプローチ

① glad を「嬉しい」とするのは、どうも合わないような気がします。「よかった」「ほっとした」のではないでしょうか。I am glad my son did not fail again.「息子がまた落第しなくてほっとした」と、I am glad my daughter succeeded.「娘が合格して喜んだ」を比べてみましょう。安堵と幸福、消極的な喜びと積極的な喜びという差異があるでしょ？翻訳では「助かった」と、大佐の安堵の気持ちを表現しました。

② didn't suppose「推測しなかった」→「ありそうもない」となります。suppose は、「あまり根拠はないけれどそう思う」の意味です。

③ この ever は「万が一にも」という感じの否定の強調です。

60

翻訳へブラッシュアップする

試　訳
イーヴィが本の扉にペリグリンという名前を避けて、娘時代の名前を使って嬉しかった①。あの本の噂を聞く人などありそうもない②。大佐はそれほど自分の珍しい苗字を誇っていたのだ❶から、万一どこかの批評家風情❷がどこかの新聞でイーヴィの労作❸をあげつらうような事態が生じたなら、すごく腹が立つだろう。

翻　訳
あの本が人の噂になることはありえない②だろうが、万一ということもある③ので、妻が今の姓を避けて、旧姓を用いてくれて助かった①。どこかのへぼ文士風情❷が新聞の書評❹で「ペリグリン夫人著の本」❸をからかうようなことが生じたら、さぞや気分が悪いだろう。珍しい名門の苗字が汚されるのは許せない❶。

試訳からのアプローチ

❶ 大佐にとって一番問題なのは、詩集が酷評されることでなく、苗字がからかわれることですね。その辺の事情を翻訳では原作以上にはっきりさせました。

❷ 試訳では「批評家風情」ですが、翻訳では「へぼ文士風情」として、大佐が文学に無理解であるのを一段と強調しました。

❸ Evie's effort は「イーヴィの努力」ではありませんよ。まずeffortは英語特有の言い換えで、ここではbookの代わりです。ですから「イーヴィの本（詩集）」と訳すことになります。しかし、翻訳ではもう一歩踏み込んで、「ペリグリン夫人著の本」としました。❶でも触れていますが、コンテクストから明らかであるように、大佐にとって腹が立つのは「イーヴィの本」ではなく「ペリグリンの名」がからかわれることだからです。

❹ 翻訳では、原作にない「書評」を補ってみました。日本語では抜けていると不自然な部分を、翻訳で補うことが時々あります。

'If my wife had written a book I'd be the first to know about it, wouldn't I?'

「いいかね、家内が本を書いたのだとしたら、まず私が最初に知るはずじゃあないか？」

詩集をめぐって、次々に意外なことが起こります。まず、大佐がロンドンで時々会っている女性と会うと、ある批評家からシェフィールド近くに住む退役大佐の妻が出した素晴らしい詩集の話を聞いた、と言い出すのです。大佐は知らん顔をします。

During the few weeks that followed he thought it tactful not to ask Evie any questions about her venture into verse, and she never referred to it. It might have been a discreditable incident that they had silently agreed not to mention. But then a strange thing happened. He had to go to London on business and he took Daphne out to dinner. That was the name of the girl with whom he was in the habit of passing a few agreeable hours whenever he went to town.

'Oh, George,' she said, 'is that your wife who's written a book they're all talking about?'

'What on earth d'you mean?'

'Well, there's a fellow I know who's a critic. He took me out to dinner the other night and he had a book with him. "Got anything for me to read?" I said. "What's that?" "Oh, I don't think that's your cup of tea," he said. "It's poetry. I've just been reviewing it." "No poetry for me," I said. "It's about the hottest stuff I ever read," he said. "Selling like hot cakes. And it's damned good." '

'Who's the book by?' asked George.

'A woman called Hamilton. My friend told me that wasn't her real name. He said her real name was Peregrine. "Funny," I said, "I know a fellow called Peregrine." "Colonel in the army," he said. "Lives near Sheffield."'

'I'd just as soon you didn't talk about me to your friends,' said George with a frown of vexation.

'Keep your shirt on, dearie. Who d'you take me for? I just said: "It's not the same one."' Daphne giggled. 'My friend said: "They say he's a regular Colonel Blimp."'

George had a keen sense of humour.

'You could tell them better than that,' he laughed. 'If my wife had written a book I'd be the first to know about it, wouldn't I?'

'I suppose you would.'

原文を分析する

　During the few weeks① that followed he thought it tactful❶ not to ask Evie any questions about her venture into verse②, and she never referred❷ to it. It might③❸ have been a discreditable incident④ that③ they had silently agreed not to mention. But then a strange thing happened.

語釈：tactful「よく配慮した、気が利く」／venture「危険を伴う試み」。日本語でも「ベンチャー企業」などと言いますね／discreditable「不名誉な」

原文からのアプローチ

① 鳩が豆を啄むように英単語を拾っていると、During the few weeks を「続いた数週間」などと訳してしまうことになりかねません。まず自分で声を出して数回読み、何か変だと気づいて下さい。

② 文字通りには「思い切って詩を書いてみたこと」という意味ですから、そこだけ考えれば、「詩への試み」などと訳すのがよいと思うでしょう。日本人なら誰でもそう思います。しかし、英語母語話者から見ると、これは her book の言い換えに過ぎません。実はすぐ前にも her effort という表現があったでしょう？　文字通りには「（難しいのに頑張った）努力（の成果）」ということですが、やはり book の言い換えです。このように、英語では、たとえば一度出た book という単語を、二度目に言うのを避けて、言い換えをする癖があります。これは日本語にはない癖ですから、それに文字通りに対応する必要はありません。むしろ、「本」なら「本」で統一すべきです。

③ 構文を取り違えて、「彼らが沈黙して言わないと同意したことは、不名誉な事件だったかもしれなかった」などと訳してはいけませんよ。たしかにコンテクストを無視すれば、このような解釈も可能です。でも前後と意味が通じていませんよね。きっと構文の取り方に誤りがあるのだな、と気づいてほしいです。正しくは、it は詩あるいは詩作を指し、that は関係代名詞であり、その先行詞は incident です。「不名誉な事件かもしれなかった」としてよいのは、原文が may have

翻訳へブラッシュアップする

試 訳
その後の数週間①、彼は詩への試み②のことでイーヴィに何か尋ねないほうが双方にとって好都合❶だと思った。イーヴィのほうでも一切言及②しなかった。それは③、暗黙裡に黙っていようと同意した不名誉な事件④のようだった。しかし、その後奇妙なことが起きた。

翻 訳
それからの数週間①、詩集のこと②は何も尋ねないのが賢明❶だと思っていた。イーヴィのほうから話題にすることも②一切なかった。あたかも、不名誉な出来事④だから、お互いに触れまいと暗黙裡に同意したかのようだった。ところが、間もなく奇妙なことが起きた。

been の場合であってここは違います。might have been が仮定法だとしっかり認識すれば、「現実に反する仮定」として訳すことができるはずです（江川 §197〜199「May」「Might」参照）。理解が不十分な人も多いので、念のために might の用法を復習しましょう。日本語を巧みに話すスペイン人 Pedro について、He might be Japanese. と周囲の人が彼の流暢さに驚いて言いました。これを「彼は日本人かもしれない」と訳すのは間違いです。「彼は日本人だと言っても通用する」「まるで日本人みたい」などが正しい翻訳ですね。

試訳からのアプローチ

❶ tactful の訳は難しいですね。基本は「機転がきく」という意味です。この場合は、イーヴィに対して思いやりがあり、同時に、自分にとっても、読んでないのが露見しないで好都合だ、ということです。「親切」ではイーヴィに対してだけになるので、試訳は説明的に訳していますね。「賢明」なら双方に適合しますから、よい訳と言えます。

❷ refer を「言及」というのは、直訳過ぎませんか。もっと自然な日本語に訳したいですね。

❸「それは」という代名詞は、どうしても日本語らしくなく、不自然です。できるだけ代名詞を使わないように工夫してください。

❹ incident は accident と違い、「事件」では大袈裟過ぎます。「出来事」くらいの日本語が適訳でしょう。

原文を分析する

He had to go to London <u>on business</u>❶ and he took Daphne out to dinner. That was the name of the girl with whom he <u>was in the habit of</u>① passing a few <u>agreeable</u>❷ hours whenever he went to town.

'Oh, George,' she said, 'is that your wife who's written <u>a book they're all talking about</u>②?'

'<u>What on earth d'you mean</u>❸?'

'Well, there's <u>a fellow</u>❹ <u>I know who's a critic</u>③. He took me out to dinner the other night and he had a book with him. "<u>Got anything</u>④ for me to read?" I said. "What's that?"

語釈：Daphne「ダフネ（人名）」ギリシャ神話に出てくる神の名前で欧米では女性の名前。戦前の日本でも妾を持つ裕福な男性がいたのですが、彼女は妾のイギリス版でしょう／on earth 強調ですから、「一体全体」など。

<u>原文からのアプローチ</u>

① be in the habit of は、「決まって～する」「～することにしている」という意味ですね。whenever で「～する時はいつも」のニュアンスが出ているので、わざわざ訳出しなくてもよいでしょう。

② 関係代名詞が出てきたら、「訳し上げる」べきか「訳し下げる」べきか、一度立ち止まって考えてみてください。訳し上げると不自然な日本語になる場合もありますが、ここでは they're all talking about を訳し上げても、別に不自然ではないでしょう。

③ I know の前に関係代名詞 whom を補うと分かりやすくなります。whom I know も who's a critic も、先行詞 a fellow に係っていますね。

④ Got anything=Have you got の意味。さらに、have got=have ですので、「持っている？」という訳になります。その後に for me to read と続いていますが、「私が読むための本を持っている？」では少し直訳過ぎますね。

68

翻訳へブラッシュアップする

試 訳
彼は<u>仕事で❶</u>ロンドンに行かねばならず、ダフネを夕食に連れ出した。それは彼が上京した時はいつも①、<u>契約した❷</u>時間を過ごす相手の名だった。 「ねえ、ジョージ、皆さんが話題にしている本を書いたのあなたの奥さん?」 「<u>一体どういう意味だい❸</u>?」 「私、批評家やってる<u>奴❹</u>、知っているのよ。この間の夜、彼が夕食に連れてってくれたんだけど、その時、彼が本を持っていたので、私が『<u>私の読むような本ある④</u>?それは何?』と聞いたわ。

翻 訳
大佐はロンドンに行く用事が<u>できて①</u>、ダフネを夕食に連れ出した。これが上京した際に、いつも①<u>連れ出して愉しい②</u>数時間を過ごす相手の女性だった。 「あのね、今世間で噂になっている本ねえ、あれ奥さんが著者なの?」 「<u>藪から棒に何を言うんだね❸</u>?」 「知り合いに批評家がいるのよ。その人がこの間の夜、夕食に誘ってくれたんだけど、その時、本を持っていたわ。だから『あたしのために<u>持ってきてくれたの④</u>?それどういう本?』と聞いたの。

---

❶ on business は、つい反射的に「仕事で」と訳してしまいますが、「用事で」「所用で」という使い方もします。

❷ agreeable を「契約した」と訳すのはいけません。たしかに agree は「同意する」ですし、二人の関係は何らかの合意をもって成立したと推測されますが、これでは雇用関係のようで、二人の本当の関係を読み取れません。軽い遊びにふさわしい形容詞となると「愉しい」などです。

❸ 思いがけない質問に面くらった大佐の様子を描写するため、「藪から棒」と訳してみるのはいかがでしょうか。ただし、「藪から棒」などの日本的な表現は、時々使うと有効ですが、違和感のために原文の雰囲気を壊すことがないように、あくまで慎重にしてください。

❹ fellow というとすぐ機械的に「奴」と訳す人がいます。口語表現ですから気軽に使うのですが、単に「男」でよい場合が多いのです。

原文を分析する

"Oh, I don't think that's your cup of tea," he said. "It's poetry. I've just been reviewing it❶." "No poetry for me," I said. "It's about the hottest stuff① I ever read②," he said. "Selling like hot cakes③. And④ it's damned good.",

　'Who's the book by⑤?' asked George.

　'A woman called Hamilton. My friend told me that wasn't her real name. He said her real name was Peregrine. "Funny," I said, "I know a fellow called❸ Peregrine." "Colonel in the army❹," he said. "Lives near Sheffield."

語釈：your cup of tea（口語）「君の好み」否定文で使われる場合が多いのです／review「書評する」ダフネは書評するようなインテリとも付き合っているのかと、意外性に驚く読者もいるでしょうね／hot stuff(口語、俗語)「性的に興奮させる人、もの」

　原文からのアプローチ

① about the hottest stuffの、形容詞の最上級の前のaboutは、「〜について」ではなく、「ほぼ、およそ」の意味です。

② I ever read=I have ever read. 口語表現では、過去形が現在完了形の代わりとなることがありますので、注意しましょう。

③ 口語表現で「すごく売れている」という意味です。このsellは自動詞ですね。一説によると、17世紀後半、お祭りなどのイベント会場でホットケーキが大変よく売れたことから、この表現が生まれたようです。

④ このAndの用法は強調ですね。セクシーな本であって、しかもすごく優れている、というのは滅多にありませんから、強調したくなるのです。

⑤ 動作主を表すbyを用いた言いまわしです。bookの後にwrittenを補うと分かりやすくなります。

翻訳へブラッシュアップする

試 訳
『これは君好みじゃない。詩だよ。書評しているところだ❶』と彼が言うので、私が『詩なら要らないわ』って言ったら、彼が『これまで読んだ中で②もっともきわどい本①だと言ってもいいくらいだ。うんと売れている③。しかも④名作だな』って言うのよ」 「誰が書いた本だね⑤?」ジョージが尋ねた❷。 「ハミルトンという女性。知り合いの話では、それは本当の名前でないって。本名はペリグリンですってさ。『奇妙ねえ、あたしペリグリンっていう男性を③知っているわよ』そう言うと、彼は『軍隊の大佐④だ。シェフィールド近辺在住だ』ですって」

翻 訳
そしたら、『これは、君には向かないな。詩なんだ。今ちょうど書評のために読んでいるところなのだ』❶と答えたわ。『詩なら結構だわ』って言うと、『読んだこともないような②実にセクシーな本①だと言ってもいい。羽根が生えたみたいに、売れている③。そのくせ④作品として一流だ』ですって」 「著者は一体誰なんだい⑤?」 「何でもハミルトンという女性ですって。でもそれは本名じゃあなくて、本当はペリグリンですって。『あら変ねえ。ペリグリンっていう人なら③知っているわよ』って言うと、『陸軍大佐④でね。シェフィールド近郊に住んでいる』と言ったわ」

試訳からのアプローチ

❶ もう少し具体的に訳出したいですね。本を持ち歩いているのは、書評のために読んでいるところだからでしょう。

❷ 英語と違い、男女の言葉遣いが異なる日本語では、誰が言ったという説明を省略しても判別可能なことが多々あります。

❸ わざわざ「…男性を」と限定的に言うのは、日本語らしくない表現ではありませんか? 単純に、「…人なら」としました。

❹ イギリスでは、army「陸軍」navy「海軍」air force「空軍」と決まっています。「軍隊の大佐」を、翻訳ではより正確に「陸軍大佐」と訳しました。

原文を分析する

'I'd just as soon① you didn't talk about me to your friends,' said George with a frown of vexation②.

'Keep your shirt on, dearie. Who d'you take me for③? I just said: "It's not the same one."' Daphne giggled. 'My friend said: "They say he's a regular Colonel Blimp❶."'

語釈：frown「しかめ面」／vexation「いらだち、悩み」／Keep your shirt on(口語)「怒るな」／dearie「dear」の訛りです／Colonel Blimp「ブリンプ・デブ大佐殿」当時流行っていたイギリスの漫画で、デブで威張った上官に部下がつけたあだ名です。

原文からのアプローチ

① I'd just as soon は、「できれば～だと願う」という意味。'd= would ですね。直訳は、「君が語らないのが、僕の願いだ」です（cf. I'd just as soon we all speak in Japanese here.「ここでは全員が日本語で話すほうがよいですね」）。翻訳する際には「～しないでほしいな」などとするとよいでしょう。

② a frown of vexation は直訳すると「苛立ちのしかめ面」ですが、原文の形にとらわれずに訳しほどくとよいでしょう。

③ d'you =do you です。Who do you take me for? は一種の修辞疑問ですから、できれば、直訳は避けたいですね。試訳でも十分ダフネが言わんとすることのニュアンスは通じると思いますが、翻訳ではより具体的に説明する訳にしてみました。

翻訳へブラッシュアップする

試　訳	翻　訳
「わしのことを友人などに喋らんで欲しかったな①」ジョージは苛立ちのしかめ面②で言った。「まあ、怒らないでよ、あなた。あたしを誰だと思っているの③？『違う人だったわ』と言っただけよ」そこでダフネはくすくす笑った。「その人はね、『典型的なブリンプ大佐殿（イギリスの漫画にでる威張った肥った上官）❶なのだ』と言ってたわ」	「私の名前を気軽に友人などの前で出さんで欲しかったのに①」大佐は苛立ち、不快な表情②を見せた。「まあまあ、ぷりぷりしないで！大丈夫よ。あたしの対応のうまいの、知ってるじゃあないの③。『それじゃあ、違う人だわ』って言ったわ」ダフネはくすくす笑い出した。「その人ったらね、『噂じゃあ、その軍人は、漫画に出てくるそっくり返ったデブ大佐殿❶にそっくりらしいな』ですって」

試訳からのアプローチ

❶ 括弧の中に注で固有名詞を解説していることをどう思いますか？一般論ですが、注釈がどうしても必要な場合、この割注の他に、番号をつけておいて、一括して章末や巻末などに注釈を列記する方法もあります。多くの場合、活字の大きさを本文より小さくします。しかし、注釈は、特に文学作品では邪魔になりますので、翻訳では本文に解説をこっそり忍び込ませる方法を取りました。

原文を分析する

> George had a keen sense of humour❶.
> 'You could tell them better than that①,' he laughed. 'If my wife had written a book I'd be the first to know about it, wouldn't I?'
> 'I suppose you would.'

原文からのアプローチ

① この場面、二人の対話を正しく理解するのは難しいですね。特に、You could tell them better than that は解釈が分かれるかもしれません。こういう場合、曖昧にせず、自分の責任で解釈を示すのがよいのです。性的に親しい間柄のダフネなら正確なことが言えるはずだという解釈ができませんか？　また、このcouldは「できた」ではなく、可能性「～かもしれない」です（江川 §194～196「Could」参照）。その気になれば、といったニュアンスです。漫画に出てくる Colonel Blimp は、デブで威張っている男です。すらっとしてハンサムで女性の扱いの巧みなジョージとあまりにも違うのです。愛情表現なども下手でしょう。

74

翻訳へブラッシュアップする

<table>
<tr><td>試　訳</td></tr>
</table>

試　訳	翻　訳
ジョージには鋭いユーモア感覚があった❶。 「君ならもっとうまいことが言えるところだろうな①」彼は笑った。 「もしもだが、妻が本を書いたとしたら、まずもって、わたしが最初に知るんじゃないかね？」 「そうよね」	大佐はそう聞くとニヤニヤした❶。 「ほう、そうかね。ダフネならもっと、本当のことが言えるとこだろうな①」笑いながら言った。「いいかね、家内が本を書いたのだとしたら、まず私が最初に知るはずじゃあないか？」 「まあ、そうよね」

試訳からのアプローチ

❶ had a keen sense of humour を、翻訳では「そう聞くとニヤニヤした」としたのは、どうしてだか分かりにくいかもしれませんね。「ユーモア感覚」とは、面白おかしいことを言う能力というより、物事を客観的に冷静に見る態度のことで、悪口を言われた場合でも怒らない、というのが特色なのです。それで、「そう聞いても怒らなかった」と訳すことがよくあります。実際、大佐は「デブの大佐」に似ていると噂されても、それに対して腹を立てずに笑っていますね。ここでは、さらに自然な表現になるように工夫しました。

　その後も不思議なことばかりです。まず、クラブに行くと、友人によって、イーヴィの本を書評で激賞したといういかにも芸術家らしい風貌の紳士に引き合わされます。この批評家が聞いたこともない詩や詩人の話をして、大佐は苛々します。

Anyhow the matter didn't interest her and when the colonel began to talk of other things she forgot about it. He put it out of his mind too. There was nothing to it, he decided, and that silly fool of a critic had just been pulling Daphne's leg. He was amused at the thought of her tackling that book because she had been told it was hot stuff and then finding it just a lot of bosh cut up into unequal lines.

He was a member of several clubs and next day he thought he'd lunch at one in St James's Street. He was catching a train back to Sheffield early in the afternoon. He was sitting in a comfortable arm-chair having a glass of sherry before going into the dining-room when an old friend came up to him.

'Well, old boy, how's life?' he said. 'How d'you like being the husband of a celebrity?'

George Peregrine looked at his friend. He thought he saw an amused twinkle in his eyes.

'I don't know what you're talking about,' he answered.

'Come off it, George. Everyone knows E. K. Hamilton is your wife. Not often a book of verse has a success like that. Look here, Henry Dashwood is lunching with me. He'd like to meet you.'

'Who the devil is Henry Dashwood and why should he want

to meet me?'

'Oh, my dear fellow, what do you do with yourself all the time in the country? Henry's about the best critic we've got. He wrote a wonderful review of Evie's book. D'you mean to say she didn't show it you?'

原文を分析する

Anyhow the matter didn't interest her and when the colonel began to talk of other things she forgot about it. He put it out of his mind too. There was nothing to it, he decided①❶, and that silly fool of a critic had just been pulling Daphne's leg. He② was amused at the thought of③ her tackling that book❷ because she had been told it was hot stuff and then finding❸ it just a lot of bosh cut up into unequal lines④.

語釈：put it out of his mind「（そのことを）忘れた」／There was nothing to it（口語）「大したことではない」「気にする必要はない」このitはここでは「詩集またはそれに関すること」を漠然と指しています／that silly fool of a critic「あの大馬鹿の批評家野郎」／pulling Daphne's leg（口語）「ダフネをからかう、かつぐ」／bosh＝nonsense「たわごと」

原文からのアプローチ

① 「それには何もなかった、と彼は決定した」などと訳してはいけませんよ。There was nothing は、時制の一致で過去形になっているだけです。念のために直接話法に書き直せば、He said decidedly, "There is nothing to it and that silly fool of a critic was just pulling Daphne's leg." となります。時制の扱いに注意して下さい。

② He was amused の He を、正しく「大佐」に取っていますか？ because 以下をしっかり読めば、この He が「批評家の男」ではなく「大佐」であることは、一目瞭然です。

③ at the thought of～を、「～という考慮で」などと訳していませんか？ 正しくは、「～を思って」です。少しでも訳文に不自然さを感じたら、辞書を引く癖をつけましょう。

④ bosh に係る、過去分詞の形容詞的用法です。直訳すれば「不揃いな長さに分割されたたわごと」となりますが、これでは何のことかよく分かりませんね。詩行が紙面上でどのように並んでいるのか想像して、自然な訳を考えてみてください。

翻訳へブラッシュアップする

試 訳
とにかくこのことは彼女の興味を引かず、大佐が他の話題に転ずると、もう忘れてしまった。大佐も頭から追い出した。<u>問題はないのだ</u>①、知り合いとかいう、けしからぬ批評家野郎がダフネをからかっていただけだ。<u>そう決めた</u>❶。きわどい本だと聞いて彼女が<u>本に取り組んでみて</u>❷、下らぬ話がまちまちの長さの数行にちょん切られている④のを<u>見出す</u>③、という場面を想像して</u>③、彼は②おかしくなった。

翻 訳
とにかくこの話に彼女は関心がなく、大佐が話題を変えると、もう忘れてしまった。大佐も忘れることにした。<u>どうということはないのだ</u>①。その批評家とかいう馬鹿者がダフネを担いだだけだ。その男からセクシーな本だと聞いて、<u>ダフネが本を買い、開いてみたら</u>❷、たわごとが短い行や長い行に分割されている④だけと<u>知って</u>③、<u>がっかりする</u>❹様子を想像して</u>③面白がった。

試訳からのアプローチ

❶ 「決めた」をわざわざ訳出する必要はないでしょう。訳文の中に自然に入れ込んで、大佐がたいしたことではないと結論付けた、というニュアンスを出したいですね。

❷ tackling that book を試訳では「本に取り組んでみて」と訳しましたが、翻訳では、原文にない「本を買い」という表現を入れてみました。翻訳の際、状況を分かりやすくするために、原文にない言葉を補うことが時々あります。余計だと思う人もいるでしょうが、読んで分かりやすい訳文を志すという立場に立つなら必要ではないでしょうか。

❸ finding を「見出す」と訳すのは、意味が伝わりにくく不自然な表現ですね。「発見した」「気づいた」等の訳が適当でしょう。

❹ 「がっかりする」は原文にない言葉ですが、入れた方がダフネの姿を想像できて面白味が増すのではないでしょうか？

原文を分析する

He was a member of several clubs and next day he thought he'd lunch at one① in St James's Street. He was catching a train② back to Sheffield early in the afternoon. He was sitting❶ in a comfortable arm-chair having③ a glass of sherry before going into the dining-room when an old friend came up to him.

'Well, old boy, how's life?' he said❷. 'How d'you like being the husband of a celebrity?'

George Peregrine looked at his friend. He thought he saw an amused twinkle in his eyes.

'I don't know what you're talking about,' he answered❷.

語釈：clubs「クラブ」紳士階級のイギリス人が社交のために集まるクラブで、飲食やゲームやパーティ開催なども可能です。／amused twinkle in his eyes「相手の目に面白がっている輝き（がある）」amused がなくても、twinkle には皮肉な輝きを表すことがあります。

原文からのアプローチ

① at one を「1時に」と訳してはいけませんよ。そう取るのも文法的には可能ですが、コンテクストから見ると明らかにおかしいです。正しくは「クラブ（のひとつ）で」です。シェフィールド行きの列車の出る駅がこのクラブから便利だったのでしょう。

② was catching a train は、近い未来の予定を表しています。江川 §152「現在進行形と現在時制」A. 参照（cf. Our class is giving a play in October.「クラスでは10月に劇をやる予定です」）。

③ 付帯状況を表す分詞構文ですね。「〜しながら」と訳すとよいでしょう。

翻訳へブラッシュアップする

試 訳	翻 訳
彼はいくつかのクラブのメンバーで、翌日はセント・ジェームズ通りにあるそのひとつで①ランチをしようと思った。午後早い列車でシェフィールドに帰る予定だった②。旧友が近寄ってきた時、彼は食堂に行く前に快適な肘掛け椅子でシェリーを飲んでいた❶。 「よう、元気か？　有名人の夫というのはどんな気分だね？」友人が言った❷。 大佐は友人を見た。その目に、からかうような眼差しがあるように思った。 「何のことだね、さっぱり話が分からないな」と答えた❸	彼はいくつかのクラブに属していて、翌日はセント・ジェームズ通りのクラブで①昼食を取ろうと思った。午後早めの列車でシェフィールドに戻る予定だったのだ②。食堂に行く前に、シェリーを飲みながら気持ちよい肱掛け椅子に座っていると、そこに旧友が近寄ってきた❶。 「やあどうも、元気かい？　どんな気分かね、有名な女房の亭主になるっていうのは？」 大佐は友人の顔をじっと眺めた。何だか目が笑っているような気がする。 「分からないな、何のことやら」

試訳からのアプローチ

❶ He was sitting 以下を訳し上げていますが、「翻訳」での訳し下げと比べてください。こちらのほうが、情景を理解しやすい気がしませんか？ when を機械的に後ろの節から訳すと、状況によっては少々ちぐはぐな印象になってしまうことがあります。たとえば、She was reading the book when the doorbell rang. の場合、時間を追って考えれば、彼女が本を読んでいたところへ誰かがやって来て呼び鈴を鳴らしたのです。呼び鈴が鳴った時に彼女が読書をしていた事実を強調するのでないかぎり、前から訳し下すほうが自然な流れになります。

❷ 試訳では、原文の「言った」「答えた」をいちいち訳出していますが、書かなくても文脈から分かるので、必要ありません。

原文を分析する

'Come off it, George. Everyone knows E. K. Hamilton is your wife. Not often a book of verse has a success like that. Look here, Henry Dashwood❶ is lunching with me❷. He'd like to meet you.'

'Who the devil is Henry Dashwood and why should① he want to meet me?'

'Oh, my dear fellow②, what do you do with yourself③ all the time in the country? Henry's about the best④ critic we've got. He wrote a wonderful review of Evie's book. D'you mean to say she didn't show it you?'

語釈：Come off it「いい加減な話はやめろ」／Look here 相手に注意を促す「あのねえ」／Who the devil「一体全体誰なんだ？」／mean to say「言うつもりです」

▼ 原文からのアプローチ

① why should は、「一体何だってまた」の意味。should は驚きなどの感情を表すのです（江川 § 203「Should」参照。*cf.* How should I know what you said? I wasn't there.「君が言ったことを私が知っているはずがないよ。その場にいなかったのだから」）。

② my dear fellow は、「ねえ、君、何を言うのだね？そりゃちがうよ」という意味で、誤った奇妙なことを言った場合にたしなめようとして使う表現です。辞書などに出ていないので、注意して下さい。

③ do with oneself で、「過ごす」という意味ですね（*cf.* What did you do with yourself yesterday？「昨日はどう過ごしたのですか」）。しかし、「過ごしていたか」では少し硬いので、友人同士の会話らしく、もう

翻訳へブラッシュアップする

試 訳	翻 訳
「とぼけるなよ、ジョージ。E.K.ハミルトンが君の奥方だって誰もが知っている。詩の本があれほど成功するなんて、滅多にない。あのねえ、<u>ヘンリー・ダッシュウッド❶と一緒に食事しているとこ❷</u>だが、彼が君に会いたいというのだ」 「そのヘンリー・ダッシュウッドってのは、一体どこのどいつだ？<u>何だって①</u>おれに会いたがるんだ？」 「<u>何を言うのだ②</u>！　田舎でいつも<u>どう時間を過ごしているのだね③</u>？　ヘンリーは<u>ほぼ現代最高の④</u>批評家じゃないか。彼はイーヴィの本について素晴らしい批評を書いたんだ。それを彼女は見せていないとでも言うのかい？」	「しらばくれるな。皆知っているんだぜ、E.K.ハミルトンが君の奥方だっていうのを。詩集があんなベストセラーになるなんて滅多にあることじゃあない。あのねえ、<u>ヘンリー・ダッシュウッド❶と食事するところ❷</u>なんだが、彼、君に会いたいっていうんだよ」 「一体全体、そいつは何者なんだね、ヘンリー・ダッシュウッドとかいう奴は？　それに<u>何だって①</u>会いたがるんだね？」 「<u>ねえ君ったら②</u>！　田舎じゃあいつも<u>何をしているんだね③</u>？　驚いたな、知らんのか。ヘンリーといえば、<u>まあ当代切っての④</u>批評家だよ。イーヴィの本を激賞する書評を書いたのだ。まさか見せてもらってないって言うのじゃあるまいな？」

少しくだけた表現を選びたいものです。

④　この最上級の前のaboutは「およそ」でしたね。Section 2-1でも出ていましたよ（P.70）。

試訳からのアプローチ

❶　この人物がダフネの知り合いの書評家と同一人物かどうかは不明ですが、そちらはダフネの知り合いですから、多分それほど年配ではない若い文学者だったのではないかと想像します。

❷　試訳だと、旧友は食事の最中にジョージを見かけて近寄って来たようですね。進行形をそう理解したのでしょう。しかし、食事中に中座して来たとは考えにくいので、近い予定と取るべきです。

批評家は大佐に詩集の素晴らしさを作風の特色などに言及しながら説明しますが、大佐には何のことやら理解できません。詩集を読んでみようとしますが、イーヴィがかたづけてしまったらしく見当たりません。そのうちに、また不可解なことが起こります。

Before George could answer his friend had called a man over. A tall, thin man, with a high forehead, a beard, a long nose, and a stoop, just the sort of man whom George was prepared to dislike at first sight. Introductions were effected. Henry Dashwood sat down.

'Is Mrs Peregrine in London by any chance? I should very much like to meet her,' he said.

'No, my wife doesn't like London. She prefers the country,' said George stiffly.

'She wrote me a very nice letter about my review. I was pleased. You know, we critics get more kicks than halfpence. I was simply bowled over by her book. It's so fresh and original, very modern without being obscure. She seems to be as much at her ease in free verse as in the classical metres.' Then because he was a critic he thought he should criticize. 'Sometimes her ear is a trifle at fault, but you can say the same of Emily Dickinson. There are several of those short lyrics of hers that might have been written by Landor.'

All this was gibberish to George Peregrine. The man was nothing but a disgusting highbrow. But the colonel had good manners and he answered with proper civility: Henry Dashwood went on as though he hadn't spoken.

'But what makes the book so outstanding is the passion that throbs in every line. So many of these young poets are so anaemic, cold, bloodless, dully intellectual, but here you have real naked, earthy passion; of course deep, sincere emotion like that is tragic——ah, my dear Colonel, how right Heine was when he said that the poet makes little songs out of his great sorrows. You know, now and then, as I read and re-read those heart-rending pages I thought of Sappho.'

This was too much for George Peregrine and he got up.

'Well, it's jolly nice of you to say such nice things about my wife's little book. I'm sure she'll be delighted. But I must bolt, I've got to catch a train and I want to get a bite of lunch.'

'Damned fool,' he said irritably to himself as he walked upstairs to the dining-room.

原文を分析する

Before George could answer① his friend had called a man over. A tall, thin man, with a high forehead, a beard, a long nose, and a stoop, just the sort of man whom George was prepared to❶ dislike at first sight. Introductions were effected②. Henry Dashwood sat down.

'Is Mrs Peregrine❷ in London by any chance? I should③ very much like to meet her,' he said.

'No, my wife doesn't like London. She prefers❸ the country,' said George stiffly.

語釈：called a man over「離れた所にいる人に向かって、こっちへ来いよ、と呼び寄せた」／by any chance「ひょっとして」／stiffly「頑なに」

原文からのアプローチ

① before の訳し方ひとつで訳文の完成度が変わってきます。could にも注目しましょう。「答えることができる前に」ということは、つまり「答えられないうちに」、ひいては「答える間もなく」という翻訳につながるのです。

② Introductions were effected はやや形式ばった古風な表現です。今は were made と言うのが普通です。

③ この should は「べき」ではなく、should like to で「〜したいのですが」という表現で、主にイギリスで使われます。原文では very much が挿入されているので少し分かりにくかったかもしれないですね。アメリカだと would like to の方が一般的です。

翻訳へブラッシュアップする

試 訳	翻 訳
ジョージが答える前に①、友人がある男を呼んだ。背が高く、痩せていて、額が広く、顎鬚を生やし、鼻が長く、猫背だ。ジョージが一目見て、<u>嫌ってやろうと心が決まっているような種類の奴だ</u>❶。<u>紹介がなされた</u>②。ヘンリー・ダッシュウッドは椅子に座った。「<u>ミセス・ペリグリンは</u>②、ひょっとしてロンドンに居られますかな？ 是非お目にかかりたい③」「いえ、家内はロンドンが嫌いです。田舎が<u>好きです</u>③」ジョージが頑なに答えた。	ジョージが答える<u>間もなく</u>①、友人は一人の男を差し招いた。長身で痩せていて、額が広く、あごひげを生やし、長い鼻に猫背という、<u>大佐なら一目見て嫌いになりそうな男だった</u>❶。<u>お互いの紹介が済むと</u>②、ヘンリー・ダッシュウッドは座った。「ひょっとして<u>奥様も</u>❷ロンドンにいらっしゃいましょうか？ 是非お目にかかりたいです③」「いえ、家内は都会が嫌いでしてね。田舎の<u>ほうが好みです</u>❸」ジョージはよそよそしい態度で答えた。

試訳からのアプローチ

❶ was prepared to は、「〜する心の準備ができていた」という意味です。「一目で嫌う準備ができていた」という日本語は違和感がありますから、「最初から嫌な奴だと決めつけていた」などと訳せばよいですね。

❷ ダッシュウッドの台詞が、「ミセス・ペリグリンは」となっています。名前を出すこともあるでしょうが、「奥様」が普通でしょう。ただし、「奥様は」とすると、大佐の存在を無視し過ぎているようで、やや不自然です。翻訳では大佐に配慮して、「奥様も」としました。

❸ prefer は、単なる「好き」ではなく、「〜の方が好き」というニュアンスのある言葉ですので、訳を工夫したいですね。

原文を分析する

'She wrote me a very nice letter about my review. I was pleased. You know①, we critics get more kicks than halfpence②. I was simply② bowled over by her book. It's so fresh and original, very modern without being obscure. She seems to be as much at her ease③ in free verse as in the classical metres③.'

語釈：get more kicks than halfpence（古風な口語）「称賛よりも非難を受ける」芸をした猿が、集めた半ペニーは主人に取られ、芸が下手だと蹴飛ばされることから出た表現／bowled over「圧倒され」／free verse「自由詩」韻律などの形式にとらわれない詩

原文からのアプローチ

① You know は強調であり、「こうなのですよ」と訳したり、「ね」「だよ」などを語尾に付ければよいのです（*cf.* She is a well-known pianist, you know.「彼女は著名なピアニストなのですよ（知らないかもしれないけれど）」）。

② simply は強調です。「単純に」などと、字面通りに訳出してはいけませんよ。

③ ここを正確に翻訳するためには、英米の現代詩の大部分が、意味が曖昧、晦渋で読者の理解を阻んでいるという知識が必要かもしれません。苦し紛れに直訳すると、「彼女は古典の韻律の中でと同様に自由詩の中において平易な態度である」という意味不明の迷訳になってしまいます。私にもこんな経験があります。ある短編でトランプのブリッジというゲームをやっている場面があり、チンプンカンプンでした。泥縄的に本で調べてみてもはっきりせず、結局、ブリッジに詳しい友人に助けてもらいました。今ならインターネット検索なども助けになりましょう。

翻訳へブラッシュアップする

<table>
<tr><th>試 訳</th><th>翻 訳</th></tr>
<tr>
<td>

「私の書評にそれは丁寧な礼状を頂いたのです。喜びましたよ。我々批評家は称賛❷よりも非難を受けることが多いのですから①。奥さんの本には単純に②圧倒される感じでしたな。新鮮で独創的で、難解であることなしにとても現代的だ。古典的な韻律でと同じく自由詩でも楽々と❸書いているようです」

</td>
<td>

「私の書いた批評にとても丁寧な礼状をくださいました。<u>正直言って</u>①嬉しかったです。何しろ、我々批評家というのは、<u>感謝</u>❷されるどころか文句ばかり言われていますからな①。あの詩集にはただもう②圧倒されました。とても初々しく、独創的で、極めて現代的でありながら曖昧さがない。古典詩でも自由詩でも、<u>自由自在に</u>❸書いておられる」

</td>
</tr>
</table>

試 訳 か ら の ア プ ロ ー チ

❶ 原文にない「正直言って」という言葉を補足したのは、次文で嬉しかった理由を長々と述べているので、それとのバランスで、単に「嬉しかった」と訳すのでは短く淡白すぎると感じたからです。このように翻訳したほうが、著名な批評家が思いがけず礼状をもらって喜んでいる気持が伝わってきませんか?

❷ halfpence の訳として、コンテクストからすると、「称賛」ではなくて「お礼、感謝」が適切ですね。

❸ at her ease は「気楽に、くつろいで」という意味です。ここでは「自家薬籠中のもの」という表現がピッタリだと思ったのですが、この言葉を知らない読者が多いと思われるので断念し、「自由自在に」と訳してみました。

原文を分析する

Then because he was a critic he thought he should criticize❶.
'Sometimes❷ her ear is a trifle at fault①, but you can say the same
of Emily Dickinson❸. There are several of those short lyrics of
hers that might have been written② by Landor❸.'

語釈：criticize「批評する」とも「批判する」とも訳せます／Emily
Dickenson「エミリー・ディキンソン」一流のアメリカの詩人です／（Walter
Savage）Landor「ランドー」18世紀から19世紀にかけてのイギリス詩人・散
文作家で、その短詩は珠玉の美しさを持つとされています。

原文からのアプローチ

① her ear is at fault「耳が間違っている」とはどういう事を指しているの
　でしょう？　詩の批評の話をしているわけですから、詩作のテクニッ
　クに関することだと推量してください。声に出して読んでみると音
　調が悪い箇所があるということを指摘しているのです。

② might have been written は、「書かれたかもしれない」「書かれたとし
　ても不思議はない」などの訳が考えられます。何度も学んだはずです
　が、自信のない場合は、江川 §199「Might」(2)might ＋完了形の説
　明を再読しましょう。「ランドーによって書かれた」という訳だと、
　まるでイーヴィがランドーに代作してもらったようで、おかしいで
　すね。

翻訳へブラッシュアップする

<table>
<tr><td>

試 訳

それから<u>批評家なのだから批判も</u><u>しなくてはならないと思った</u>❶。「時には❷音の響きに問題があります①が、そんなことは、<u>エミリー・ディキンソン（1830-86、アメリカの女流詩人）</u>❸に関してすら同じことが言えますね。短い叙情詩のいくつかは、<u>ランドー（1775-1864、イギリスの詩人・散文作家）</u>❸作とも言えそうです」

</td><td>

翻 訳

それから<u>批評家として褒めるだけでは足りないと思ったらしい</u>❶。「音読すると、時に滑らかに音読しにくい箇所もあります①❷。でも、その点は、<u>完璧なエミリー・ディキンソン</u>❸についてさえ同様なことが言えますよ。短い叙情詩の中には、<u>かのランドー</u>❸作だと言われれば、そうかもしれぬと思うものが数点あります」

</td></tr>
</table>

試訳からのアプローチ

❶ critic と criticize は名詞と動詞という違いしかないので、「クリティックだからクリティサイズをしなくてはならない」と英語上では因果関係が理解できます。しかしこの文を直訳すると、「<u>批評家だから批評しなくてはならない</u>」となって、当たり前のことを述べるだけになってしまいます。その上、すでに他の詩人と比較するなどして批評はしたところです。一方「<u>批評家だから批判しなくては</u>」と訳すと、因果関係が曖昧で、読者は戸惑うでしょう。昔の翻訳なら、（注釈—英語のクリティサイズには「批評」と「批判」の両方の意味がある）などと括弧で説明したでしょうね。今は邪魔になるので、こういう断り書きは避けます。以上の考慮の末、翻訳では字面にとらわれずに意訳しました。

❷ sometimes を「時には」と訳すのは、誤りではありませんが、翻訳ではもう少し工夫して、「時に〜箇所もあります」と文中に埋め込みました。このほうが日本語として自然でしょう。

❸ エミリー・ディキンソンとランドー、固有名詞の扱い方を2つ示しました。ランドーについては、ここでは短詩の比較ですから、ランドーの短詩が絶品だと高く評されていることを読者に知ってもらうのがよいかもしれません。でも解説を読書の妨げとして嫌う人もいるので、翻訳のようにヒントに留めるのも一法です。

原文を分析する

All this was gibberish to George Peregrine. The man was nothing but❶ a disgusting highbrow①. But the colonel had good manners and he answered with proper civility②: Henry Dashwood went on as though he hadn't spoken❷.

語釈：gibberish「早口で理解できない言葉」

原文からのアプローチ

① highbrow には「教養人、知識人」の意がありますが、ここは disgusting とあるので「インテリぶった人」というニュアンスです。
② 辞書どおりに「適切な礼儀正しさをもって」では硬いので、civility という名詞を副詞的に訳しほどくと自然な日本語になります。

翻訳へブラッシュアップする

試 訳	翻 訳
こういう話はすべて、ジョージ・ペリグリンにはさっぱり分からなかった。こいつは<u>不愉快な知ったかぶりだ</u>❶。そう思ったけれど、作法を心得た大佐は、<u>丁寧に</u>❷お礼を言った。しかし、ヘンリー・ダッシュウッドは、<u>まるで彼が話していなかったかのように</u>❷喋り続けた。	ジョージ・ペリグリンには全て理解不能だった。こいつは<u>不愉快なインテリぶった野郎そのものだ</u>❶。そう思ったものの、礼節が身についていたので、褒められた礼を<u>丁重に</u>❷言った。しかし、ヘンリー・ダッシュウッドは<u>それがまるで聞こえなかったように</u>❷喋り続けた。

試訳からのアプローチ

❶ nothing but は、「〜にほかならない」という強調の意味ですね。大佐の苛立ちが伝わるよう、強調のニュアンスを出して、「インテリぶった野郎そのものだ」と訳してみました。

❷ he hadn't spoken の he は誰でしょうか？　ダッシュウッドではなく、大佐のことですね。試訳のように曖昧に「彼」としてしまうと混乱を招きますので、明確に訳しましょう。また、「まるで彼が話していなかったかのように」は日本語として少し回りくどい印象ですね。ダッシュウッドが大佐の丁寧なお礼に反応せず、自分の言いたいことを言い続けているのですから、翻訳では「それがまるで聞こえなかったように」と意訳してみました。

原文を分析する

'But what makes the book so outstanding is the passion that throbs in every line. So many of these young poets① are so anaemic, cold, bloodless, dully intellectual, but here you have real naked, earthy passion❶; of course deep, sincere emotion like that is tragic——ah, my dear Colonel②, how right Heine❷ was when he said that the poet makes little songs out of his great sorrows. You know, now and then, as I read and re-read those heart-rending pages I thought of Sappho❷.'

語釈：anaemic「貧血症の」／earthy「素朴な」人為的に手を加えていない、土の香りのする、という感じです／Heine「ハイネ」ドイツ19世紀のロマン派詩人／heart-rending「心を引き裂くような」／Sappho「サッフォー」紀元前のギリシャの詩人。恋愛詩・挽歌を多く書きました。

原文からのアプローチ

① these を「これら」と訳しては、何を指しているのか分からなくなります。この these は these days の意味で用いられていることに注意しましょう。

② my dear Colonel は、相手が気づいていないことに注意を引きつけるための呼びかけですね。

94

翻訳へブラッシュアップする

<table>
<tr><th>試 訳</th><th>翻 訳</th></tr>
<tr><td>

「しかし詩集を見事にしているのは、どの行にも脈打つ情熱です。近頃の①若い詩人たちはとても貧血気味で冷淡で非情で、うっとうしくインテリ的です。でも、ここには本物の赤裸々の地上的な情熱❶が存在します。もちろん、このような深く真摯な感情は悲劇的です。ねえ、親愛なる大佐殿②、ハイネ（1797-1856、ドイツのロマン派詩人）❷の言った通りでしたな。詩人は大きな感情から小さな詩を作るものだって。いいですか、私はあの心を揺さぶる作品を読み、また読みしながら、ギリシャのサッフォー❷を思っていましたよ」

</td><td>

「だがこの詩集を特異ならしめているのは、どの詩行にも情熱が脈打つことです。最近の①若手の詩人連中は、誰も彼も、みな貧血症で、冷淡で、血潮がたぎっていないし、妙に知的で退屈ですよ。ところがどうでしょう、ここには赤裸々な生の情熱❶があるじゃありませんか！　むろん、このような深く誠実な感情は悲劇的です。いやいやあなた②、ハイネ❷が詩人は大きな悲哀から小さな詩を作る、と言ったのは至言でしたなあ。心を揺さぶる詩を一度読み、さらに読み返しながら、時々頭に浮かんだのはですな、何と古代ギリシャのサッフォー❷でしたよ」

</td></tr>
</table>

試訳からのアプローチ

❶ 「地上的な情熱」とはどういう意味でしょうか？　逐語的に訳していると、このような不自然な言いまわしになってしまいます。原文が何を表現しようとしているのかをよく考えて、表面的でない訳文を作るべきです。

❷ 大佐は、自分が聞いたこともない詩人の名前が次々に飛び出し、さぞ面食らったでしょう。翻訳では、大佐から見て、ダッシュウッドの嫌味な感じを出そうとしました。ハイネについては、括弧等で注釈を入れなくていいでしょう。日本人の間でも著名な詩人ですし、読者は文脈で大体の見当をつけられますから。

原文を分析する

This① was too much for② George Peregrine and he got up.

'Well, it's jolly nice of you to say such nice things about my wife's little book. I'm sure she'll be delighted❶. But I must bolt❷, I've got to catch a train and I want to get a bite of lunch.'

'Damned fool,' he said irritably❸ to himself as he walked upstairs to the dining-room.

語釈：bolt「急ぐ」

原文からのアプローチ

① この This を「これは」と訳した時点で、自然な日本語の流れが崩れてしまいます。文脈の中でうまく後ろにつながるような訳を工夫しましょう。

② too much for ＝ unbearable、つまり「我慢ならない」という意味ですね（*cf.* The pressure to win every game was too much for him.「どの試合にも勝てという圧力に彼は負けた」）。

翻訳へブラッシュアップする

試 訳	翻 訳
これは①ジョージ・ペリグリンにはたまらなかったので②、ここで立ち上がった。「ええと、家内のささやかな書物についてそんなに褒めて頂き、ありがとうございます。あれも喜びましょう❶。ですが、私は急がねばなりません❷。列車に間に合わねばなりません。それに軽い食事もしなくては」「あの馬鹿野郎！」大佐は二階の食堂に歩きながら、いらいらして❸つぶやいた。	大佐はここでもう耐えられなくなって②、さっと立ち上がった。「ええと、家内のささやかな本をいろいろ褒めて頂き恐縮です。伝えてやれば、喜びましょう❶。ではこれで失礼いたします❷。列車に乗るので、その前に急いで食事をしなくてはなりません」「あの大馬鹿野郎め」二階の食堂に行きながら、神経を高ぶらせて❸つぶやいた。

試訳からのアプローチ

❶ 日本語は主語を省略することが多いので、試訳ではshe'llを「あれ」と訳しましたが、翻訳では省略し、その分「伝えてやれば」を補足しました。

❷ 「急がねば」という表現は、日本人にとっては少し不躾に感じますので、「これで失礼いたします」と訳しました。その分、get a bite of lunchを「急いで食事をする」として、急いでいることを訳文に自然に入れ込んでいます。

❸ 大佐が表面は礼儀正しくしながらも、自分と正反対のようなタイプの批評家への敵意を心の中で増大させてゆくのが読み取れるように訳したいですね。「いらいらして」よりも、「神経を高ぶらせて」とした方が、大佐が怒りでカッとなっている様子が伝わりやすいでしょう。

帰宅した大佐は、詩集を読んでみようという気になったのですが、書斎などを探してみても、どこにも見当たりません。数日後にまた意外なことが起きます。近隣の有力者である公爵から初めて招かれたのに、イーヴィが勝手に断ってしまったようなのです。

He got home in time for dinner and after Evie had gone to bed he went into his study and looked for her book. He thought he'd just glance through it again to see for himself what they were making such a fuss about, but he couldn't find it. Evie must have taken it away.

'Silly,' he muttered.

He'd told her he thought it jolly good. What more could a fellow be expected to say? Well, it didn't matter. He lit his pipe and read the *Field* till he felt sleepy. But a week or so later it happened that he had to go into Sheffield for the day. He lunched there at his club. He had nearly finished when the Duke of Haverel came in. This was the great local magnate and of course the colonel knew him, but only to say how d'you do to; and he was surprised when the Duke stopped at his table.

'We're so sorry your wife couldn't come to us for the week-end,' he said, with a sort of shy cordiality. 'We're expecting rather a nice lot of people.'

George was taken aback. He guessed that the Haverels had asked him and Evie over for the week-end and Evie, without saying a word to him about it, had refused. He had the presence of mind to say he was sorry too.

'Better luck next time,' said the Duke pleasantly and moved

on.

Colonel Peregrine was very angry and when he got home he said to his wife:

'Look here, what's this about our being asked over to Haverel? Why on earth did you say we couldn't go? We've never been asked before and it's the best shooting in the county.'

'I didn't think of that. I thought it would only bore you.'

'Damn it all, you might at least have asked me if I wanted to go.'

'I'm sorry.'

He looked at her closely. There was something in her expression that he didn't quite understand. He frowned.

'I suppose *I* was asked?' he barked.

Evie flushed a little.

'Well, in point of fact you weren't.'

'I call it damned rude of them to ask you without asking me.'

原文を分析する

He got home in time for dinner and after Evie had gone to bed❶ he went into his study and looked for her book. He thought he'd just glance through it again to see for himself what they were making such a fuss about, but he couldn't find it. Evie must have taken it away.

'Silly,' he muttered.

He'd told her① he thought it jolly good. What more could a fellow be expected to say❸? Well, it didn't matter. He lit his pipe and read the *Field* till he felt sleepy.

語釈：see for himself「自分の目で確認する」／Silly「おろかな」本を片づけてしまった行為についての批判ですが、イーヴィの人物全体への批判とも取れます／the *Field*『フィールド』1853年発刊のイギリスの月刊誌で、狩猟、釣り、射撃などを扱っています。

原文からのアプローチ

① He'd told her が、過去完了形であるのに注意。大佐がイーヴィに「いい本だね」と言ったのは、詩集を探した時点（過去）よりもっと以前（過去より前の過去）のことだからです。

100

翻訳へブラッシュアップする

<table>
<tr><th>試 訳</th><th>翻 訳</th></tr>
<tr><td>

夕食に間に合って帰宅し、イーヴィが寝室に引き上げてから❶、書斎に行き、詩集を探した❷。何で人が大騒ぎをしているのか、自分の目で確かめたくなったのだ❷。ところが、どこにもない。イーヴィが持って行ってしまったのだろう。
「愚かだな」とつぶやいた❷。
イーヴィには、いい本だね、とすでに言った❷。それ以上どんなことを言うと期待されるのか❸？まあ、大したことではない、と思えた❷。大佐はパイプに火をつけ、眠くなるまで『フィールド』を読んだ❷。

</td><td>

夕食に間に合う時刻に帰宅できた。イーヴィが寝室に入るのを見澄まして❶、書斎に行き詩集を探した。人々が本のことでどうしてあんなに騒いでいるのか、自分の目で確かめようと思ったのだ。ところがどこにも見当たらない。イーヴィが片づけてしまったのだろう。
「馬鹿な奴だ」と小声で言った。
イーヴィには、この間、なかなか面白かったよと言ったのだ。それ以上言うことなんてないじゃあないか❸。いずれにせよ、気にすることはない。パイプに火をつけ、眠くなるまで『フィールド』に目を通した。

</td></tr>
</table>

試訳からのアプローチ

❶ 大佐が本を探すため、イーヴィが寝室に引き上げるのを待ちわびていたニュアンスを含ませ、翻訳では「見澄まして」と訳しました。文脈からその場にふさわしい、しかも英和辞書にない日本語ならではの訳語を思いつくと翻訳の仕事が楽しくなります。日本語表現の引き出しをたくさん持っていたいものです。それには日頃から日本語にも充分に接しましょう。

❷ 語尾が「た」と「だ」の連続にならないように、何か工夫してみましょう。同様の語尾が連続してしまうと、洗練されていない訳文に見えてしまいます。

❸ 「どんなことを言うと期待されるのか？」は、直訳的な硬い表現ですね。もう少し自然な言いまわしにしましょう。

原文を分析する

But a week or so later it happened that he had to go into Sheffield for the day①. He lunched there at his club. He had nearly finished when the Duke of Haverel came in. This② was the great local magnate and of course the colonel knew him, but only to say how d'you do to; and③ he was surprised when the Duke❷ stopped at his table.

語釈：Duke「公爵」イギリスの爵位では最高です／local magnate「土地の有力者」

原文からのアプローチ

① for the day は、「ある日」ではなく「その日の期間だけ」という意味です。「宿泊せずに」とも訳せます。

② この This が the Duke であることは分かると思いますが、この言い方は He より少し改まった感じです。人を紹介するときに "This is my teacher."「こちらは私の先生です」と言うのに近い用法ですね。

③ この and は強調ですね。コンテクストから判断がつくと思います。これまで挨拶程度しか交わしたことのない大物中の大物が話しかけてくるので、大佐はとても驚いているのです。翻訳では「だから」としてあります。

翻訳へブラッシュアップする

試 訳	翻 訳
しかし、それから一週間ほどして、ある日①シェフィールドに出る用事が生じた❶。土地のクラブで昼食を取っていた❶。食事が終わりそうになった時、ハヴェレル公爵が入ってきた❶。彼は②土地の有力者で、大佐はもちろん知っていたが、会えば挨拶するだけの関係だった❶。そして③公爵②が自分のテーブルで立ち止まったのは驚いた❶。	しかし、それから一週間後、用事でシェフィールドに日帰りで①出かけることになった。クラブで昼食をとり、食事が終わりかけた時、ハヴェレル公爵が食堂に入ってきた。土地の有力者だから、もちろん大佐も知っていたが、挨拶を交わす程度の間柄に過ぎない。だから③、その大物②がテーブルに近づいて立ち止まったのには驚いた。

試訳からのアプローチ

❶ 前ページ同様、語尾の「た」と「だ」の連続を避けるように、何か工夫してみましょう。

❷ 原文では the Duke ですが、翻訳では「その大物」としました。語釈にもあるように、Duke は最高の爵位です。大佐にとって非常に立場が上の、まさに「大物」なのです。こう訳すことで、大佐の驚きを表現できると思いますが、いかがでしょうか。

原文を分析する

'We're so sorry your wife couldn't come① to us for the week-end,' he said, with a sort of shy cordiality❶. 'We're expecting rather② a nice lot of people.'

George was taken aback. He guessed that the Haverels had asked him and Evie over for the week-end and Evie, without saying a word to him about it, had refused. He had the presence of mind❸ to say he was sorry❷ too.

'Better luck next time,' said the Duke pleasantly and moved on.

Colonel Peregrine③ was very angry and when he got home he said to his wife:

語釈：a nice lot of people＝a lot of nice people ／was taken aback「不意を打たれた」be surprised より驚き具合が大きいです／asked him and Evie over「彼とエヴィーを自宅に招待した」／presence of mind「落着き」「冷静さ」

原文からのアプローチ

① couldn't come は、過去形ではなく丁寧さを表す仮定法です（拙著『身につく英語のための A to Z』126頁「仮定法攻略法」参照）。同じセリフ内で We're so sorry、We're expecting と現在形が使われていることから見ても「来られなかった」という過去の意味ではないことが分かります。

② rather は very の控え目な表現として会話ではよく用いられます。ここは招待を断られた公爵の「結構、立派な人を呼んでいるのに」という気持ちが込められているのでしょう。全体としてニュアンスを汲み取ったセリフにできれば、rather に相当する日本語は必要ありません。

③ Duke の直後にわざわざ Colonel Peregrine と「大佐」を強調しているのは、公爵と大佐の身分の大きな差を際立たせるためかもしれませんが、訳でニュアンスを出すのは難しいですね。

翻訳へブラッシュアップする

<table>
<tr><td align="center">試 訳</td><td align="center">翻 訳</td></tr>
<tr><td>

「奥様が週末宅にお出でになれなくて非常に残念です」と、<u>控え目に心を込めて</u>❶公爵が言った。「実は、立派な方々をお招きしたのですよ」

ジョージは驚いた。ハヴェレル夫妻が大佐とイーヴィを週末にお宅に招待してくれたのに、イーヴィが彼に一言も相談せずに、断ったのだろうと想像した。<u>こちらも残念です</u>❷と言うだけの<u>冷静さは保てた</u>❸。

「次回はご都合がつくといいのですが」公爵は気持ちよく言って、移動した。

ペリグリン大佐はとても怒ったので、帰宅するとすぐイーヴィに言った。

</td><td>

「奥様が週末にいらっしゃれず、とても残念です」公爵は控え目ながら、さも残念そうに❶言った。「立派な人々をお招きしているのですよ」

大佐はあっけにとられた。ハヴェレル家から週末に夫妻で招かれたのに、イーヴィが自分に一言も相談せずに、勝手に断ったのだと思った。でも、動揺を隠して、<u>申し訳ございません</u>❷と答える<u>余裕はあった</u>❸。

「この次の機会にはいらして頂けましょう」公爵は愛想よく言って立ち去った。

大佐はかんかんに怒り、帰宅するとすぐに奥方に言った。

</td></tr>
</table>

試訳からのアプローチ

❶ shy cordiality「恥ずかしそうな誠実さ」が直訳ですが、適切な日本語を考えましょう。試訳の「控え目に心を込めて」をより具体的に描写してみたところ、翻訳は「控え目ながら、さも残念そうに」と少々説明的な日本語になりました。その分、公爵の人柄がうかがえる訳になっているのではないでしょうか。長すぎるのですが、「はにかみながら熱心な口調で」なども考えました。

❷ sorry は、「残念です」と訳すより、「申し訳ございません」としたほうが、日本語として自然ですね。

❸ had the presence of mind を、試訳のように「冷静さは保てた」とすると、直訳すぎて少々不自然です。くだいて平易にするのがよいでしょう。ちなみに、lose one's presence of mind だと「あわてる」ですよ。

原文を分析する

'Look here, what's this about our being asked over to Haverel? Why on earth did you say we couldn't go? We've never been asked before and it's the best shooting in the county①.'

'I didn't think of that. I thought it would only bore you❶.'

'Damn it all, you might at least have asked② me if I wanted to go.'

'I'm sorry.'

He looked at her closely. There was something in her expression❷ that he didn't quite understand③. He frowned.

語釈：Look here（口語）「おい、あのねえ」苦情や提案に注意を向けさせる場合に使います／what's this about〜「〜については、どうしたのか」／shooting「猟場」屋敷に付属する猟場です／Damn it all「ちぇ」苛立ちを表す罵りの言葉です

---

① county を country と見誤ってはいけませんよ。county は「国」ではなく、「州」という意味ですね。

② might have asked の might have を推量に取って、「かもしれない」と見当外れの訳をする人が多いのです。正しくは、「してくれてもよかったのに」です。恨みがましい気持ちがこもった言い方ですね。Section2 だけでも数回学びましたが、今回も拙著『英語の発想がよくわかる表現50』143頁「6 仮定法は仮定だけではない！」参照。

③ didn't quite understand は、quite を否定しているので、「まったくわからない」ではなく、「よくはわからない」ですね。部分否定です。

翻訳へブラッシュアップする

<table>
<tr><th>試 訳</th><th>翻 訳</th></tr>
<tr>
<td>

「あのねえ、ハヴェレル邸から招待を受けたというのは、どうしたんだ？ 一体全体どうして断ったんだ？ これまで一度も招かれたことはないし、あそこには国①で一番の猟場があるのに！」

「それは考えませんでした。あなたを退屈させるだけだろうと思いました①」

「まったく分かってないな。少なくとも私が行きたいかどうかを尋ねてくれてもよかっただろうに②」

「ごめんなさい」

彼は妻を仔細に眺めた。その言い方②に彼がまったく分からない③何かがあった。彼は渋面を作った。

</td>
<td>

「おい、ハヴェレル邸に招待されたっていうのは、どうしたんだ？ 何だって、伺えませんなんて言ったんだ？ 初めての招待だし、それにあそこには州①きっての猟場があるというのに！」

「それには気づきませんでしたわ。ただ、あなたが退屈なさるってことだけ考えましたの①」

「だけども、せめて行きたいかどうかくらい聞いてくれても、よかったんじゃないかね②？」

「ごめんなさいね」

大佐は妻の様子をよく観察した。表情②にどうもよく理解できない③ものがあったのだ。眉をひそめた。

</td>
</tr>
</table>

試訳からのアプローチ

❶ 直訳すれば「あなたを退屈させるだけだと思った」ですが、「させる」という使役の表現を用いると、「誰が／何がさせるのか」という行為者を読者に意識させてしまうので、you would be bored という受動態のように訳すのがよいでしょう。

❷ expression は、I'm sorry の「言い方」を指す場合もあるでしょうが、直前に looked at her closely とあるので、ここでは「表情」のことですね。

原文を分析する

'I suppose *I* was asked①?' he barked❶.

Evie flushed a little.

'Well, in point of fact❷ you weren't.'

'I call it damned rude of them② to ask you without asking me.'

語釈：barked「ほえた、怒鳴った」

① *I* was asked を訳す際は、微妙なニュアンスの違いに気を付けてくだ
さい。Iに、強調のためにイタリック体が使われています。普通なら「こ
の俺が」としますが、公爵のイーヴィ中心の話し方や、イーヴィの
奇妙な表情から判断して、招待状がイーヴィを主にしたものである
ことは、大佐にも分かっていると推察されます。

② I call it damned rude of them…は、「～するなんてひどく無礼だ」と
いう意味です。気取った、回りくどい言い方ですね。rude of them の
of の用法は、It is kind of you to say so.「そう言って下さるなんて、あ
なたは親切ですね」の場合と同じです。

翻訳へブラッシュアップする

試　訳
「私も招待されたんだろうな？」 噛みつくように言った❶。 イーヴィは少し赤面した。 「実は❷、あなたは招かれなかった んです」 「私を招かないでお前だけ招くと はすごく<u>無礼じゃないか</u>②」

翻　訳
「夫婦で招待されたんだろうな？」 怒鳴りつけるような口調で言っ た❶。 イーヴィの顔が少し赤くなった。 「それがね❷、わたしだけのお招き でしたの」 「私を差し置いてお前だけ招待す るとは、<u>公爵たちもずいぶんと失 礼なものだな</u>②」

試訳からのアプローチ

❶ barkedのように一語で状態を表す単語だと、訳し方の工夫で翻訳の
醍醐味を味わえます。試訳の「噛みつくように」もいいですが、翻
訳では具体的に「怒鳴りつけるような口調で」としてみました。こ
の方がイーヴィに食ってかかる大佐の姿を想像しやすくなると思う
のですが、いかがでしょうか。

❷ in point of factを辞書で調べると「実際は、実は、事実上」といった
訳が見つかりますが、そのまま用いるのではなく、自然なセリフに
なるように工夫しましょう。

詩集の出版パーティがロンドンであるので出席して欲しい、とイーヴ
ィは遠慮がちに大佐に頼みます。大佐は最初のイギリスの出版社のパー
ティは欠席しますが、次のアメリカの出版社主催のカクテル・パーティ
には出て、詩集の人気に驚きます。けれども、パーティで出席者から笑
われているかのような漠然とした印象を受けます。

'I suppose they thought it wasn't your sort of party. The
Duchess is rather fond of writers and people like that, you know.
She's having Henry Dashwood, the critic, and for some reason
he wants to meet me.'

'It was damned nice of you to refuse, Evie.'

'It's the least I could do,' she smiled. She hesitated a moment.
'George, my publishers want to give a little dinner party for me
one day towards the end of the month and of course they want
you to come too.'

'Oh, I don't think that's quite my mark. I'll come up to
London with you if you like. I'll find someone to dine with.'

Daphne.

'I expect it'll be very dull, but they're making rather a point of
it. And the day after, the American publisher who's taken my
book is giving a cocktail party at Claridge's. I'd like you to come
to that if you wouldn't mind.'

'Sounds like a crashing bore, but if you really want me to
come I'll come.'

'It would be sweet of you.'

George Peregrine was dazed by the cocktail party. There were
a lot of people. Some of them didn't look so bad, a few of the

women were decently turned out, but the men seemed to him pretty awful. He was introduced to everyone as Colonel Peregrine, E. K. Hamilton's husband, you know. The men didn't seem to have anything to say to him, but the women gushed.

'You *must* be proud of your wife. Isn't it *wonderful*? You know, I read it right through at a sitting, I simply couldn't put it down, and when I'd finished I started again at the beginning and read it right through a second time. I was simply *thrilled*.'

The English publisher said to him:

'We've not had a success like this with a book of verse for twenty years. I've never seen such reviews.'

The American publisher said to him:

'It's swell. It'll be a smash hit in America. You wait and see.'

原文を分析する

'I suppose they thought it wasn't your sort of party. The Duchess is rather❶ fond of writers and people like that, you know①. She's having Henry Dashwood, the critic, and for some reason he wants to meet me.'

'It was damned② nice of you to refuse, Evie.'

'It's the least I could do③,' she smiled.

語釈：your sort of party「あなたが好む種類のパーティ」当時は狩猟、釣りなどが中心のパーティもしばしばあったのです。

原文からのアプローチ

① you know と as you know を混同している人が多いので注意してください。you know は「〜なのですよ」と、相手が知らないことに触れるとき、もしくは知っているけれど忘れていそうな場合に思い出させるようなときに使います。P. 88やP. 144（二カ所）でも触れているように、強調する働きなのです。なお、特に解説していませんが、P. 18、30、94、116、118、130、216にも出てきていますので、探してみてください。会話で非常によく使われていることが分かりますね。

② damned は、やや下品な強調語です。女性と話す時は礼儀正しい大佐がdamnedを繰り返していることからも、その苛立ちが窺えます。

③ the least I could do は、「私にできた最小のこと」が直訳です。夫を招かぬという公爵家の非礼に対する復讐として妻にできる最小のこととして、招待を断ったというのです。「せめてそれくらいのこと」と訳してもコンテクストには合致しますね。

翻訳へブラッシュアップする

試　訳	翻　訳
「多分、あなた好みのパーティではなかったからだと思います。あなたもご存知のように①、公爵夫人は作家とかそういう人種が、むしろ❶お好きじゃないですか①。批評家のヘンリー・ダッシュウッド❷も来て、その方が何かの理由でわたしと会いたいんですって」 「断ってくれてすごくよかった」 「それはわたしにできたごくわずかなことです③」彼女はにっこりした。	「きっと、あなたの好きそうなパーティでないと思ったからじゃあないかしら。公爵の奥様は作家とかそういう人❶がお好みなようなのよ①。パーティに批評家のヘンリー・ダッシュウッド先生❷をお招きしていて、先生が何故だかわたしに会いたがっているというのです」 「断ってくれてすごく有難いな」 「それくらい当然のことをしただけですわ③」イーヴィはにっこりした。

試訳からのアプローチ

❶ またratherが出てきましたね。ここでは「どちらかというと」という意味合いの控えめ表現と考えられますが、翻訳では「そういう人がお好みなようなのよ」とすることで、「むしろ、どちらかといえば」などと訳出せずにratherのニュアンスを出しています。

❷ 大佐の天敵とも言えるダッシュウッドですが、この批評家は公爵邸に招かれるほどの名士ですので、翻訳では「先生」としました。

原文を分析する

She hesitated a moment. 'George, my publishers want to give a little dinner party for me❶ one day towards the end of the month and of course they want you to come too.'

'Oh, I don't think that's quite my mark. I'll come up to London with you if you like. I'll find someone to dine with.'

Daphne.

'I expect① it'll be very dull, but they're making rather a point of it. And the day after, the American publisher who's taken my book is giving a cocktail party② at Claridge's. I'd like you to come❷ to that if you wouldn't mind.'

語釈：mark「趣味に合ったもの」／making rather a point「どちらかというと重視している」／Claridge's「クラリッジズ・ホテル」ロンドンの最高級五つ星ホテル。

原文からのアプローチ

① I expect を「予想する」「期待する」などと訳す人が多いようですが、「どうせ」としてみました（*cf.* I expect she'll be late again.「彼女のことだから、どうせ遅れるな」）。

② 進行形は近い未来の計画ですから、is giving a cocktail party の訳はもちろん「カクテル・パーティをやっています」でなく「やるそうです」となりますね。

翻訳へブラッシュアップする

彼女はちょっとためらった。それから「ねえ、ジョージ、わたしの本を出した出版社が月末近くにちょっとした<u>晩餐会❶</u>をやりたいって言ってきました。もちろん、あなたの出席を望んでいますわ」
「うん、わたしの好みじゃあないな。でもよかったら一緒に上京しよう。一緒に飯を食う相手は見つかるだろう」
ダフネだった。
「<u>退屈だろうと予想します</u>①けど、会社では重視していますの。それから、その翌日に、今度は本を受け入れたアメリカの出版社がクラリッジズ・ホテルで<u>カクテル・パーティをやるそうです</u>②。これにはお嫌でなければ、是非<u>来ていただきたいわ❷</u>」

彼女は一瞬ためらった。それから「ねえ、実は、詩集を出してくれた出版社がお祝いにささやかな<u>夕食会❶</u>を、月末近くに予定しているのです。もちろん、あなたにも出てほしいそうよ、どうなさる?」と言った。
「そうだな、どうもぼくの好みじゃあなさそうだ。でもよかったら、一緒に上京してもいい。食事の相手なら誰か見つかるさ」
ダフネのことだ。
「そうですわ。<u>どうせ</u>①退屈なパーティでしょうけど、先方では大事なことと思っているみたいなの。それからね、その次の日なんですけど、アメリカでの出版をする会社がクラリッジズ・ホテルで<u>カクテル・パーティをやるそうです</u>②。お嫌でなかったら、これにはあなたに是非出ていただきたいのですけど……❷」

試 訳 か ら の ア プ ロ ー チ

❶ 現代では「晩餐会」という言い回しはあまり使われないので、for me という言葉のニュアンスも拾って、「お祝いにささやかな夕食会」と訳してみました。この方が読者に伝わりやすいでしょう。原作の時代が古いのだから、「晩餐会」が相応しいという考えもあり得ます。

❷ come は「来る」と訳したくなりますが、この場合日本語なら「行く」ですね。英語がcome なのは、大佐がイーヴィの居る場所に移動するからです。第三の地点への移動ならgo ですね。パーティへの出席ということで、翻訳ではより日本語として自然な「出る」を使いました。

原文を分析する

'Sounds like① a crashing bore, but if you really want me to come I'll come.'

'It would be sweet of you②.'

George Peregrine was dazed by❶ the cocktail party. There were a lot of people. Some of them didn't look so bad③, a few of the women were decently turned out, but the men seemed to him pretty awful④. He was introduced to everyone as Colonel Peregrine, E. K. Hamilton's husband, you know. The men didn't seem to have anything to say to him❷, but the women gushed.

語釈：a crashing bore「ひどく退屈なもの」／would be sweet of you これは will be に比べると、かなり丁寧です。sweet＝kind／turned out＝dressed／gushed「大袈裟に話した」

原文からのアプローチ

① Sounds like〜は、「〜のように思える」という意味です。主語が省略されていますが、会話では稀ではありません。

② It would be sweet of you は、「嬉しい」とか「有難う」というのが、今の若い人の感覚でしょうね。でもこの夫婦の間柄では、「悪いわね」「すみません」のほうが適切でしょう。夫婦間ですから普通なら will でよいのに、わざわざ仮定法の丁寧用法の would を使っていますので、かなり低姿勢だと言えます。

③ didn't look so bad は、イギリス人特有の understatement です。控え目な言い方で、たとえば、美味しいと思っても、率直に（アメリカ人並みに）Very good, delicious と言わず、Not bad と言うのです。ここは、もし文字通りに格好の悪い人ばかりだとしたら、いくら大勢いても、大佐は茫然としなかったでしょう。男性客は文学、出版関係者で、

翻訳へブラッシュアップする

<table>
<tr><th>試 訳</th><th>翻 訳</th></tr>
<tr><td>

「すごく退屈なものに聞こえる①けど、どうしても出ろというのなら、出よう」
「そうして下されば、嬉しいわ②」
ジョージ・ペリグリンはカクテル・パーティによって気が遠くなった❶。多くの人がいた。中にはそう悪くない様子③の人もいたし、女性の中には綺麗な装いをした人も少しいた。けれど男性はそうじて冴えない④連中ばかりに見えた。彼は「こちらは、ペリグリン大佐、ほら、E.K.ハミルトンのご主人よ」と紹介された。男性たちは何も言うことがなさそうだった❷が、女性たちは皆まくしたててきた。

</td><td>

「そっちもひどく退屈そうだ①けど、是非というのなら、出ることにするよ」
「申し訳ありません②」
ジョージ・ペリグリンはカクテル・パーティに出て茫然とした❶。何しろ出席者の数が半端でない。結構見栄えのいい人③もいて、女性客の中には綺麗な装いの人も少しはいる。もっとも男性は粗末な服装④の者が多いが。彼は、こちらはペリグリン大佐です、ほらE.K.ハミルトンのご主人ですよ、というように誰にも引き合わされた。男性たちは特に聞きたいこともなさそうだった❷が、女性たちは皆すごい勢いで喋りかけてきた。

</td></tr>
</table>

大佐の友人らと違って、服装などに構わない人種なのです。

④ pretty awful を単に「ぞっとする」と直訳すると、何のことかわからずに読者が混乱します。すぐ前の文で女性の服装に触れているので、服装の対比だと読者にはっきり分かる訳が望ましいです。

試訳からのアプローチ

❶ 「気が遠くなった」という言い方はここでは不自然ですね。次文の「大勢の人がいた」のがその理由ですから、前後の文と文の関係を明確に表現しなくてはなりません（拙著『英語の発想がよくわかる表現50』IV「文全体の姿に気をつけよう」2 文と文の因果関係127頁参照）。

❷ 直訳すると「男性たちは彼に何も言うことを持たないように思えた」ですが、挨拶以上には話しかけてこなかった、ということですね。

原文を分析する

'You *must*① be proud of your wife. Isn't it *wonderful*①? You know, I read it right through② at a sitting, I simply couldn't put it down, and when I'd finished③ I started again at the beginning and read it right through② a second time. I was simply *thrilled*❶.'

語釈：right through ここでの right は強調であり、right through で「初めから終わりまで」「全部通して」です／at a sitting「一気に」

原文からのアプローチ

① イタリック体は強調ですね。訳文でそれを伝えるには、イタリック体やゴチック体を使ったり、文字の横に点を打ったりすることもありますが、大袈裟な言葉を使う手もあります。

② right through の right は強調で、ここでは「初めから終わりまで」「全部通して」という意味です。この女性は、セリフの後半でももう一度 right through を使っていますね。本の初めから終わりまで、余すところなく二回も読了したと言っていることからも、女性の興奮が伝わってきませんか？　翻訳では「読み通してしまいました」と、夢中で読了した感じを出してみました。

③ I'd finished ＝ I had finished。次に来る started again より時間的に前であることを表す過去完了形です。

翻訳へブラッシュアップする

<table>
<tr><th>試 訳</th><th>翻 訳</th></tr>
<tr><td>

「奥様のこと、すごく誇らしくお思いに違いありませんね。本当にこんなに素晴らしいことございませんもの！　わたしの場合はね え、一気に<u>最後まで②</u>読みましたのよ。本を置くなんて、とてもじゃないけどできませんでした。だから読み終わるやいなや、また最初から読んで、二回目も<u>全部読み通しました②</u>。本当にわくわくしました！」

</td><td>

「奥様のこと、どんなに誇りに思っていらっしゃることでしょう！ 素晴らしいことじゃあありませんか！　わたし、一気に初めから<u>終わりまで②</u>読んだのですけれど、本を離すのが嫌で嫌で、もう一度初めから読み直し、今度も<u>最後まで読み通してしまいましたわ②</u>。わくわくして身体が震える程でした」<u>誰もが皆こんな調子だった❶</u>。

</td></tr>
</table>

試訳からのアプローチ

❶ 作者に成り代わって、「誰もが皆こんな調子だった」と補足しました。女性たちからけたたましく話しかけられて、辟易する大佐の顔が浮かんできませんか？　②でも触れていますが、このセリフは、興奮して話しかけてきた女性のものですね。身なりのよい婦人らしい語尾・話し方にしつつも、興奮が止まらず勢いよく話している感じを出すように訳しましょう。

原文を分析する

> The English publisher① said to him:
>
> 'We've not had a success like this with a book of verse② for twenty years. I've never seen such reviews③.'
>
> The American publisher said to him:
>
> 'It's swell. It'll be a smash hit in America. You wait and see.'
>
> ---
>
> 語釈：swell＝wonderful アメリカ口語です／wait and see「今に見ていてごらんなさい」

原文からのアプローチ

① publisher というのは、出版社の経営責任者、社長のことです。「どこそこ出版社の社長、責任者」と訳すことも可能です。この場面では、イギリスでの成功によってアメリカの出版社からも出すことになり、その社の責任者がロンドンまで来て、ホテルで前祝のパーティを開催したのです。アメリカ人であるので、アメリカ英語を強調して、用語（swell, smash hit など）もそれらしく変えてあります。作品は実際、映画化されており、発音の違いによりアメリカ人だとすぐ分かります。

② with a book of verse の、with の用法に自信がなければ、江川 §284 With −（2）A. 結合・関係など（2）「関係・関連」を参照してください。(*cf.* Sex has nothing to do with the ability to learn.「男女の別は学習能力とはまったく関係がありません」、For all his bragging, he isn't very popular with girls.「自分で自慢するほど彼は女の子にもてない」、What's the matter with your foot?「足をどうかしたの？」)

③ such reviews は「このような批評、書評」という意味です。非常に好評な場合も悪評の場合も、いずれにも使います。コンテクストで決まります。もちろん、この場面ではよい評価ですね。コンテクストから判断し、出版人の興奮具合いも合わせて訳に組み込んでみましょう。

翻訳へブラッシュアップする

イギリスの出版人は「当社としては、<u>詩の本で②</u>このような成功を収めたことは<u>二十年間ありませんでした❶</u>。<u>こんな批評③は見たことがありません❶</u>」と大佐に言った。

アメリカの出版人は「素晴らしいですよ。アメリカでも大当たりします。まあ、待っていて見ていてください」と言った。

イギリスの出版人は「<u>詩②</u>がこれほど成功したのは、わが社としては<u>二十年ぶりです❶</u>。こんな<u>好評③</u>を頂いたのは<u>初めてです❶</u>」と大佐に言った。

アメリカの出版人は「素晴らしいですな。アメリカでも必ず大成功になりますよ。まあ見ていてごらんなさい」と言った。

試 訳 からのアプローチ

❶ 試訳でも充分意味は通じますが、否定形を使うより、肯定形を使った方がインパクトが強いと思うのですがいかがでしょう。

パーティへの出席で詩集への謎は深まるばかりです。出席者が大佐を見る目つきに気になるものがありましたし、さらに、イーヴィはアメリカでの宣伝のために、写真を撮ることになったとのことです。

The American publisher had sent Evie a great spray of orchids. Damned ridiculous, thought George. As they came in, people were taken up to Evie, and it was evident that they said flattering things to her, which she took with a pleasant smile and a word or two of thanks. She was a trifle flushed with the excitement, but seemed quite at her ease. Though he thought the whole thing a lot of stuff and nonsense George noted with approval that his wife was carrying it off in just the right way.

'Well, there's one thing,' he said to himself, 'you can see she's a lady and that's a damned sight more than you can say of anyone else here.'

He drank a good many cocktails. But there was one thing that bothered him. He had a notion that some of the people he was introduced to looked at him in rather a funny sort of way, he couldn't quite make out what it meant, and once when he strolled by two women who were sitting together on a sofa he had the impression that they were talking about him and after he passed he was almost certain they tittered. He was very glad when the party came to an end.

In the taxi on their way back to their hotel Evie said to him:

'You were wonderful, dear. You made quite a hit. The girls simply raved about you: they thought you so handsome.'

'Girls,' he said bitterly. 'Old hags.'

'Were you bored, dear?'

'Stiff.'

She pressed his hand in a gesture of sympathy.

'I hope you won't mind if we wait and go down by the afternoon train. I've got some things to do in the morning.'

'No, that's all right. Shopping?'

'I do want to buy one or two things, but I've got to go and be photographed. I hate the idea, but they think I ought to be. For America, you know.'

He said nothing. But he thought. He thought it would be a shock to the American public when they saw the portrait of the homely, desiccated little woman who was his wife. He'd always been under the impression that they liked glamour in America.

原文を分析する

The American publisher had sent① Evie a great spray of orchids. Damned ridiculous❶, thought George. As they came in, people were taken up to Evie②, and it was evident that they said flattering things to her, which she took with a pleasant smile and a word or two of thanks. She was a trifle flushed with the excitement, but seemed quite at her ease. Though he thought the whole thing❷ a lot of stuff and nonsense George noted with approval that his wife was carrying it off in just the right way❸.

語釈：at her ease「楽な気分で」／stuff and nonsense「馬鹿馬鹿しいこと」／carrying it off「事をうまく処理する」

原文からのアプローチ

① had sent は過去完了ですね。いつのことでしょうか。過去完了形と過去形をはっきり区別して訳したいですね。実際は、ランの花は開会以前にすでに飾ってあったのです。

② were taken up to Evie は、「（上席にいる）イーヴィのところへと案内された」という意味です。up にはこのように、「上」「北部」だけでなく、都会へ、中心地へ、目立つ所へ、という意味合いがあります。(*cf.* She went up to London.「彼女は上京した」)。

翻訳へブラッシュアップする

試 訳	翻 訳
アメリカの出版人はイーヴィに大きなランを一鉢贈っていた。すごく滑稽なことだ❶！ 出席者は会場につくと、すぐにイーヴィのところに案内された❷。彼女に賛辞を述べ、彼女が愛想よく微笑しながら、それに感謝している様子が見てとれた。興奮して顔を少し紅潮させていたが、とても落ち着いていた。全体のこと❷をたわごとだと大佐は思ったけれど、イーヴィがすべてを非常に適切に処理している❸ので、結構やるじゃないか、と喜んだ。	アメリカの出版社からイーヴィに贈られた豪華なランの鉢が飾ってある。ひどく無駄なことをするものだな❶、とジョージは思った。会場に来ると、人々はまずイーヴィのところに案内される❷。みんながお世辞を口にしているのは確かで、イーヴィはその一人一人に愛想よい微笑を浮かべて、お礼の言葉を返している様子だ。興奮して頰をほんのり紅潮させているけれど、ちゃんと落ち着いている。出版騒ぎ全体❷は下らぬことだと思っている大佐であったが、妻が全ての面できちんと上流夫人らしく振る舞っている❸のを見て、たいしたものだと満足した。

試訳からのアプローチ

❶ 小包の紐も切らない（取っておいて後で使うためでしょう）大佐の感想であるのを考慮して、「滑稽さ」をより具体的にしました。高価な花をイーヴィなどのパーティにわざわざもったいない、というのです。大佐のイーヴィへの評価の低さが窺われる感想ですね。

❷ the whole thing はたしかに「全体のこと」という意味ですが、これでは漠然としていますね。翻訳では具体的に「出版騒ぎ」と言葉を補足して、曖昧さを取り除きました。

❸ 「処理している」だと事務処理のようですから、ここでは不自然です。大佐が感心しているのは、イーヴィのパーティでの「振る舞い」ですね。

原文を分析する

'Well, there's one thing,' he said to himself, 'you can see she's a lady and that's a damned sight <u>more than you can say</u>① of anyone else here.'

He drank a good many cocktails. <u>But</u>❶ there was one thing that bothered him. He <u>had a notion</u>② that some of the people <u>he was introduced to</u>③ looked at him in rather a funny sort of way, he couldn't quite make out what it meant, and once when he strolled by two women who were sitting together on a sofa he had the impression that they were talking about him and after he passed he was almost certain they tittered. He was very <u>glad</u>❷ when the party came to an end.

語釈：a damned sight（口語）名詞句でなく副詞句で「はるかに」の意味です。a lot なども同じで、a lot more interesting book「もっとずっと面白い本」のように使います／a good many「多数の」続く名詞は複数です／tittered「くすくす笑った」

原文からのアプローチ

① more than you can say を直訳すれば、「言えることよりはるかに上」ですが、これで何のことか分かるでしょうか？「他の出席者については言えないほどの高い評価だ」という意味ですよ。

② a notion は字面は厳めしいのですが、意味は「思い、考え」ですから、idea, thought などと同じです。（*cf.* I have a notion that the man is telling a lie.「その男は嘘をついていると思うよ」）。

③ people に係る形容詞節です。直前に関係代名詞を補って考えれば分かりますね。

翻訳へブラッシュアップする

試 訳	翻 訳
「ひとつだけ言えるな」と彼はつぶやいた。「イーヴィが淑女なのは誰の目にも分かる。この会場で、<u>そう言える女は彼女以外には誰もいないぞ</u>①」 カクテルを何杯も飲んだ。<u>でも</u>❶ひとつ気になることがあった。紹介される時に、こちらを妙な目でみる男女がいるようだということに気づいた②。どういう意味なのか、さっぱり分からない。一度こんなこともあった。ソファにいる二人の女性の前を通った時、自分の噂をしているような印象を受けた。そして通り過ぎた後、二人がくすくす笑ったというのは、ほぼ間違いない。それ故、パーティが閉会になった時は<u>嬉しかった</u>②。	「そうだな。イーヴィが貴婦人だというのは誰だって一目で分かる。<u>そう言えるだけの女性は、このパーティには他に一人だっていないぞ</u>①。その点は結構だ」 大佐は何杯もカクテルを飲んだ。<u>いい気分になったが</u>❶ひとつだけどうも気になってしょうがないことがあった。紹介された人々の中に、変な目でこちらを見る人がいるような<u>気がしてならない</u>②。何だか分からない。一度など、ソファに座って話し合っている二人の女性の側を通った時、自分が噂されているような印象を受けた。通り過ぎた後から、二人がくすくす笑ったのはまず確実だった。パーティが終わって、<u>ほっとした</u>②。

試訳からのアプローチ

❶ 「カクテルを飲んだ」の次にBut が来る理由を補ってみました。カクテルで「いい気分になった」けれど、どうしても気になることがあったのですね。

❷ このgladは、P.60にもありましたが、安堵感であって幸福感でないので、「嬉しい」ではなく「ほっとする」が相応しいのです。「ほっとした」とすれば、試訳のように「それ故」という語を補わなくても、前文と論理的につながります。

原文を分析する

In the taxi on their way back to their hotel Evie said to him:

'You were wonderful, dear. You made quite a hit❶. The girls①
simply raved about you: they thought you so handsome.'

'Girls,' he said bitterly❷. 'Old hags②.'

'Were you bored, dear?'

'Stiff.'

語釈：raved about you「あなたに夢中だった」／bored…… stiff「ものすごく退屈して」stiffは副詞でboredとよく同時に使います。

原文からのアプローチ

① The girlsは、P.44でも少し触れましたが「少女」ではありませんよ。
   このパーティにはそもそも少女は出席などしていませんよね。「娘さ
   んたち」「若いご婦人たち」などと訳しましょう。

② bagsはもともと「クソババア」のような乱暴な言葉です。それにold
   をつけて、さらに強調しているのです。大佐が非常に苛々して、「面
   白くない」と思っていることが伝わってきますね。

翻訳へブラッシュアップする

試 訳	翻 訳
ホテルに戻るタクシーの中で、イーヴィが夫に言った。 「あなた素敵だったわ。大成功よ❶。娘さん方①が皆それは夢中だったの。すごくハンサムだって」 「娘だって！　婆さん②じゃないか」彼は苦々しそうに言った❷。 「退屈なさったの？」 「ひどくな」	ホテルに戻るタクシーの中でイーヴィが言った。 「あなた素敵でしたわよ。もてもてだったじゃないですか❶！　娘さんたち①、あなたに夢中でしたわ。すごくハンサムだって思ったのね、きっと」 「ふん、娘だって！　婆さん②じゃねえか」 「退屈なさったのね」 「うんざりした」

試訳からのアプローチ

❶ 全体としてイーヴィが夫に気を使って、褒めたりなだめたり、いろいろ工夫しているのが原文から読み取れますね。訳文でその感じを出したいです。たとえば、You made quite a hit. を、試訳では「大成功よ」としていますが、翻訳ではイーヴィが大佐の機嫌を取ろうと持ち上げている様子を強調するために、「もてもてだったじゃないですか！」と訳しました。

❷ 翻訳では、敢えて he said bitterly. を訳しませんでした。大佐の答え方を見れば bitterly であることは明らかですし。また、苛々している大佐と冷静なイーヴィのやりとりを地の文で邪魔せず、読者にちょっとした緊張感を与えられると思ったのです。

原文を分析する

She pressed his hand <u>in a gesture of sympathy</u>①.

'I hope you won't mind if we <u>wait</u>❶ and go down by the afternoon train. I've got some things to do in the morning.'

'No, that's all right. Shopping?'

'I do want to buy one or two things, but I've got to go and be photographed. <u>I hate the idea</u>❷, but they think I ought to be. For America, you know.'

He said nothing. But he thought. He thought it would be a shock to the American public when they saw the portrait of the homely, desiccated little woman <u>who was his wife</u>❸. He'd always been under the impression that they liked glamour in America.

語釈：do want この do は want を強めています／hate the idea「そんなことするのは嫌」憎むというほど大げさでなく、会話で軽く使います／ought to be 次に省略されているのは？ photographed ですよ／desiccated「しなびた」

原文からのアプローチ

① in a gesture of sympathy を「同情をジェスチャーで示して」と訳したら大きな誤りです。まずジェスチャーですが、日本語では、形だけで心が伴わないという意味合いが入ってしまいます。「意思表示、身振り、仕草」がよいのです。次に、一般論として sympathy と聞くと反射的に「同情」と思う日本人が多いので注意しておきますが、訳語としてひとつ暗記するなら「共感」です。この場合も、「同情」は不適当です。誇り高い大佐ですから、もし同情されたら怒るのではないでしょうか？　また、「気の毒そうに」と訳すと、イーヴィが大佐に対して下手に出ているのと矛盾します。

翻訳へブラッシュアップする

試 訳

イーヴィは同情する仕草で①、手を押し当てた。

「待って❶午後の列車で帰宅するのでも構いません？　午前中、ちょっとすることがあるものですから」

「構わんよ。買物でもするのか？」

「たしかに二〜三買物もあるのだけど、写真を撮りに行かねばなりませんの。わたしとしては、そんなの不愉快なのですけど❷、是非って言うのです。何しろアメリカのためですからね」

大佐は何も言わなかった。でも考えた。自分の妻である❸、平凡な、しなびた小柄な女の写真を見たら、アメリカの読者は随分ショックを受けるだろうと考えた。アメリカ人は派手好みだと常々思っていたから。

翻 訳

イーヴィは自分も同じ思いだというように①夫の手を握った。

「明日の予定ですけど、ゆっくりして❶、午後の列車で帰宅することにしてもいいでしょうか？　午前中にちょっと用事ができたのです」

「いいよ。買物かね？」

「ええ、買物も少しあるのですけど、それより、写真を撮りに行かねばなりませんの。あたしは写真なんて嫌なんですけど❷、先方がどうしてもお願いしますって言うのよ。アメリカ向けですからねえ」

大佐は無言だった。でも心の中で考えた。アメリカの読者が、平凡でしなびた著者❸の写真を見たらさぞショックを受けるのではないだろうか。何しろ、アメリカ人は何事であれ、きらびやかなのを好むのだからな。

試訳からのアプローチ

❶ wait を「待つ」と直訳するのはここでは不自然なので、翻訳では「ゆっくりして」としました。状況を考えれば、おのずと自然な表現を思いつくでしょう。

❷ イーヴィの性格上、「不愉快」はあまり口にしそうにないですよね。場面を想像し、登場人物の性格を考慮して、訳文を考えたいものです。

❸ 好みの問題もありますから力説はしませんが、He thought it would be …からの文を直接話法的にすると、生き生きした訳文ができると私は感じます。ただ、その結果、who was his wife の箇所を「自分の妻」と直訳するとそぐわないので、「著者」と一種の意訳にしました。

映画化された『大佐の奥方』

　この短編は映画化されています。1948年制作のQuartet『四重奏』という題名のイギリス映画で、この短編を含めてモームの短編四作を並べたオムニバス映画です。冒頭でモームが登場し、作品の短い紹介をします。作品ごとに監督、出演者が変わります。『大佐の奥方』は監督ケン・アナキン、出演俳優は、イーヴィ役をノラ・スインバーン、ジョージ役をセシル・パーカーが演じています。原作との一番の違いは、最後の場面です。映画では、イーヴィが詩集の青年のモデルは、新婚当時のジョージだと打ち明けるのです。ジョージは、当時は情熱的に妻を愛していたけれど、長年の夫婦生活で、二人の間は冷め切ってしまった。それを嘆いたのが、相手の青年の死亡の意味だと告げます。

　当時の映画では、人妻の不倫は描きにくかったようです。この終わり方を知ったモームは、最初は抗議しようと思ったそうですが、どっちみち映画は文学と違うのであり、自分の作品の狙いは読んでもらえば分かるのだ、と思って我慢したようです。

　この映画は、日本では1951年に有楽座で上演されました。他の短編にはダーク・ボガード、アイアン・フレミングなどが出演していて評判になったようです。イギリスでは引き続き、Trio, Encore などのモーム短編のオムニバス映画が制作されています。なお、現在『四重奏』はインターネット上で見ることができます。日本モーム協会のホームページにリンクが貼ってありますので、検索してみてください。

'Why d'you suppose it's such a success? I've always been told no one reads poetry.'

「どうしてそんなに売れるのだと思うかね？
誰も詩なんて読まない、と聞いているのだが」

イーヴィが写真撮影に出かけた後、大佐はクラブで詩集の書評を新聞や雑誌で調べ、非常に好評であるのを知ります。そこでどうしても読まねばならぬと思い、ロンドンの繁華街ピカデリーにある大きな書店を訪ねます。書店では、詩集がベストセラーになった理由について店員に尋ねたりします。

He went on thinking, and next morning when Evie had gone out he went to his club and up to the library. There he looked up recent numbers of *The Times Literary Supplement*, the *New Statesman*, and the *Spectator*. Presently he found reviews of Evie's book. He didn't read them very carefully, but enough to see that they were extremely favourable. Then he went to the bookseller's in Piccadilly where he occasionally bought books. He'd made up his mind that he had to read this damned thing of Evie's properly, but he didn't want to ask her what she'd done with the copy she'd given him. He'd buy one for himself. Before going in he looked in the window and the first thing he saw was a display of *When Pyramids Decay*. Damned silly title! He went in. A young man came forward and asked if he could help him.

'No, I'm just having a look round.' It embarrassed him to ask for Evie's book and he thought he'd find it for himself and then take it to the salesman. But he couldn't see it anywhere and at last, finding the young man near him, he said in a carefully casual tone: 'By the way, have you got a book called *When Pyramids Decay*?'

'The new edition came in this morning. I'll get a copy.'

In a moment the young man returned with it. He was a short,

rather stout young man, with a shock of untidy carroty hair and spectacles. George Peregrine, tall, upstanding, very military, towered over him.

'Is this a new edition then?' he asked.

'Yes, sir. The fifth. It might be a novel the way it's selling.'

George Peregrine hesitated a moment.

'Why d'you suppose it's such a success? I've always been told no one reads poetry.'

原文を分析する

He went on thinking, and next morning when Evie had gone out <u>he went to his club and up to the library</u>❶. There he looked up recent numbers of *The Times Literary Supplement*, the *New Statesman*, and the *Spectator*. <u>Presently</u>① he found reviews of Evie's book. He didn't read them very carefully, but enough to see that they were extremely favourable. Then he went to the bookseller's in Piccadilly where <u>he occasionally bought books</u>❷. <u>He'd made up his mind that he had to read this damned thing</u>❸ of Evie's properly, but he didn't want to ask her what she'd done with the copy she'd given him. <u>He'd buy one for himself</u>②.

語釈：looked up「探した」／*The Times Literary Supplement*『タイムズ文芸付録』有名な新聞『タイムズ』の文芸付録で権威ある週刊誌。読書好きのインテリ向けの雑誌であり、個人で定期的に購読する人は少数で、図書館やクラブで読むのが普通です／*New Statesman, Spectator*両方ともイギリスのインテリ読者向けの週刊誌で、政治、経済、社会の記事が主ですが、書評も充実しています／Piccadilly ロンドンのメインストリートの名前です。高級店が並んでいます／for himself「自分で」

原文からのアプローチ

① presentlyを「すぐに」と訳したくなりますが、ちょっと待ってください。こういう雑誌に慣れない大佐ですから、すぐに目的の記事にたどり着けるとは思えません。それにイギリス英語では、「間もなく」の意味で使われることの方が多いのです。このふたつの理由から、ここでは、「ようやく」と訳した方がよさそうです。

② He'd buy one のoneは、もちろんEvieからもらったものではない本ですね。大佐はすでに本を持っているのに別に買うというのですから、「新たに買う」という日本語が合うのではないでしょうか。

翻訳へブラッシュアップする

試 訳	翻 訳
彼は考え続け、翌朝、イーヴィが出て行くと、<u>クラブに行って図書館に行った</u>❶。そこで『タイムズ文芸付録』、『ニューステイツマン』、『スペクテイター』の最新号を探した。すぐに①イーヴィの本の書評を見つけた。彼はそれらを非常に注意深く読んだのではないが、いずれも非常に好意的であるのは分かった。次に、彼は時たま本を買っていた❷ピカデリー通りの本屋に行った。<u>イーヴィのいまいましいものを、きちんと読まなくてはならぬと覚悟した❸</u>のだった。しかし最初にくれた分はどうしたのだ、と妻に聞くことはしたくなかった。<u>自分で買うのだ②</u>。	大佐は考え続けた。翌朝イーヴィが出て行くや、<u>クラブに行き図書室に直行した</u>❶。『タイムズ文芸付録』、『ニューステイツマン』、『スペクテイター』などいずれも最新号を取り出した。ようやく①イーヴィの詩集の書評が見つかった。そう丁寧に読んだわけでないが、それでもどれも極めて好意的に評価しているのは分かった。次にピカデリー通りの本屋に向かった。時たま本を買っている❷店だ。<u>癪な話だが、とにかくイーヴィの例の本をきちんと読むしかないと思ったのだ❸</u>。だからといってイーヴィに前に進呈してくれた本をどうしたのかと尋ねたくない。<u>自分で新たに買うしかない②</u>。

試 訳 からのアプローチ

❶ 試訳では「クラブ」と「図書室」と、別の場所にあるところに行ったように訳していますが、実際には、クラブの中に図書室があるのです。大佐の動線が分かるような訳を心がけたいですね。

❷ 「買っていた」は「いる」に訂正しましょう。習慣を表しています。

❸ damned thing を、そのまま「いまいましいもの」と名詞として訳すのではなく、全体として「不愉快だけど読む」というニュアンスを出すのがコツです。made up his mind は、たしかに「〜を覚悟する・決心する」の意味ではありますが、その決心に至った大佐の心情を読み込み、「癪な話だが〜」と翻訳してみました。

原文を分析する

Before going in he looked in the window① and the first thing he saw was a display of *When Pyramids Decay*. Damned silly title②! He went in. A young man came forward and asked if he could help him③.

'No, I'm just having a look round.' It embarrassed him❶ to ask for Evie's book and he thought he'd find it for himself and then take it to the salesman. But he couldn't see it anywhere④ and at last, finding the young man⑤ near him, he said in a carefully casual tone❷: 'By the way, have you got a book called *When Pyramids Decay*?'

'The new edition came in this morning. I'll get a copy.'

語釈：embarrassed him = was embarrassing to him／came in「入荷した」came ＋ in で1つの熟語です。in ＋ this morning と間違えないように。

---

① window には「ショーウィンドー」の意味もあるのです。

② 大佐は damned を実に頻繁に使いますねえ。「坊主憎けりゃ袈裟まで憎い」ので、題名を見ても頭にくる様子。詩集の件でよほど苛立っている証拠です。

③ この he could help him は、店員の発言ですね。日本の店員なら何と言うかを考え、さらに直説話法にしてみました。また、後の文中で青年の容姿が描写されていますが、あまり上品そうな様子ではないので、丁寧な言葉遣いは避けました。

④ he couldn't see it anywhere とありますが、なぜ見つからなかったのでしょうか。ショーウィンドーに陳列してあったのは見本で、売り物ではなかったのですね。店内で本を見つけられなかったので、店員を探して尋ねてみるのです。

翻訳へブラッシュアップする

試　訳	翻　訳
店に入る前、窓①を覗くと、『ピラミッドが朽ちる時』が陳列されているのを最初に見た。嫌な題名！店に入った。青年が近寄り、お手伝いしましょうか③と訊いた。 「いや、ちょっと見ているだけだ」妻の本をくれというのは照れ臭かった❶から、自分で見つけて売り子に渡そうと思ったのだ。ところが、どこにも見当たらないので、近くにいた店員⑤に、注意深く普段の声にして❷、「あのねえ、『ピラミッドが朽ちる時』という本はあるかね」と訊いた。 「新版が今朝入りました。すぐ持ってきます」	店に入る前にショーウィンドー①を眺めると、最初に目に入ったのが『ピラミッドが朽ちる時』だった。ふん、下らぬ題名だ！　店に入ると、若い店員が出てきて、「何かお探しで？」③と訊いた。 「いや、結構。ちょっと見ているだけだ」妻なのに、その本を買いたいというのもばつが悪かった❶から、自分で見つけてカウンターに持って行こうと思った。でも、どこにもない。仕方なく、さっきの店員⑤が近くにいたので、「あのね、『ピラミッドが朽ちる時』とかいう本はあるかね？」と、つとめてさりげなく❷訊いた。 「新版が今朝入りました。持ってきましょう」

⑤ the young man は定冠詞ですから、さっきと同じ店員ということですね。

試訳からのアプローチ

❶ embarrassed him を「照れ臭かった」としていますが、これだと妻が褒められて大佐は嬉しがっているような印象を与えませんか？　詩に趣味のない大佐は、詩集を買うことだけでも恥ずかしいのに、それも自分の妻が著者なのですから、嬉しいどころかむしろ、ばつが悪かったということです。

❷ a carefully casual tone を「注意深く普段の声にして」というのは、あまりに直訳的な表現ですね。原文の品詞を生かして「つとめてさりげない口調」としても構いませんが、翻訳のように「つとめてさりげなく」と副詞的に訳す方法もあります。

原文を分析する

In a moment the young man returned with it. He was a short, rather stout young man, with a shock of untidy carroty hair and spectacles①. George Peregrine, tall, upstanding, very military, towered over him❶.

'Is this a new edition then?' he asked.

'Yes, sir. The fifth. It might be a novel the way it's selling②.'

George Peregrine hesitated a moment.

'Why d'you suppose it's such a success? I've always been told no one reads poetry.'

語釈：stout「太った、どっしりした」／shock は「もじゃもじゃの髪」。「衝撃」の意味のショックと同じスペルですが、しっかり辞書を引いて調べましょう／upstanding「堂々たる体格の」／the way it's selling「売れ方から判断すれば」（cf. The way I see it, you had better go abroad next year.「私の見るところ、君は来年外国に行くほうがいいな」）

原文からのアプローチ

① He was a short…と、店員の容姿に対する描写がくどく述べられていますが、これは身だしなみなど外見に拘らぬインテリへの、大佐の偏見の表れでしょう。

② It might be a novel the way it's selling. は、普通だとあまり売れないジャンルである詩集の本が、よく売れる小説本のように売れているということです。fifth という刷数からも店員の驚きの気持ちが窺えますから、ここもそのような言葉遣いを選んで訳してみましょう。

翻訳へブラッシュアップする

<table>
<tr><td>試 訳</td><td>翻 訳</td></tr>
<tr><td>

青年はすぐに持ってきた。背の低い、やや小太りで、赤っぽい髪はもさもさである。眼鏡をかけている①。ジョージ・ペリグリンはすらりとして堂々としているし、元軍人らしかった。青年を見下ろした❶。
「で、これは新版なのかね？」
「そうですよ。五版です。売れ方は小説のようかもしれません②」
ジョージはちょっと躊躇してから訊いた。
「どうして大成功なのだろうな？　誰も詩は読まないといつも聞かされていたのだがね」

</td><td>

店員はじきに本を持って戻ってきた。背の低い、やや小太りで、乱れた赤毛で眼鏡をかけている①。一方、背が高くすらっとして、軍人然としたジョージ・ペリグリンは、店員を見下ろすような姿勢になった❶。
「では、これは新版なのかね？」
「そうです。五版になります。まるで小説のような売れ行きですよ②」
ジョージは一瞬ためらったが、尋ねた。
「どうしてそんなに売れるのだと思うかね？　誰も詩なんて読まない、と聞いているのだが」

</td></tr>
</table>

試訳からのアプローチ

❶ 「見下ろした」では、大佐の意志が働いているようで、不適当ですので、「大佐の背が高かったために見下ろすことになった」という背景が伝わるよう、言葉を補足しましょう。ちなみに、イギリスでは階級によって、身長まで違う傾向があるのです。そういう話題に関心がある人には、会田雄次著『アーロン収容所』の一読をすすめます。

　本屋の店員の話によって、大佐は、悲しい情熱的な恋物語が詩にあるのを初めて知ります。ロンドンから妻と共に列車で自宅に戻った夜、自室でいよいよ読み出します。詩を読むのは苦手ですから、一度では分からず、再読して、ようやく内容が次第に見えてきます。

'Well, it's good, you know. I've read it meself.' The young man, though obviously cultured, had a slight Cockney accent, and George quite instinctively adopted a patronizing attitude. 'It's the story they like. Sexy, you know, but tragic.'

George frowned a little. He was coming to the conclusion that the young man was rather impertinent. No one had told him anything about there being a story in the damned book and he had not gathered that from reading the reviews. The young man went on:

'Of course it's only a flash in the pan, if you know what I mean. The way I look at it, she was sort of inspired like by a personal experience, like Housman was with *The Shropshire Lad*. She'll never write anything else.'

'How much is the book?' said George coldly to stop his chatter. 'You needn't wrap it up, I'll just slip it into my pocket.'

The November morning was raw and he was wearing a greatcoat.

At the station he bought the evening papers and magazines and he and Evie settled themselves comfortably in opposite corners of a first-class carriage and read. At five o'clock they went along to the restaurant car to have tea and chatted a little. They arrived. They drove home in the car which was waiting for them. They bathed, dressed for dinner, and after dinner Evie, saying she was tired out, went to bed. She kissed him, as was her habit, on the forehead. Then he went into the hall, took Evie's book out of his greatcoat pocket and going into the study began to read it. He didn't read verse very easily and though he read with attention, every word of it, the impression he received was far from clear. Then he began at the beginning again and read it a second time. He read with increasing malaise, but he was not a stupid man and when he had finished he had a distinct understanding of what it was all about. Part of the book was in free verse, part in conventional metres, but the story it related was coherent and plain to the meanest intelligence. It was the story of a passionate love affair between an older woman, married, and a young man. George Peregrine made out the steps of it as easily as if he had been doing a sum in simple addition.

原文を分析する

'Well, it's good, you know. I've read it meself.' The young man, though obviously cultured, had a slight Cockney accent, and George quite instinctively❶ adopted a patronizing❷ attitude. 'It's the story they① like. Sexy, you know②, but tragic❸.'

George frowned a little. He was coming to the conclusion that the young man was rather impertinent. No one had told him anything about there being③ a story in the damned book and he had not gathered that from reading the reviews.

語釈：meself ＝ myselfの訛りです／though (he was) cultured「教養はあるけども」／Cockney accent「コックニー訛り」ロンドン下町の訛りで、発音でhを抜かしたり、文法上の誤りを犯したりします／patronizing「保護者のような」→「相手を見下すような」／impertinent「でしゃばった、生意気な」／gathered「（見聞などから）推測した」（*cf.* I gathered his true feelings from what he said.「彼の本当の気持はその発言から推測できた」）

原文からのアプローチ

① まさかtheyを「彼ら」と訳してはいませんよね？　theyは一般の人、世間の人々を指しています。コンテクストから読み取ってください。

② Section2でも何度か出てきましたが、you know はas you know と違って、もとは「君、知りなさい」という一種の命令形だと、しっかり覚えておきましょう。間違える人が多いですが、英語学習の早い段階で誤って覚えてしまうと、なかなか修正できないのでしょうね。

③ 動名詞の理解が問われます。苦し紛れに、being を human being と取って「その人間」と訳した人はいませんか？　落ち着いて検討しましょう。この文を動名詞を使わずに書き直せば、the fact that there was a story in the damned bookとなります（*cf.* Let me hear more about there being no mistake in her composition.「彼女の作文に誤りがないということについて、もっと聞かせて」）。ぜひ江川§237「動名詞の基本的性質」を参照して下さい。「していなかった」と過去完了形に対応し

翻訳へブラッシュアップする

<table>
<tr><td>

試 訳

「ええと、まず、よい作品だから
でしょう。自分も読みましたがね」
この青年、学はありそうだが、僅
かに下町訛りがあり、ジョージは
まったく本能的に❶相手をいたわ
るような❷態度になった。「人①の
好む話ですよ。つまり、色っぽい
ですから。でも悲劇的なんです
よ❸」
ジョージは眉をひそめた。青年が
失礼な奴だと思い始めた。詩集に
ストーリーがあるというのは初め
て聞いた。読んだ書評ではそんな
ことは分からなかった。

</td><td>

翻 訳

「それはですねえ、何と言っても
作品として優れているからです。
自分も読みましたが」店員は教養
はありそうだが、下町訛りが僅か
にあり、ジョージは、反射的に❶
相手を見くびるような❷態度に
なった。「それに大衆①好みの話で
すよ。エロチックだがそれでいて
悲劇的でもある❸、というのです
から」
ジョージ・ペリグリンは少し眉を
ひそめた。この店員は結局生意気
なのだと思い始めた。いまいまし
い詩集に筋があるというのは、初
耳だった。書評を読んだのでは、
そこまで推察できなかった。

</td></tr>
</table>

た訳にすることを忘れずに。

試訳からのアプローチ

❶ instinctively の訳として「本能的に」がすぐ頭に浮かびます。でも大
 袈裟な気がしますので、「反射的に」と工夫してみましょう。

❷ patronizing を「いたわるような」とするのは、ここでは不適当です。「威
 張った」でもよいくらいなのですからね。大佐が店員を下に見てい
 るニュアンスを出しましょう。

❸ Sexy, you know, but tragic の意味を吟味しましょう。試訳は、sexy,
 you know をひとまとめにしたので、店員が「エロチックな話だから
 よく売れる」と説明しているように取れます。実際はそうではなくて、
 sexy ＋ tragic であるのが読者好みだと主張しているのです。つまり、
 この相反するようなふたつの特質が同一作品に併存する、というこ
 とが人気の秘密だというのです。

原文を分析する

The young man went on:

'Of course it's only a flash in the pan, if you know what I mean①. The way I look at it, she was sort of inspired like② by a personal experience, like Housman was with③ *The Shropshire Lad*. She'll never write anything else.'

'How much is the book?' said George coldly to stop his chatter. 'You needn't wrap it up④, I'll just slip it into my pocket.'

The November morning was raw and he was wearing a greatcoat❶.

語釈：a flash in the pan「線香花火的な成功」一時的な成功のこと／if you know what I mean「私が意味することがあなたに分かればのことですが」分かりにくい表現を用いた直後によく言います／sort of「多少、いくらか」意味をぼかします（*cf.* I sort of expected something might happen.「何か起こりそうな気がいくらかした」）／A. E. Housman（1859-1936）イギリスの詩人、学者。ケンブリッジ大学の学究が中年になって、突如清新な抒情詩集 *A Shropshire Lad* を出して世を一驚させました（文中の *The* は誤りで、実際の題名は A です）／raw「（不快なほど）寒い、冷たい」／greatcoat 厚地のコートで、以前は「オーバー」と呼ばれていました。

---

① if you know…は、そのまま訳すと大袈裟になるので、会話にうまく溶け込ませられればいいでしょう。

② like は、言葉をぼかすときに文尾につけて使います。俗語的な使い方ですね（*cf.* She was worried like.「彼女は多少心配したみたい」）。

③ Housman was の後に、inspired が省略されています。

④ wrap it up は、紙で包んだり、カバーなどをかけることを指します。大佐は包みを断り、本をポケットに直接入れたのですね。

翻訳へブラッシュアップする

<table>
<tr><th>試 訳</th><th>翻 訳</th></tr>
<tr><td>

青年はさらに語った。

「もちろん、花火みたいなものに過ぎません。言う意味がお分かりかどうか分かりませんが①。わたしが見るところ、著者は個人的な経験か何かによって、まあ鼓舞されたか何かして書いたのでしょうな。ハウスマンが『シュロップシャーの若者』を書いたのと類似しています。この作以外には、もう絶対に書きません」

「いくらだね？」ジョージは相手のお喋りをやめさせようと冷たい口調で言った。

「包まんでいい④。ポケットに入れるから」

十一月の朝はうすら寒く、大佐はオーバーを着ていた❶。

</td><td>

店員はさらに喋った。

「むろん、言ってみりゃあ、線香花火みたいなものでしょうよ。すぐ消えますな①。わたしの意見ですが、著者は個人的な体験か何かからインスピレーションを得たんでしょうね。ハウスマンが『シュロップシャーの若者』を書いた場合と同じです。著者がもう書くことはないでしょうよ」

「いくらだね？」ジョージは相手のお喋りをやめさせるため冷やかに言った。

「包んでくれないでいい④。ポケットにいれる」

十一月の午前中は肌寒く、厚手のコートを着ていたのだ❶。

</td></tr>
</table>

試訳からのアプローチ

❶ この一文は、前文の slip it into my pocket の説明でしょう。文庫でない普通の大きさの本をポケットに入れるのは無理だと思う読者のために、その疑問に答えたのです。このように、英語では、何かあれっと思わせることを言えば、すぐ理由を説明するという慣習があります。「のだ」を補足しなくても分かるかもしれませんが、念のため入れてみました。

原文を分析する

At the station he bought the evening papers and magazines and he and Evie settled themselves comfortably❷ in opposite corners of a first-class carriage and read. At five o'clock they went along to the restaurant car to have tea❸ and chatted a little. They arrived. They drove home in the car which was waiting for them. They bathed, dressed for dinner①, and after dinner Evie, saying she was tired out, went to bed. She kissed him, as was her habit②, on the forehead.

語釈：carriage「客車、車両」first-class carriage で、「一等車」 という意味です

原文からのアプローチ

① dressed for dinner は、「夕食のために着替えた」 という意味です。上流階級では普段でもこうして食事の度に正装して召使いに給仕させて食事します。

② as was her habit で、「いつもの彼女の習慣で」 という意味です（*cf.* As is usual with old people, my parents get up early in the morning.「老人の常で、両親は早起きです」江川 §64「As (2)単独で使われる例」 参照）。

翻訳へブラッシュアップする

<table>
<tr><td>

試 訳

駅で夕刊と雑誌を買い、大佐とイーヴィは一等車の相対する角の席に<u>気分よく座り</u>❷、読んだ。五時になると<u>お茶を飲むために</u>❸食堂車に行き、ちょっとお喋りした。到着して、待っていた車で屋敷に戻った。風呂に入り、<u>着替え</u>①、夕食を取った。夕食後、イーヴィは疲れ果てたと言って、寝室に向かった。<u>いつもの習慣で</u>②夫の額にキスした。

</td><td>

翻 訳

駅で夕刊と雑誌を買い込み、大佐とイーヴィは一等車の<u>車室</u>❶の反対側の隅でくつろいで<u>腰を下ろし</u>❷、各自読んだ。五時には食堂車に行きお茶を<u>飲みながら</u>❸しばらく言葉を交わした。地元の駅に着き、待っていた車で屋敷に戻った。入浴し、<u>夕食のための着替えをした</u>①。夕食後、イーヴィは疲れたからもう休みます、と言い、<u>いつもの習慣で</u>②、夫の額におやすみのキスをしてから自分の寝室に行った。

</td></tr>
</table>

試訳からのアプローチ

❶ 日本人になじみ深い汽車のイメージでは、「反対側の角に座る」という情景が分かりにくいかもしれませんので、「車室」という言葉を補足しました。風俗、慣習が違う場合、読者が抵抗なく読むために、目立たぬように説明となる言葉を補っておくのが、翻訳者の役割のひとつになります。

❷ 「気分よく座り」だと、直前に何か楽しいことでもあったような感じがしませんか？　ここでは単に、一等車の席でゆったりと座ることができたということを表しています。

❸ to不定詞の副詞的用法だからといって、いつでも「～するために」と訳していたのでは、こなれた日本語になりません。状況に応じて訳を工夫しましょう。この場面では、結果として実際に二人がお茶を飲んでお喋りをしているわけですから、翻訳のような訳し方が自然です。

原文を分析する

Then he went into the hall❶, took Evie's book out of his greatcoat pocket and going into the study began to read it. He didn't read verse very easily① and though he read with attention, every word of it②, the impression he received was far from clear❸.

語釈：verse「韻文」

原文からのアプローチ

① didn't read verse very easily ですから、読み慣れた散文はともかく、韻文は苦手であり、すらすらとは読めなかった、ということですね。verse が単数で定冠詞もないため、今回に限定せず、全ての韻文の場合を指しています。

② every word of it は前後にコンマがあるので、前の read の目的語であると同時に副詞句のような役割もしています。「全ての語を注意して読んだ」とも、「一語ももらさず注意して読んだ」とも訳せますね。

翻訳へブラッシュアップする

試 訳
それから大佐はホール❶に行き、コートのポケットから本を取り出して、書斎に行って読み始めた。韻文を容易に読まなかった❷ので、あらゆる語を注意して読んだにもかかわらず、受けた印象ははっきりしていることから遠かった❸。

翻 訳
その後、大佐は玄関❶に行ってコートのポケットから詩集を取り出して、自分の部屋で読み始めた。詩が楽に読める方ではなかった❷から、一語ももらすまいと丁寧に読んだものの、読後の印象はごく曖昧なものだった❸。

試訳からのアプローチ

❶ 「ホールに本を取りに行った」とは、どういうことでしょうか。実はこの hall は、大広間などの「ホール」ではなく、「玄関」を指しているのです。つまり、大佐は玄関に行って、そこにかけてあるコートのポケットから詩集を取ってきた、ということですね。hall のようなカタカナ語が定着している単語であっても、違和感を覚えたら必ず辞書を引くようにしましょう。

❷ 「容易に読まなかった」という直訳では、意味がはっきりしません。翻訳のように説明的に訳すか、「詩は読み慣れていなかった」としてもいいですね。

❸ far from clear も、「はっきりしていることから遠かった」などという直訳では、あまりに不自然でぎこちないです。大佐が詩をぼんやりとした理解しかできなかったことを、うまく訳出しましょう。

原文を分析する

Then he began at the beginning again and read it a second time. He read with increasing malaise, but he was not a stupid man and when he had finished he had a distinct understanding of what it was all about①. Part of the book was in free verse, part in conventional metres, but the story it related❶ was coherent and plain to the meanest intelligence❷. It was the story of a passionate love affair between an older woman, married, and a young man. George Peregrine made out the steps of it❸ as easily as if he had been doing a sum in simple addition.

語釈：malaise「不愉快」／Part「一部」慣習的に不定冠詞はつけません／free verse「自由詩」、conventional metres「伝統的な韻律」韻律があるのが伝統的な詩、ないのが現代風の自由詩です／sum in simple addition「簡単な足し算」

原文からのアプローチ

① what it was about は、直訳すると「それが何についてであるか」となりますが、ここでは「その本に書かれている内容」という意味ですね。「詩集の全体像」としてもよいでしょう。

翻訳へブラッシュアップする

<table>
<tr><td>

試 訳

それから、また最初を読み出し、二回全部読んだ。次第に不快感が募りながら読んだのだけれど、彼もバカでなかったから、読み終わると、<u>詩集の全てが何について</u><u>か</u>①が鮮明に把握できた。本の一部は自由詩、一部は因習的な韻律だったが、<u>それが語っている</u>❶話は統一があり、<u>もっとも粗末な知</u><u>性</u>❷にも明白だった。それは、年長の既婚女性と青年との熱烈な恋物語だった。ジョージ・ペリグリンはその段階のそれぞれを❸、あたかも初歩的な足し算をしているかの如く、理解できた。

</td><td>

翻 訳

そこで、また冒頭から読み直してみた。二回目は、読み進めると不快感が募ったものの、愚か者でないので、最後まで読んだ時には、<u>詩集の内容がいかなるものである</u><u>か</u>①、はっきりと理解できた。自由詩で書いた部分と、伝統的な韻律で書いた部分が分かれているが、<u>語られている</u>❶話は首尾一貫していて、<u>どんな鈍い頭の者で</u><u>も</u>❷理解できる。年配の人妻と青年との情熱的な恋の物語なのだ。ジョージ・ペリグリンは、<u>恋の出</u><u>会いから終わりまでの進展</u>❸をまるで簡単な足し算でもしているかのようにたどることができた。

</td></tr>
</table>

試訳からのアプローチ

❶ 「それが語っている」を受身形にすれば、代名詞を省けます。「語られている話」とすれば、自然な訳になりますね。

❷ the meanest intelligence の訳出は、翻訳家の腕の見せ所ですよ。「もっとも粗末な、劣った知性」とは、ここでは具体的にはどういうことでしょう？　よく考えてみましょう。

❸ 「その段階のそれぞれを」は直訳すぎますね。要は、大佐は女性と青年の恋が深まっていく様子を、ありありと見せつけられ、何があったのかを詳細に知ったのです。「簡単な足し算でもしているかのように」というのは、イーヴィの詩人としての文才のおかげであり、詩集の人気の秘密でもありましょう。むろん、文学にうとい大佐には、そういうことは理解できませんが。

ある青年が自分を愛していると知った年配の人妻の驚きから始まる恋が語られています。女性は最初は勘違いだと思いましたが、そうではないと知り、次に自分も彼を愛していると気づき、驚愕します。二人は次第に深い関係になり、女性のペンから愛の賛歌が湧き出ます。

Written in the first person, it began with the tremulous surprise of the woman, past her youth, when it dawned upon her that the young man was in love with her. She hesitated to believe it. She thought she must be deceiving herself. And she was terrified when on a sudden she discovered that she was passionately in love with him. She told herself it was absurd; with the disparity of age between them nothing but unhappiness could come to her if she yielded to her emotion. She tried to prevent him from speaking but the day came when he told her that he loved her and forced her to tell him that she loved him too. He begged her to run away with him. She couldn't leave her husband, her home; and what life could they look forward to, she an ageing woman, he so young? How could she expect his love to last? She begged him to have mercy on her. But his love was impetuous. He wanted her, he wanted her with all his heart, and at last trembling, afraid, desirous, she yielded to him. Then there was a period of ecstatic happiness. The world, the dull, humdrum world of every day, blazed with glory. Love songs flowed from her pen. The woman worshipped the young, virile body of her lover. George flushed darkly when she praised his broad chest and slim flanks, the beauty of his legs and the flatness of his belly.

Hot stuff, Daphne's friend had said. It was that all right. Disgusting.

There were sad little pieces in which she lamented the emptiness of her life when as must happen he left her, but they ended with a cry that all she had to suffer would be worth it for the bliss that for a while had been hers. She wrote of the long, tremulous nights they passed together and the languor that lulled them to sleep in one another's arms.

原文を分析する

Written① in the first person, it began with the tremulous surprise of the woman, past her youth❶, when it dawned upon her that the young man was in love with her. She hesitated to believe it. She thought she must be deceiving herself❷. And she was terrified when on a sudden she discovered that she was passionately in love with him②.

語釈：the first person「一人称」／tremulous「震える、おののく」／dawned upon her「分かり始めた」dawn の発音は [dɔ:n] です／deceiving herself「勘違いしている」／on a sudden=suddenly

---

原文からのアプローチ

① 冒頭の Written は分詞構文ですから、いくつかの訳し方があります。「理由」を表すことが多いけれど、ここでは「状況」です。

② And 以下の構文を取り違えて、「突然怖くなった」などとしてはいけませんよ。on a sudden は、次の discovered を修飾しています。つまり、「突然発見した」時に「怖くなった」という流れです。And は機械的に「そして」と訳すのではなく、逆接とみるべきでしょう。

翻訳へブラッシュアップする

試 訳
その本は第一人称で書かれていて、ある青春を過ぎた❶女性が、若者が自分に恋しているのではないかとうすうす気づいた時のおののくような驚きで始まっていた。女性は、それを信じるのをためらった。きっと自分で自分を騙している❷のだと思った。そして、自分が男を熱烈に恋しているのを発見した時は、突然恐怖を覚えた❷❸。

翻 訳
一人称で書かれたその本は、盛りを過ぎた❶女性が、ある青年が自分を愛しているのを知った時の、身震いするような驚きから始まっている。最初はそれを信じるのをためらった。きっと勘違いだわ❷、と思った。ところが、やがて突然、自分自身も青年に激しく恋していると気づき、恐怖におののいた❷❸。

試訳からのアプローチ

❶ past her youth は直前の woman にかかります。「若さを通過した」とはどういうことか、しっくりくる日本語を探しましょう。「青春を過ぎた」という言葉だと、まだ若い感じですから、若者との年齢の開きが大きいと言っているのと合いません。青春を過ぎてからもう何年も経っていても、past her youth だと言えますから。それで「盛りを過ぎた」と意訳しましたが、「青春をとうに過ぎた」でも適当ですね。

❷ 「自分で自分を騙している」と直訳してしまうと、日本語として不自然で、遠まわりな表現になってしまいますね。つまりは、自分の思い過ごしだということです。

❸ 翻訳では「自分自身も青年に激しく恋している」と、二人の気持ちが重なったことを強調する訳としました。これは、彼女にとってもっとも怖いのは相思相愛だからです。どちらかの片想いなら、不倫には至りませんから、怖くはないのです。

原文を分析する

She told herself it was absurd; with the disparity of age① between
them nothing but unhappiness could come to her if she yielded to
her emotion②. She tried to prevent him from speaking❶ but the
day came when he told her that he loved her and forced her to
tell❷ him that she loved him too. He begged❸ her to run away with
him.

語釈：nothing but = only／run away「駆け落ちする」

原文からのアプローチ

① with the disparity of age で、「年がこんなに開いているから」という
意味です。この with については、江川 §283「With(2) B. 付帯状況」
参照（*cf.* With prices so high, we'll have to cut down our living expenses.
「こんなに物価が高くては、生活費を切り詰めなくてはならない」）。
② yield は他動詞として「もたらす」という意味もありますが、ここで
は自動詞の「〜に屈する」という用法があてはまります。「自分の感
情に屈する」、つまり「自分の感情に負ける」という意味ですね。

翻訳へブラッシュアップする

<table>
<tr><th>試 訳</th><th>翻 訳</th></tr>
<tr>
<td>彼女は、愚かだと自分に言った。二人の間の年齢の開きが大きいのだから、もし自分が感情に負ければ②不幸しかやってこないに決まっている、と思った。彼女は男に喋らせまいと努めた①。だが、男が愛を告白し、彼女に彼への愛を無理やり告白させる②日がやって来た。彼は駆け落ちするように乞うた③。</td>
<td>馬鹿げていると自分に言い聞かせた。年の開きがこんなにある以上、もし自分が感情に負けてしまったなら②、不幸以外の何も残らないに決まっている。女は若者が愛の告白をするのをやめさせようとした①。でも遂に、青年が愛を告白し、女にも本心を打ち明けさせる②日が来てしまった。青年はすぐ駆け落ちしようと迫ってきた③。</td>
</tr>
</table>

試訳からのアプローチ

❶ もう少し言葉を補って具体化してみましょう。「喋らせまいと努めた」では、女が男に何か弱みを握られているような感じにもなります。ここでは、女が男に愛の告白をさせまいと、抵抗しているということですね。

❷ forced her to tell「無理やり告白させる」は、直訳するとまるで彼女はそうしたくないかのように誤解されるので、翻訳では「本心」という言葉を補いました。

❸ beg は「懇願する」「乞う」という意味ですが、これだと青年が女にすがっているような印象にもなります。しかし、青年はとても積極的な様子が窺えますから、翻訳ではそれにふさわしく「迫ってきた」としてみました。また、青年の性急さを強調して「すぐ」という言葉を補足しています。

原文を分析する

She couldn't leave her husband, her home; and what life could they look forward to, <u>she an ageing woman</u>①, he so young? <u>How could she expect his love to last</u>②? She <u>begged him to have mercy</u>❶ on her. But his love was impetuous.

語釈：have mercy on「〜を堪忍する」／impetuous「性急な、衝動的な」

<u>原文からのアプローチ</u>

① she の次に being が省略されています。理由を表す分詞構文で、主語が本文の主語である they と違う場合、このような形になるのです。独立分詞構文と言います。続く he so young も同じ構文です。直訳すると、それぞれ「彼女は年老いた女だし」、「彼はとても若いので」となりますね。江川 §233「独立分詞構文」参照。なお、ageing はイギリス英語で、アメリカ英語では aging となります。

② expect his love to last は、「彼の愛が継続すると期待する」という意味です。last は動詞で「続く」の意味ですね。

翻訳へブラッシュアップする

<table>
<tr><th>試 訳</th><th>翻 訳</th></tr>
<tr><td>

夫も家庭も見捨てるなんてできない。わたしは年配の女で、彼はとても若い。そういう二人にどういう未来がありうるだろうか？　<u>彼の愛が続くとどうして期待できようか②</u>？　そう思って、彼女は相手に<u>慈悲を乞うた❶</u>。だが、彼の愛は性急だった。

</td><td>

でも、夫も家庭も捨て去ることなどできない。それにわたしは老いて行く女なのに、あなたはとても若いのだもの、どんな未来が二人にありうるというの？　<u>あなたの愛がずっと続くとどうして期待できるかしら②</u>？　<u>無理は言わないでよ❶</u>。<u>いくら説いても②</u>、青年の愛は性急だった。

</td></tr>
</table>

試訳からのアプローチ

❶ 前パラグラフで青年が beg した時とは異なり、ここでは女性の弱気で、下手に出ている感じを出した訳の方がよいでしょう。have mercy は「堪忍する」「許す」という意味ですが、直訳の「慈悲を乞うた」では仰々しいので、ふさわしい訳を考えてみてください。翻訳では、「無理は言わないでよ」としました。この訳でよく原意を伝えられると思います。

❷ 原文にはない「いくら説いても」を入れました。断られてもめげない青年の押しの強さと、それに屈しそうなイーヴィの姿が浮かんできませんか？　このパラグラフは、全体的に描出話法で訳しています。こうすることで、本の中に書かれていることが、まるで目の前で起こっているかのような効果を出すことができます。特に大佐にとっては、主人公の女性は他ならぬ妻なのですから、その臨場感は想像以上だったでしょうね。

原文を分析する

He wanted her, he wanted her with all his heart❶, and at last trembling, afraid, desirous①, she yielded to him. Then there was a period of ecstatic happiness. The world, the dull, humdrum world of every day, blazed with glory. Love songs flowed from her pen❷. The woman worshipped the young, virile body of her lover. George flushed darkly when she praised his broad chest and slim flanks, the beauty of his legs and the flatness of his belly.

語釈：wanted her 性的なことです／ecstatic「恍惚とした、有頂天な」／humdrum = dull／worship「崇拝する、拝む」／virile「力強い、男性的な、精力的な」／darkly「陰険に」「陰気に」など／flatness of his belly これは大佐が自分のつき出たお腹との対比で、特に強く反応したのでしょう。

原文からのアプローチ

① afraid、desirous の前に being が省略されていて、分詞構文を取ります。彼女の心理状況を述べています。直訳すると試訳のように「おののき、恐れ、欲しつつ」となりますが、翻訳では彼女の心情にもう一歩踏み込んで、desirous を具体化して訳してみました。

翻訳へブラッシュアップする

試 訳	翻 訳

試 訳

彼女を求めた。心から求めた❶。遂に、彼女はおののき、恐れ、欲しつつ①、彼に身を任せた。それから有頂天の幸福の期間があった。日々の退屈極まる世界が栄光で輝いた。愛の歌が彼女のペンから流れた❷。彼女は愛人の若い、たくましい肉体を賛美した。彼女が青年の広い胸とほっそりした脇腹、脚の美しさ、平らな腹を称賛した時、ジョージは暗く赤くなった。

翻 訳

君が欲しい。ぼくの全身全霊を挙げて君が欲しい❶。とうとう女は、震えながら、恐れながら、自分も本心ではそう欲しながら①、彼に身を任せた。それから恍惚とした幸福な時期が訪れる。退屈で平凡だった日常の世界がにわかに栄光に包まれ、燦然と輝き始める。女のペンから愛の賛歌が湧き出る❷。女は愛人の若いしなやかな肉体を賛美する。若者の広い胸、ほっそりした脇腹、美しい脚、平らな腹を女が称える時、ジョージは陰気に顔を紅潮させた。

試訳からのアプローチ

❶ 「彼女を求めた。心から求めた」も、悪い訳ではありませんが、翻訳では描出話法の訳し方で「君が欲しい。ぼくの全身全霊を傾けて君が欲しい」としてみました。年上の相手に「君」を使用したのは、若者が女の年齢を意識せず、対等なパートナーとして相手を認識していると判断したからです。このような推察、判断が翻訳では必要とされます。

❷ 翻訳では、「栄光で輝いた」は「栄光に包まれ、燦然と輝き始める」に、「愛の歌」は「愛の賛歌」としました。青年と女性が、恋愛の一番盛り上がっている時期の真っただ中にいる感じを出すためです。また、「にわかに」という言葉も補足して、イーヴィの世界が恋によってガラリと変わったのを強調しました。訳者がこの詩集を好み、イーヴィに肩入れしたせいで、加筆したくなったのです。

原文を分析する

Hot stuff, Daphne's friend had said①. It was that all right. Disgusting.

There were sad little pieces② in which she lamented the emptiness of her life when as must happen he left her③, but they ended with a cry❸ that all she had to suffer would be worth it④❷ for the bliss that for a while had been hers. She wrote of the long, tremulous nights they passed together and the languor⑤ that lulled them to sleep in one another's arms.

語釈：It was that all right「間違いなく本はエロチックな代物だ」／lament「(声を上げて) 嘆く、悲しむ」／bliss「至福」／languor「けだるさ」愛し合った後のものです。

原文からのアプローチ

① had said は過去完了ですから、大佐が読んでいる今より以前にダフネの友人が言った、ということです。

② little pieces を、ここでは「短詩」と訳すのがよさそうです。pieces も簡単な単語ですが、コンテクストから判断して「詩」「曲」「記事」などと訳し分けるようにしましょう。

③ when as must happen he left her は、まず as must happen を括弧に入れて考えます。挿入句で、意味は「いずれ起こるに違いないように」です。江川§261「様態　A. As」参照。残りの部分は「彼が自分を棄てた時」です。時制の一致で過去形の left になっています。

④ この下線部は、cry と同格の名詞節です（*cf.* I have come to the conclusion that he is innocent.「彼は無実だという結論に私は達した」）。all she had to suffer「彼女が悩まねばならない全て」がひとかたまりで、次の would 以下の主語になっています。

⑤ languor は前の wrote of につながります。「長いときめく夜」と「けだ

翻訳へブラッシュアップする

試 訳
色っぽい本だと以前ダフネの友人が言っていたな。まさにその通りだ。胸糞が悪い！ 悲しい短詩が数点あり、そこで彼女はきっと起こるに違いない男との別れの際❶の生活の空しさを嘆いていた。しかし、短詩の最後はすべて、至福を一時期の間だけでも味わったのだから、いかなる苦悩も甲斐がある❷のだという叫び❸で終わっていた。女は二人で共に過ごした長い心ときめく夜について、互いの腕の中で眠るように誘う快いけだるさについて、書いていた❹。

翻 訳
セクシーな本だとダフネの友人が言っていたそうだな。ふん、まさにその通りだ。胸が悪くなる。 悲哀に満ちた数点の短詩では、いずれ男が自分のもとから離れた後❶の生活の空しさを嘆いていた。だが、どの詩の最後も、僅かな間にせよ享受できた至福を思えば、いかなる苦悩も全て耐えられる❷という魂の叫び❸で結ばれている。二人で一緒に過ごした長いわくわくする夜のこと、快いけだるさを覚えて抱き合って眠ってしまったこと、なども述べられていた❹。

るさ」について書いた、ということですね。

試訳からのアプローチ

❶ 試訳の「別れの際」を、翻訳では「離れた後」にしました。別れ際のことでなく、その後のことについて述べているからです。

❷ worth it（口語）「やりがいがある」で、it は特に何も指していません。試訳の「甲斐がある」でもいいのですが、やや意味が曖昧だと感じたので、翻訳では「耐えられる」と意訳してみました。

❸ cry は「叫び」でもいいのですが、翻訳では「魂の叫び」としました。イーヴィがやってくる別れを思って悲嘆にくれる自分を雄々しくも説得し、心を絞って遂に到達した境地なので、「叫び」だけでは不十分だと思ったからです。

❹ 「けだるさについて、書いていた」というのは、いかにも英語らしい表現で、日本語として認知されていないでしょう。こういった直訳調を、少しでも日本語らしい自然な表現に置き換えなければなりません。

女は数週間の情事だろうと予想していたのですが、二人の愛はいつまでも最初の魅力的な熱烈さを保持します。三年の月日が経ちましたが、男はギリシャの島、イタリアの丘の町などへ駆け落ちしようと繰り返し迫ります。

She wrote of the rapture of brief stolen moments when, braving all danger, their passion overwhelmed them and they surrendered to its call.

She thought it would be an affair of a few weeks, but miraculously it lasted. One of the poems referred to three years having gone by without lessening the love that filled their hearts. It looked as though he continued to press her to go away with him, far away, to a hill town in Italy, a Greek island, a walled city in Tunisia, so that they could be together always, for in another of the poems she besought him to let things be as they were. Their happiness was precarious. Perhaps it was owing to the difficulties they had to encounter and the rarity of their meetings that their love had retained for so long its first enchanting ardour. Then on a sudden the young man died. How, when or where George could not discover. There followed a long, heartbroken cry of bitter grief, grief she could not indulge in, grief that had to be hidden. She had to be cheerful, give dinner-parties and go out to dinner, behave as she had always behaved, though the light had gone out of her life and she was bowed down with anguish. The last poem of all was a set of four short stanzas in which the writer, sadly resigned to her loss, thanked the dark powers that rule man's destiny that she had been privileged at least for a while to enjoy the greatest happiness that we poor human beings can ever hope to know.

It was three o'clock in the morning when George Peregrine finally put the book down. It had seemed to him that he heard Evie's voice in every line, over and over again he came upon turns of phrase he had heard her use, there were details that were as familiar to him as to her: there was no doubt about it; it was her own story she had told, and it was as plain as anything could be that she had had a lover and her lover had died.

原文を分析する

She wrote of① the rapture of brief stolen moments❶ when, braving
all danger, their passion overwhelmed them and they surrendered
to its call②.

She thought it would be an affair of a few weeks, but
miraculously it lasted. One of the poems❷ referred to three years
having gone by③ without lessening the love❸ that filled their
hearts.

語釈：rapture「有頂天、歓喜、恍惚」／brief「短時間の、つかの間の」／
stolen「こっそりなされた、内密の」

原文からのアプローチ

① of は about と同じ用法です。wrote a poem, wrote a letter などはよいの
   ですが、wrote rapture とは言いません。
② この its call の it は、their passion を指します。「自らの激情の要求」に
   身を任せた、ということですね。
③ この having は動名詞です。The fact that three years had gone by と書
   き換えられます。referred というのは、何か他のことを述べたついで
   に、その事実が述べられた、ということを意味しています。

翻訳へブラッシュアップする

<table>
<tr><td>試 訳</td><td>翻 訳</td></tr>
<tr>
<td>彼女は、危険をものともせず、情欲が彼らを圧倒し、誘惑に負けた短い秘密の恍惚とした出来事❶を書いた。
女はせいぜい数週間の情事だと思っていたが、奇跡的にも長続きした。詩のひとつは❷、彼らの心を満たす愛を減じることなしに❸三年が過ぎたと、述べていた。</td>
<td>二人があらゆる危険をものともせず、激情に圧倒され、その欲求に従ったときの逢瀬の歓喜❶も描かれていた。
彼女は数週間の情事だろうと思っていたが、奇跡的に長く続いた。三年の歳月が経過したのに、二人の心を満たす愛がまったく冷めなかった❸ことに触れる詩もあった❷。</td>
</tr>
</table>

試訳からのアプローチ

❶ the rapture of brief stolen moments を直訳すると、「短い秘密の瞬間の恍惚」になりますが、これでは詩情に欠けます。「逢瀬の歓喜」と意訳すると、原文に込められた意図や背景を汲んだ訳文になるのではないでしょうか。

❷ One of the poems…は、試訳の「詩のひとつは〜」よりも、「〜な詩もあった」の方が、読んでいて流れもいいですし、詩の内容がいかに情熱的であるかが伝わる感じがしませんか？

❸ 「減じることなしに」では英語が透いて見えて、意味は分かるのですが、日本語としてはやや不自然です。翻訳では「冷めなかった」と意訳してみました。また、three years 以下を訳し下げました。こちらの方が日本語として読みやすい文章になるのではないでしょうか。

原文を分析する

It looked as though he continued to press her to go away with him, far away, to a hill town in Italy, a Greek island, a walled city in Tunisia, so that they could be together always, for① in another of the poems she besought him to let things be as they were. Their happiness was precarious. Perhaps it was② owing to the difficulties they had to encounter❶ and the rarity of their meetings that their love had retained for so long its first enchanting ardour.

語釈：press her to～「～するように彼女に迫った」／Tunisia「チュニジア」北アフリカにあり、この作品の頃はフランス保護領。walled cityとは、首都 Tunis のことでしょう。旧市街地は多数の城壁や門に囲まれています／let things be as they were「現状を変えないでおく」／precarious「あてにならない、不安定な」／Perhaps it was… 典型的な it……that の強調構文です／enchanting ardour「魅惑的な熱烈さ」

原文からのアプローチ

① for は、ここでは「駆け落ちを迫り続けたのが、どうして分かるかと言えば」という説明です。

② 典型的な強調構文です。Perhaps を、「たぶん」と訳してはいけませんよ。perhaps は、probably よりも確率が低い推量です。そして何より、愛が減じなかったのが「多分状況のせいだ」というのでは、二人の愛の深さを軽視することになります。「ひょっとすると、状況のおかげもあるかも」と解釈すべきです。

翻訳へブラッシュアップする

試　訳
男は遠方への駆け落ちを迫り続けたようであった。逃亡先は、イタリアの丘の町、ギリシャの島、チュニジアの壁で囲った都市、どこであれ、二人が常に一緒にいられる場所であればよかった。ある詩の中で、女が、お願いだから今のままにしておいて、と懇願しているからだ。二人の幸福はいつも不安定だった。二人の愛があれほど長いこと最初の魅惑的な熱烈さを保っていたのは、<u>ひょっとすると</u>② 二人が <u>直面した困難</u>❶と、密会の機会が稀のおかげだったのであろう。

翻　訳
青年は、いつも一緒にいられるように、遠くイタリアの丘の上の町とか、ギリシャの孤島とか、チュニジアの城壁に囲まれた都市とかへ駆け落ちをしようと懇願し続けたようであった。というのも、ある詩の中で、彼女は、どこにも行きたくない、今のままでいたい、と若者に懇願しているからだ。二人の幸福は安定したものではなかった。二人の愛があれほど長いこと最初の魅力的な熱烈さを保持したのは、<u>もしかすると</u>②、二人がいくつもの <u>苦難に直面し</u>❶、逢瀬が稀であったせいでもあったのかもしれない。

試訳からのアプローチ

❶ 「直面した困難のおかげ」という表現が、直訳過ぎます。日本語としてスムーズになるよう、工夫しましょう。「困難に直面したおかげ」と言葉を入れ替えただけでも、自然になります。

原文を分析する

Then on a sudden the young man died. <u>How, when or where</u>
<u>George could not discover</u>①. <u>There followed</u>② a long, <u>heartbroken</u>
<u>cry</u>❸ of bitter grief, grief <u>she could not indulge in</u>③, grief that had
to be hidden. She had to be cheerful, <u>give dinner-parties and go</u>
<u>out to dinner</u>❹, behave as she had always behaved, though the
light had gone out of her life and she was bowed down with
anguish.

語釈：was bowed down「(悲嘆に) くじけた」／anguish「苦痛、非常な悲しみ」

原文からのアプローチ

① How, when or where George could not discover. の部分が倒置になって
　いるのは、強調のためです。大佐としては当然知りたいのに、まっ
　たく書かれていない事実を劇的に述べたかったのでしょう。

② There followed…この follow をどう訳すかは、誰でも迷います。そん
　な時は辞書を引き、April follows March. という用例などで、「〜の次
　に来る」という意味合いを確認すればよいのです。ここから、「青年
　の急逝」が述べられた次に「悲嘆の泣き声」が歌われた、という順
　序が理解できます。

③ she could not indulge in の冒頭には、関係代名詞が省略されています。
　ですので、「彼女が身を任すことができなかった悲しみ」が直訳とな
　ります。

翻訳へブラッシュアップする

試 訳
それから突然、若者は死んでしまった。死に方と時と場所❶は、ジョージには発見できなかった❷。その後に、心が張り裂けんばかりの失恋の叫び❸が長く続いていた。女は悲嘆に耽ることはできなかったし③、人目から隠さねばならなかったのだ。人生から光が消え去り、深い悲しみで打ちひしがれたのに、外面は明るくし、晩餐会を開催し、晩餐会に出席し❹、これまでと同じように振る舞わねばならなかった。

翻 訳
それから唐突に若者に死が訪れる。どのようにして、いつ、どこで亡くなったのか❶、いくら読んでも分からない❷。その後、激しい悲しみの胸の張り裂けるような号泣❸が続く。しかも女は悲哀に没頭することは叶わず③、隠さねばならない。光明が人生から消え去り、悲しみに打ちひしがれているというのに、明るくいつも通りに振る舞い、自宅で晩餐会を開き、よその晩餐会にも出席し❹なければならなかった。

試訳からのアプローチ

❶ 「死に方と時と場所」というのは、乱暴な言い方ですね。せめて「死因」、「死の経緯」など、自然な表現を選んでください。

❷ 試訳のように「発見できなかった」とすると不自然ですので、翻訳では意訳しました。「いくら読んでも分からない」とした方が、詩を読む大佐の困惑が読者と重なって、伝わりやすいのではないでしょうか。

❸ heartbrokenを、カタカナ語の「ハートブロークン」だからといって、単純に「失恋」と訳してよいものかどうか、コンテクストからじっくり考えてください。

❹ 試訳のように「晩餐会を開催し、晩餐会に出席し」と原文通りに訳してしまうと、読者の混乱を招きます。翻訳では、主催する晩餐会と招待されて行く晩餐会の区別をつけるために、「自宅の」「よその」という言葉を補足しました。この程度の表現変更は、状況に合わせて臨機応変に行って構いません。

原文を分析する

The last poem of all was a set of four short stanzas in which the writer, sadly resigned① to her loss, thanked the dark powers that② rule man's destiny that② she had been privileged❷ at least for a while to enjoy the greatest happiness that② we poor human beings can ever hope to know.

語釈：stanza「スタンザ、連」／dark powers「暗黒の神々」

原文からのアプローチ

① resigned の前に、being が省略されています。心の状態を表す分詞構文です。

② that が何度も出てきて分かりにくい文章ですね。最初の that は関係代名詞で、先行詞は the dark powers です。その後の that she had ~ の that は、名詞節を導く接続詞で、thanked の内容を示すもの。そしてその中に出てくる that we poor human beings ~ to know は、関係詞節で happiness を修飾していますから、この that は関係代名詞です。

翻訳へブラッシュアップする

<table>
<tr><td>

試 訳

最後の詩は短い四連の作品で、そこで詩人は、愛人の死を哀れにも諦め、およそ人が望みうる最高の幸福を束の間にせよ享受する特権❷を与えられたことに対して、人の運命を司る暗黒の神々に感謝の言葉を述べている❶。

</td><td>

翻 訳

本全体を締めくくる最後は一組の四つの連からなる詩であった。そこで女は愛人の死を嘆きつつも運命だったと諦め、人の運命をつかさどる暗黒の神々にむしろ感謝している。たとえ僅かな間にせよ、哀れな人間が知りうる最高の幸福を享受できたのは、何という大きな恩恵❷であったことか、と❶。

</td></tr>
</table>

試訳からのアプローチ

❶ 試訳は訳し上げ、翻訳は訳し下げていますが、この程度の長さなら、どちらでも意味は問題なく伝わります。試訳では、第三者的な視点でまとめてあるために、詩人の心情が直接読者に伝わりにくくなってしまいますね。そこで翻訳では、読者の共感を呼ぶように工夫しました。日本語もだらだら続けずに、that rule man's destiny のところまでで一度文を終わらせることで、読みやすくもなったかと思います。

❷ privileged「特権」は、文字で読めば意味は分かりますが、日本語としては少し不自然な表現になってしまいますので、訳を工夫しましょう。翻訳では「恩恵」としてみました。「むしろ」を入れたのは、「怒るのでなく、むしろ感謝」する気持ちになったと、詩人の感情が逆転したのを示すためです。

原文を分析する

It was three o'clock in the morning when George Peregrine finally put the book down. It had seemed to him that <u>he heard Evie's voice</u>❶ in every line, over and over again he came upon turns of phrase he had heard her use, there were <u>details that were as familiar to him as to her</u>❷: there was no doubt about it; it was her own story <u>she had told</u>①, and it was as <u>plain as anything could be</u>②❹ that <u>she had had a lover and her lover had died</u>❸.

語釈：lover「恋人」ではなく「愛人」です

原 文 か ら の ア プ ロ ー チ

① she had told の前に、接続詞で強調文を作る that が省略されています。
直訳すると、「彼女が語ったのは彼女自身の話だった」となりますが、
もっと自然な訳になるよう考えてみて下さい。

② as plain as anything could be で、「これくらい明白なことはない」と
いう意味です。

翻訳へブラッシュアップする

試 訳	翻 訳
ジョージ・ペリグリンがようやく本を置いた時には、朝の三時になっていた。読みながら、どの詩にもイーヴィの声を聞いている❶ように思えた。妻が使うのを聞いた覚えのある表現に繰り返し出会ったし、彼女にとって慣れた細部❷は、大佐にも慣れたものばかりだった。疑いの余地はなかった。イーヴィが語ったのは、彼女自身の話であり、彼女が浮気し相手が死んだ❸、というのは極めて明白だった❹。	大佐がようやく読み終わり、本を置いた時には、もう午前三時になっていた。どの行にもイーヴィの生の声が聞こえる❶ように思えた。彼女が使うのをよく聞く言いまわしに何度となく出くわした。同じ家に住む者しか知らない身近な事柄❷がいくつも出ている。疑いの余地はない。彼女が実際に経験したことを書いたのだ。イーヴィが夫を裏切ったのも、相手の男が死んだのも❸、本当の話であるのは、火を見るよりも明らかだ❹。

試訳からのアプローチ

❶ 直訳すると、試訳のように「イーヴィの声を聞いている」となりますが、詩を読んでいる大佐の印象をより生き生きと描写するため、翻訳では「イーヴィの生の声が聞こえる」としてみました。

❷ 「慣れた細部」云々は、内容を考えて意訳しないと、よく通じません。これは、たとえばの話ですが、居間の窓を閉める時、キュウキュウ鳴る、というような些細な事実のことですね。同じ家に住む者同士だから共有している事柄であることを、翻訳では説明的に訳しています。

❸ 「浮気し相手が死んだ」というと、浮気と死に関連があるのかと誤解される恐れがありうるので、翻訳では両者を分けてみました。

❹ ここはいよいよ、大佐が真実を体全体で理解する場面ですから、切迫感が欲しいところです。原文に忠実に過去形で訳すよりも、現在形を織り交ぜることで、迫りくる感じを出してみました。

唐突に若者は死亡します。死因などは不明です。女は狂乱状態に陥るのですが、夫と家庭のある身ですので、悲しみに耽ることはできません。ストイックに耐えるのです。一方、怒りが込み上げた大佐は、イーヴィを叩き起こして詰問してやろうかと、立ち上がります。しかし、浮気の証拠は詩集だけです。慎重に行動するしかありません。翌朝しげしげと妻の様子を観察しても、彼女にはそれと窺われるところは何ひとつありません。

It was not anger so much that he felt, nor horror or dismay, though he was dismayed and he was horrified, but amazement. It was as inconceivable that Evie should have had a love affair, and a wildly passionate one at that, as that the trout in a glass case over the chimney-piece in his study, the finest he had ever caught, should suddenly wag its tail. He understood now the meaning of the amused look he had seen in the eyes of that man he had spoken to at the club, he understood why Daphne when she was talking about the book had seemed to be enjoying a private joke, and why those two women at the cocktail party had tittered when he strolled past them.

He broke out into a sweat. Then on a sudden he was seized with fury and he jumped up to go and awake Evie and ask her sternly for an explanation. But he stopped at the door. After all, what proof had he? A book. He remembered that he'd told Evie he thought it jolly good. True, he hadn't read it, but he'd pretended he had. He would look a perfect fool if he had to admit that.

'I must watch my step,' he muttered.

He made up his mind to wait for two or three days and think it all over. Then he'd decide what to do. He went to bed, but he couldn't sleep for a long time.

'Evie,' he kept on saying to himself. 'Evie, of all people.'

They met at breakfast next morning as usual. Evie was as she always was, quiet, demure, and self-possessed, a middle-aged woman who made no effort to look younger than she was, a woman who had nothing of what he still called It. He looked at her as he hadn't looked at her for years. She had her usual placid serenity. Her pale blue eyes were untroubled. There was no sign of guilt on her candid brow. She made the same little casual remarks she always made.

'It's nice to get back to the country again after those two hectic days in London. What are you going to do this morning?'

It was incomprehensible.

原文を分析する

It was not anger so much that he felt, nor horror or dismay, though he was dismayed and he was horrified, but amazement①. It was as inconceivable that Evie should② have had a love affair❶, and a wildly passionate one at that③, as that the trout in a glass case over the chimney-piece in his study, the finest he had ever caught, should② suddenly wag its tail.

語釈：dismay「落胆、失望」／inconceivable「思いもよらない、信じられない」／at that「その上」／chimney-piece＝mantlepiece「暖炉棚」

<hr>

原文からのアプローチ

① but amazement は一行目の not〜so much と呼応するのなら as が来るべきです。けれども、そうでなく、初めの not だけと呼応するのですから but でよいのです。

② should を見ると、すぐに「べき」と反射的に訳してしまう人が多いです。ここには should がふたつありますが、いずれも「べき」ではないのです。驚きを表し、「〜だなんて！」という感じですね。その他にも girl「少女」、had better「した方がいい」、you know「知っての通り」、perhaps「多分」、particular「特別の」、exciting「興奮している」なども、反射的に訳してしまうと間違っているケースがありますから、注意しましょう。

③ at that を「その点で」と訳してはいけません。「さらに、その上」という意味です。大佐の驚きの気持ちが込められている箇所です。

翻訳へブラッシュアップする

試 訳
彼が感じたのは怒りでなく、恐怖でも失望でもなく —— 失望し、恐怖を覚えたのも事実であるけれど —— むしろ驚嘆だった。イーヴィが情事❶を持つなんて、その上③ひどく官能的な情事を持つなんて、全く考えることはできなかった。書斎の暖炉棚の上に置かれたガラス箱の中の鱒、彼が釣った中でもっとも見事な鱒が、尻尾を急に振ったのと同じくらいの驚きだった。

翻 訳
読み終えて大佐がもっとも強く感じたのは怒りではない。幻滅し愕然としたのは事実だが、幻滅や恐怖の気分でもない。ただただ、びっくり仰天したというのが、一番本当のところだ。あのイーヴィが恋に落ち❶、それも③熱烈極まる恋に落ちたなんて、書斎の暖炉の上に置いたガラスケースの鱒の剥製❷（これまで大佐が釣った最高の逸品）③が、突然尾ひれをピクッと振ったみたいなものだ。ありえない。

試訳からのアプローチ

❶ had a love affair を、翻訳では「恋に落ち」にしました。純粋でひたむきだった青年との逢瀬は、イーヴィにとっては「情事」よりも「恋に落ちる」の方が感覚的に近いように思ったためです。

❷ 翻訳では、原文にない「剥製」を入れました。コンテクストから考えて、剥製に決まっているので不必要かもしれませんが、日本では魚の剥製はあまり見ないので、補足したほうが読者は場面を想像しやすいでしょう。剥製にした鱒の尾ひれが振れるくらいの驚嘆というのは、「絶対にありえないこと」だとよく分かりますね。慣用句ではなく、モームが考えた比喩のようです。この表現をインターネット等で調べてみても見つからないので、モームのオリジナルだと分かります。

❸ 括弧を使うのは、見た目も悪いし、音読もしにくいのですが、避けられない場合もあります。たまには結構でしょう。原文にも時々使われていますし。

原文を分析する

He understood now the meaning of the <u>amused look</u>❷ he had seen in the eyes of that man <u>he had spoken to at the club</u>❶, he understood why Daphne when she was talking about the book had seemed to be enjoying a <u>private joke</u>①, and why those two women at the cocktail party had tittered when <u>he strolled past them</u>②.

原文からのアプローチ

① private joke は、「自分だけに分かるジョーク」という意味です。「一人笑い」などと訳すとよいでしょう。

② stroll は「ぶらつく、ゆったり歩く」という意味です。大佐がカクテル・パーティで、所在なくブラブラ歩いて二人の女の側を通り過ぎた時、という場面ですね。

翻訳へブラッシュアップする

試 訳	翻 訳
クラブで話した男❶の目に浮かんでいた面白がっているようなまなざし❷の意味が今ようやく理解できた。また、詩集について喋った時、なぜダフネが一人笑いをしているように思えたかの理由も分かった。さらに、カクテル・パーティで座っていた二人の女が、彼が側を通ったとき何故くすくす笑ったのかも納得できた。	ロンドンのクラブでお喋りした旧友❶がせせら笑いを浮かべてこちらを見た❷わけが、今やっと分かった。ダフネが最初に詩集を話題にした時に一人笑いをしている様子だったのも、カクテル・パーティで二人の女が自分が側を通ったとき、こそこそ笑ったのも、全て理由が分かった。

試 訳 か ら の ア プ ロ ー チ

❶ 翻訳では、「ロンドンのクラブ」「旧友」などの言葉を補い、読者の理解を高めようという工夫をしてみました。大佐の心の中で、全ての点が線となってつながっていく様子がありありと感じられるように訳しましょう。

❷ amused look を、試訳のように「面白がっているようなまなざし」と訳しても問題はありませんが、純粋な好奇心ではなく、どこかで大佐を嘲笑して見下す気持ちがあったはずですから、翻訳では「せせら笑いを浮かべて」と、強調した訳にしてみました。

原文を分析する

He broke out into a sweat❶. Then on a sudden <u>he was seized with fury</u>❷ and he jumped up to go and awake Evie and ask her sternly for an explanation. But he stopped at the door. After all, what proof had he? A book. He remembered that he'd told Evie he thought it jolly good. <u>True</u>①, he hadn't read it, but he'd <u>pretended he had</u>②. He would look a <u>perfect fool</u>③ if he had to admit that.

語釈：broke out into a sweat「すっかり大汗をかいた」／fury = violent anger

原文からのアプローチ

① True,…but の構文です。「なるほど、～は本当だが」というように、一旦認めて、後で「でも、しかし」という文が出てきます。ここでは、直後に but がありますが、これは別のものです。そう、not…but「ではなくて、…だ」の but です。紛らわしいので注意しましょう。「でも、しかし」以下に当たるのは、He would……です。

② pretended he had は、この後に read が省略されているので、「読んだふりをした」という意味になります。

③ perfect fool を直訳すると「完璧な馬鹿」となりますが、これではあまりに日本語として不自然ですね。「さぞ馬鹿に見えるだろう」という強調の形で訳すのがよいでしょう。

翻訳へブラッシュアップする

<table>
<tr><th>試 訳</th></tr>
<tr><td>

羞恥のあまり大汗をかいた❶。激怒が込み上げ❷、イーヴィの寝室に行って叩き起こし厳しく説明を求めようと、立ち上がった。だが、書斎の戸口で止まった。結局、何の証拠があるだろうか。本が一冊。「いい本じゃないか」とイーヴィに言ったのが思い出された。本当はまだ読んでいないのに、読んだふりをしただけだった。それを今になって認めなくてはならないとすれば、さぞ馬鹿者に見えるであろう。

</td></tr>
</table>

<table>
<tr><th>翻 訳</th></tr>
<tr><td>

思い出すと冷汗が噴き出た❶。よくもコケにしやがったな、という怒りが込み上げ❷、さっと立ち上がった。イーヴィの寝室に行って叩き起こし、厳しく問いただしてやるのだ。行きかけたが、戸口で立ち止まった。何といっても、証拠がない。詩集があるのみだ。「読んだよ、いい本じゃないか」と妻に言ったことが頭に浮かんだ。あの時は、読んでいないのに、読んだふりをしただけだった。でも、今さらそれを認めたりできない❸。万一認めたりしたら、さぞかし愚かに見えてしまうからだ。

</td></tr>
</table>

試訳からのアプローチ

❶ 翻訳では「思い出すと」と、大胆な説明を補足しました。パーティでの思い出が汗の原因だと気づかぬ読者のための、配慮からです。

❷ be seized with で「～に駆られる」という意味です。fury は語釈にもある通り「激しい怒り」を指しますので、試訳の「激怒が込み上げ」もうまい訳なのですが、翻訳ではさらに大佐の感情を具体的に描写し、「よくもコケにしやがったな」という表現を補足しました。

❸ 翻訳では、True……, but の表現を生かしてみました。普通あるはずの but が表面にはないので、「でも、今さら」と訳語を補って、そこが True に呼応する but の部分であるのを示しました。

原文を分析する

> 'I must watch my step①,' he muttered.
>
> He made up his mind to wait for two or three days and think it all over. Then he'd decide what to do❶. He went to bed, but he couldn't sleep for a long time.
>
> 'Evie,' he kept on saying to himself. 'Evie, of all people②. '
>
> 語釈：watch my step「気をつけて歩む」

原文からのアプローチ

① watch my step は、「歩くのに気をつける」という意味ですが、コンテクストとまったく合致しませんね。ここでは、歩き方に注意するということではなく、この件への対処全体に関しての慎重さのことを言っているのです。

② Evie, of all people は「人もあろうにイーヴィが」という意味で、ここでは浮気するはずもなさそうな地味なイーヴィが、まさかあんな情熱的な恋を…という大佐の驚きの気持ちが込められています (*cf.* Why do you go to Ireland, of all countries?「国もあろうに、どうしてアイルランドへ行くのですか」)。

翻訳へブラッシュアップする

試 訳	翻 訳
「慎重に運ばなくてはならんな」小声でつぶやいた。数日待って、よく考えてみようと心を決めた。その後に、どうすべきかを決めればよいだろう。就寝したが、なかなか寝つけなかった。「イーヴィ、人もあろうに、あのイーヴィがね」何度も心の中で言い続けた。	「とにかくよく気をつけないといかんな」小声でつぶやいた。二、三日待ってじっくり考えてみようと思った。今後の対応は、それから決めればよい、今はもう寝よう❶。床に就いたものの、なかなか寝つけなかった。「イーヴィ、よりにもよって、あのイーヴィがね」と何度となく繰り返した。

試訳からのアプローチ

❶ Then he'd decide what to do. は典型的な描出話法ですから、このように訳し、さらに「だから、今はもう寝るのだ」という気持ちも、直接話法的に補ってみました。ひょっとすると、くどいと感じる読者がいるかもしれませんね。しかし、私の考えでは、よくも悪くも、無色透明な翻訳などありえません。翻訳者の「色」が必ず出てくるものではないでしょうか。

原文を分析する

They met at breakfast next morning as usual. Evie was as she always was, quiet, demure, and self-possessed, a middle-aged woman who made no effort to look younger than she was, a woman who had nothing of what he still❶ called It. He looked at her as he hadn't looked at her for years❷. She had her usual placid serenity①. Her pale blue eyes were untroubled. There was no sign of guilt on her candid brow❸. She made the same little casual remarks she always made.

'It's nice to get back to the country again after those two hectic days in London. What are you going to do this morning?'

It was incomprehensible.

語釈：demure「控え目な」／self-possessed「落ち着いた」／It「性的魅力」 昔に日本でも「イット」という言葉が一部のインテリに使われていたのですよ／placid「穏やかな、落ち着いた」／serenity「静穏、落ち着き」／candid「率直な、誠実な」／brow「額」／hectic「慌ただしい」

---

① placid serenity は、品詞は異なりますがどちらの語もほぼ同じ意味です。このように同義の形容詞で修飾されている場合は、くどくなることもありますから、訳で必ずしも意味を重ねる必要はありません。

試訳からのアプローチ

❶ he still called It の still を、翻訳では「昔の癖で」としてみました。これは he still called It という原文を数秒睨んでいたら浮かんだ訳です。ピタッとくる訳語は、そう簡単に思いつきません。うまい訳語が出てこない場合、私は原文を書いた紙片をポケットに入れ、折ある度に眺めます。身動きできない満員電車の中で浮かんできたこともあ

翻訳へブラッシュアップする

<table>
<tr><th>試 訳</th><th>翻 訳</th></tr>
<tr><td>

二人はいつものように朝食で顔を合わせた。イーヴィはいつもと同じで、しとやかで、控え目で、落ち着いている。実年齢より若く見せようなどと努力しない中年女性だった。大佐が今の時代になっても❶「イット」と呼ぶものを持たぬ女性だった。彼は、もう久しく見せたことのない目❷で妻を眺めた。いつも通り落着き払っていた①。薄青の目に乱れはなかった。率直そうな額には罪の印はない❸。普段と変わらぬいつもと同じちょっとしたさりげない言葉を口にした。
「ロンドンでの慌ただしい日々の後で田舎に戻るといい気分ですね。今朝のご予定は？」
さっぱり分からなかった。

</td><td>

夫妻はいつものように朝食の席で顔を合わせた。彼女はいつもと少しも変わらない。物静かで控えめで落ち着いている。年より若く見せようなどと一切つとめないタイプの中年女性であり、大佐が昔の癖で❶いまだに「イット」と呼んでいる性的魅力をまったく持たない女性だった。ジョージは、珍しいものでも見るような目つき❷で妻をしげしげと観察した。普段通り穏やかな様子だ①。薄青い目には不安の影はない。晴れ晴れとした額には罪の意識などまったく窺えない❸。いつもと同じさりげない口調で、どうでもよい事を言った。
「ごみごみしたロンドンから田舎に戻ると落ち着きますわ。今朝のご予定は？」
まったくもって不可解だ。

</td></tr>
</table>

ります。

❷ 試訳の「久しく見せたことのない目」は苦し紛れの訳でしょう。意味は正確ですが、妙な日本語です。翻訳では、大佐が不審そうにイーヴィを見つめる視線を、具体的に描写してみました。

❸ 「額に罪の徴候がない」というのは、日本人にはあまりピンとこない表現ですが、慣用表現というわけではありません。昨夜夫が詩集を読んで不倫を知ったことなど知らぬイーヴィが、普段と変わらないのは当然ですね。しかし大佐は「平凡な中年女性」のどこかに「大胆な不倫をする女」らしさを見つけ出そうと必死です。読者が彼と一緒になって、イーヴィを観察しているような気分になるように訳しましょう。

イーヴィと若者の恋の始まりは…？

　イーヴィはどこで若者と知り合ったのでしょうか？　作品自体にはヒントとなるようなことはまったくありませんが、読者としては気になります。わずかな情報から推理してみましょう。

　ペリグリン夫妻はシェフィールドからおよそ20マイル離れた郊外の広大な屋敷に住んでいます。夫妻はしばしばシェフィールドに出かけ、シェフィールド経由でロンドンまで行くことも時にあります。

　シェフィールドはイングランド中部の工業都市ですが、市の半分を占める国立公園があって、緑豊かな都市でもあり、昔から文化的な施設もありました。現在も、ノーベル賞受賞者を五人も輩出した名門大学、図書館、劇場があります。中でも市庁舎は、役所としての業務の他、様々な文化活動の中心的存在で、大中小のホールがあり、市民のために音楽会、演劇、展覧会、舞踏会、同好会、講演会などが開催されています。今の大きな市庁舎は1932年建造ですから、イーヴィと若者が出会った時期には存在していなかったのですが、勿論、その前身にあたるものはあったでしょう。

　大佐は、イーヴィに子供ができないことを残念がっていましたが、紳士としてその不満を口にすることはなかったようです。しかし、物語の冒頭の朝食の場面で見たように、屋敷では、いつも先祖の肖像画に見下ろされていました。先祖は無言ですが、鋭敏な神経の持ち主である詩人肌のイーヴィですから、伝統ある家系の跡取りを産まないと、先祖から非難されているように感じたことも充分にありえます。

　このような圧迫に加えて、大地主の妻としての任務も多くありましたから、そこから逃れて、シェフィールドの旧市庁舎での文化活動に加わったのはよく理解できますね。想像してみると、同好会のひとつに「詩を読む会」というのがあり、ここで若者と出会ったのではないでしょうか。詩を鑑賞し、感想を述べあう会合で、穏やかな口調ながら、キラッと輝くようなコメントを述べる上品で顔立ちの整った中年女性に若者が感銘を受け、尊敬が次第に恋心に発展したとしても不思議ではありません。集会の後、二人で緑豊かなピーク公園を散策しながら、関係を深めていったのではないでしょうか。

'Don't talk such rot. It's her own story. You know it and everyone else knows it. I suppose I'm the only one who doesn't know who her lover was.'

「いい加減なことを言うな！　あれはあいつの実話だ。
それを君は知っているし、世間の人もみな知っている。
相手が誰だったか、知らぬは亭主ばかりなり、
なのだろうよ」

　大佐は顧問弁護士ハリー（原文ではヘンリーとも呼ばれますが、翻訳では誤解を避けて全てハリーに統一します。なお、ハリーはヘンリーの愛称形です）を訪ねます。信頼する旧友でもあります。イーヴィの不倫のことを相談しようというのです。この短編でのハリーの役割が大きいことに注目しましょう。詩集を大佐と一緒に読んできて、彼と親しくなった読者も、ここからは大佐を距離を置いて眺めるようになります。作者モームがそうさせるのです。

Three days later he went to see his solicitor. Henry Blane was an old friend of George's as well as his lawyer. He had a place not far from Peregrine's and for years they had shot over one another's preserves. For two days a week he was a country gentleman and for the other five a busy lawyer in Sheffield. He was a tall, robust fellow, with a boisterous manner and a jovial laugh, which suggested that he liked to be looked upon essentially as a sportsman and a good fellow and only incidentally as a lawyer. But he was shrewd and worldly-wise.

'Well, George, what's brought you here today?' he boomed as the colonel was shown into his office. 'Have a good time in London? I'm taking my missus up for a few days next week. How's Evie?'

'It's about Evie I've come to see you,' said Peregrine, giving him a suspicious look. 'Have you read her book?'

His sensitivity had been sharpened during those last days of troubled thought and he was conscious of a faint change in the lawyer's expression. It was as though he were suddenly on his guard.

'Yes, I've read it. Great success, isn't it? Fancy Evie breaking out into poetry. Wonders will never cease.'

George Peregrine was inclined to lose his temper.

'It's made me look a perfect damned fool.'

'Oh, what nonsense, George! There's no harm in Evie's writing a book. You ought to be jolly proud of her.'

'Don't talk such rot. It's her own story. You know it and everyone else knows it. I suppose I'm the only one who doesn't know who her lover was.'

'There is such a thing as imagination, old boy. There's no reason to suppose the whole thing isn't made up.'

'Look here, Henry, we've known one another all our lives. We've had all sorts of good times together. Be honest with me. Can you look me in the face and tell me you believe it's a made-up story?'

原文を分析する

Three days later he went to see his solicitor①. Henry Blane was an old friend of George's as well as his lawyer①. He had a place not far from Peregrine's and for years they had shot over one another's preserves. For two days a week he was a country gentleman and for the other five a busy lawyer in Sheffield. He was a tall, robust fellow, with a boisterous manner and a jovial laugh, which suggested that he liked to be looked upon essentially as a sportsman and a good fellow❶ and only incidentally② as a lawyer. But he was shrewd and worldly-wise.

語釈：place「屋敷」狩猟地も一緒です／shot「銃猟した」／preserves「狩猟地」／boisterous manner「元気いっぱいの態度」／good fellow「あいつはいい奴だな」という感じです／incidentally「付随的に」／shrewd [ʃruːd]「賢い、抜け目ない」

原文からのアプローチ

① solicitor は「事務弁護士」で、法律顧問を務めたり、裁判事務を扱ったりします。ちなみに barrister は「法廷弁護士」で地位は solicitor よりも上です。lawyer「弁護士」は両方を合わせた総称です。次に lawyer と言っているのは、単に同じ語の繰り返しを避けているだけです。

② only incidentally は、「副業」の他に「余技」も思いついたのですが、この語を見慣れぬ人も多いと思われるので避けました。

翻訳へブラッシュアップする

試 訳

試 訳

三日後大佐は弁護士①に会いに行った。ハリー・ブレインは弁護士①であり、同時にジョージの旧友であった。彼はペリグリンの屋敷から遠くない所に屋敷を所有していて、もう何年もの間、お互いの猟場で狩猟をしてきた。一週間に二日は地主、五日はシェフィールドで忙しい弁護士だった。背の高い、丈夫な男で、張り切った物腰であり、いつも明るく笑っていた。本来はスポーツマンであり、気の置けない友人であり①、付随的に②弁護士なのだと人から見られたいと望んでいるのが、そこから窺われた。しかし、抜け目のない、世知にたけた人だった。

翻 訳

その三日後、大佐は顧問弁護士①に会いに行く。ハリー・ブレインは顧問弁護士①でもあり、長年の友人でもあった。ペリグリンの屋敷の近くに屋敷があり、ずっと以前からお互いの猟場で狩猟を楽しんでいる仲だ。一週間に二日は地主をやり、残りの五日はシェフィールドで多忙な弁護士をやっている。背の高い、がっしりした体格で、いつも陽気な態度で、さも愉快そうによく笑った。察するところ、この男は、本業は狩猟と社交であり①弁護士は副業②なのだ、と世間に評されたいと望んでいたのであろう。だが実際は、頭の切れる、世情によく通じた人物だった。

試訳からのアプローチ

❶ 試訳では「本来はスポーツマンであり、気の置けない友人であり」となっていますが、翻訳では「本業は狩猟と社交であり」とかなり意訳してみました。sportsman は、本来は狩猟や釣りなどの愛好者のことです。日本語とかなりずれていますから、カタカナ書きは不適当です。それもあって、工夫しました。

ここからは、ハリーと大佐のやり取りが続きます。この短編において、作者がいかなる役割をハリーに負わせているかに注目しながら訳していきましょう。

原文を分析する

'Well, George, what's brought you here today?' he boomed as the colonel was shown into his office. 'Have a good time in London? I'm taking my missus up for a few days next week. How's Evie?'

'It's about Evie I've come to see you,' said Peregrine, giving him a suspicious look①. 'Have you read her book?'

His sensitivity had been sharpened during those last days of troubled thought and he was conscious of a faint change in the lawyer's② expression. It was as though he③ were suddenly on his guard.

'Yes, I've read it. Great success, isn't it? Fancy Evie breaking out into poetry. Wonders will never cease④. '

語釈：Have a good time = Did you have a good time／missus（口語、戯語）「家内、細君、女房」／take up「（都会などに）連れて行く」／on his guard「警戒して」／Fancy（= Imagine）「～を想像せよ」 → 「～ということがあるなんて！」／breaking out into「突然、始める」（cf.They broke out into a roar of laughter.「彼らはどっと笑い出した」）／Wonders will never cease.（決まり文句）「驚きの種は尽きないものだ」多少ユーモアあるいは皮肉が混じります。

原文からのアプローチ

① suspicious を直訳すると「疑って」となりますが、大佐はハリーを「疑って」いたのではなく、詩集について知っているかどうか「探ろう」としたのでしょう。

② 同一の単語の繰り返しを嫌う、単なる言い換えですね。原文につられて「法律家」などと訳すと、ハリーとは別の人かと一瞬勘違いします。

③ この he は、大佐かハリーか、どちらでしょう？　ハリーですよ。

④ Wonders will の will は未来でなく、傾向や習性を表します（cf. Accidents will happen.「事故というものは起こりがちなものだ」）。江川§148「注意すべき will の用法」参照。

翻訳へブラッシュアップする

試 訳	翻 訳
「よう、ジョージ❶か、今日は何か用事かね」大佐が部屋に入って行くと大声で言った。「ロンドンじゃあ楽しかったかい？　来週二、三日女房を連れて行ってやろうかと思っているんだよ。で、イーヴィ❶は元気かね？」 「会いに来たのは、まさにイーヴィのことでだ」ジョージは相手を疑わしそうに①眺めた。「詩集は読んだかい？」 ジョージの感性は、あの悩みぬいて考えた日々の間に鋭くなったので、弁護士の②表情に浮かんだ僅かな変化を意識した❷。急にこちらを警戒した様子だった。 「ああ、読んだとも。大成功らしいね。いやあ驚くなあ、イーヴィが急に詩を書き出したなんて！世の中、驚きの種は尽きないものだな④」	「よう、よく来たな。今日はまた何か用事かい？」大佐が執務室に案内されてくると大きな声で言った。「ロンドンは楽しかった？うちの奴をつれて来週、二、三日行くつもりなんだよ。ところで奥さん❶、元気かい？」 「家内のことでやってきたのだ」ジョージは探るような目つきで①相手を眺めた。「あれの本、読んだかね？」 大佐の感受性はこの数日悩み苦しんだせいで、鋭敏になっていた。友人の②表情にかすかな変化が起きたのを見逃さなかった❷。急に身構えたようだった。 「ああ読んだとも。大成功じゃあないか！　奥さんが急に詩を書き始めたなんて、びっくりしたよ。世に不思議なこと絶えず④、って言うからなあ」

試訳からのアプローチ

❶ 全体として、試訳は「ジョージ」「イーヴィ」と姓でなく名前を出していますが、これは日本語にない習慣ですので、控え目にしましょう。この後、ハリーはジョージとの議論が白熱してくると「奥さん」でなく「イーヴィ」を使うようになります。日本人の場合にもありうることですね。

❷ 「変化を意識した」より「気づいた」や「見逃さなかった」の方が、心の瞬間の動きを表現できます。ジョージの感受性が敏感になったのは、彼の精神的成長と言えるでしょう。

原文を分析する

George Peregrine was inclined to lose his temper.

'It's made me look a perfect damned fool②.'

'Oh, what nonsense, George! There's no harm in Evie's writing a book. You ought to be jolly proud of her.'

'Don't talk such rot. It's her own story. You know it and everyone else knows it. I suppose I'm the only one who doesn't know who her lover was①.'

語釈：lose his temper「かっと怒る」／rot「たわごと」／her own story「実体験」

原文からのアプローチ

① I'm the only one who doesn't know…は、日本語で言うと「知らぬは亭主ばかりなり」という意味になります。原文のニュアンスをうまく汲み取って訳したいですね。

翻訳へブラッシュアップする

試 訳
ジョージは怒りを爆発しそうになった❶。 「本はおれを<u>完全な愚か者</u>❷にした」 「ジョージ、何て下らんことを言うのだ！ 奥さんが本を書いたって、悪い事はない。そういう妻をうんと誇るべきだ」 「くだらぬこと抜かすな！ あれは彼女自身の話だぞ。君はそれを知っている。誰も彼も知っている。相手の男が誰だか知らないのはこのおれだけじゃあないか！」

翻 訳
ジョージ・ペリグリンはもう少しで癇癪を起こしそうだった❶。 「あの本のおかげで、おれは<u>大馬鹿三太郎</u>❷にされてしまった！」 「おいおい、何て馬鹿なことを言うのだ。奥さんが詩を書いたからって、ちっとも悪い事じゃあない。むしろ夫として誇ったらいい」 「いい加減なことを言うな！ あれはあいつの実話だ。それを君は知っているし、世間の人もみな知っている。相手が誰だったか、知らぬは亭主ばかりなり、なのだろうよ」

試訳からのアプローチ

❶ 「怒りを爆発する」は日本語としておかしいですね。「怒りを爆発させる」とするべきです。主語と述語の整合性には常に注意を払いましょう。

❷ 「完全な愚か者」という日本語はなじみません。「大馬鹿三太郎」としたのは、大佐の自嘲を含めた被害者意識を表すのにふさわしいと思ったからです。試訳して、読者が一瞬どういう意味かなと迷いそうな箇所は、せいぜい手を加えてみましょう。何度も言いますが、訳文を音読して、頭にすんなり入るか否かを考えてみるのが役立ちます。

原文を分析する

'There is such a thing as imagination, old boy. <u>There's no reason to suppose the whole thing isn't made up</u>❶. '

'Look here, Henry, <u>we've known one another all our lives</u>❷. We've had all sorts of good times together. Be honest with me. Can you <u>look me in the face</u>① <u>and tell me</u>② you believe it's a made-up story?'

語釈：old boy「ねぇ君」親愛の呼びかけに用います。Look here 相手の注意を喚起する時の決まり文句です。

原文からのアプローチ

① look someone in the face で、「人の顔を直視する、まともに見る」という意味です。大佐はハリーに、「おれの顔を直視して言えるのか」と迫っているのですね。

② and tell me を命令形に取ったことで、試訳は「言ってくれよ」という誤訳となっています。自分でもミスにすぐ気づきませんか？　これはもちろん、Can you tell me〜ということですよ。翻訳のように、「〜と誓えるかね？」と訳すとよいでしょう。

翻訳へブラッシュアップする

<table>
<tr><th>試 訳</th><th>翻 訳</th></tr>
<tr>
<td>

「想像力っていうものがあるんだ。だから本全体がでっち上げた話じゃないと考える根拠はないよ❶」
「ねえ君、君と僕はずっと長期にわたって交際してきた❷仲だ。一緒に色んな楽しいこともやって来た。正直にしてくれたまえ。おれの顔をまっすぐに見られるか？それは作り話だと信じるって言ってくれよ②」

</td>
<td>

「おい君、想像力ってものがあるじゃないか。奥さんが実際に経験したことを書いたなんて信じる根拠はまったくないよ❶」
「ねえ君、聞いてくれ。いいかね、君とおれは生涯を共にしてきた❷友人同士だ。いろいろ楽しいことも一緒にやって来た仲だ。頼む、正直に言ってくれ。おれの顔をまっすぐに見て、あれが作り話だと信じる、と誓えるかね②？」

</td>
</tr>
</table>

試訳からのアプローチ

❶ made up は、悪く言えば「でっち上げ」という意味ですが、詩人が想像力によって創造する、という意味にもなります。ここでは、単純に「でっち上げた話じゃないと考える根拠」と直訳してしまうと、意味を取り違えてしまいそうです。「でっち上げじゃない」＝「実際に経験したことを書いた」と言い換えたほうが分かりやすいでしょう。それに、「ない」と「ない」が続くと、読者はやや混乱しませんか？

❷ 「交際してきた」は字面だとやや男女間の交際の感じがありますし、また、そうでなくとも表面的な付き合いの印象にもなります。実際は、二人の友情はかなり深いものなので、それに合致する表現を選びましょう。

実体験か作り話かが議論されます。次第に実際にあったことだとハリーも認めると、大佐は弁護士事務所の部下に命じて、浮気の相手探しをしてくれと言い出します。

Harry Blane moved uneasily in his chair. He was disturbed by the distress in old George's voice.

'You've got no right to ask me a question like that. Ask Evie.'

'I daren't,' George answered after an anguished pause. 'I'm afraid she'd tell me the truth.'

There was an uncomfortable silence.

'Who was the chap?'

Harry Blane looked at him straight in the eye.

'I don't know, and if I did I wouldn't tell you.'

'You swine. Don't you see what a position I'm in? Do you think it's very pleasant to be made absolutely ridiculous?'

The lawyer lit a cigarette and for some moments silently puffed it.

'I don't see what I can do for you,' he said at last.

'You've got private detectives you employ, I suppose. I want you to put them on the job and let them find everything out.'

'It's not very pretty to put detectives on one's wife, old boy; and besides, taking for granted for a moment that Evie had an affair, it was a good many years ago and I don't suppose it would be possible to find out a thing. They seem to have covered their tracks pretty carefully.'

'I don't care. You put the detectives on. I want to know the truth.'

'I won't, George. If you're determined to do that you'd better consult someone else. And look here, even if you got evidence that Evie had been unfaithful to you what would you do with it? You'd look rather silly divorcing your wife because she'd committed adultery ten years ago.'

'At all events I could have it out with her.'

'You can do that now, but you know just as well as I do that if you do she'll leave you. D'you want her to do that?'

George gave him an unhappy look.

'I don't know. I always thought she'd been a damned good wife to me. She runs the house perfectly, we never have any servant trouble; she's done wonders with the garden and she's splendid with all the village people. But damn it, I have my self-respect to think of. How can I go on living with her when I know that she was grossly unfaithful to me?'

原文を分析する

Harry Blane moved uneasily❶ in his chair. He was disturbed❷ by the distress in old George①'s voice.

'You've got② no right to ask me a question like that. Ask Evie.'

'I daren't,' George answered after an anguished pause③. 'I'm afraid④ she'd tell me the truth.'

There was an uncomfortable silence❹.

'Who was the chap?'

語釈：she'd tell 仮定法で、「もし訊いたりしたら」が言外にあります／chap 浮気の相手。目下の人に使います。

原文からのアプローチ

① old George の部分、いつも元気な友がしょんぼりしている様子を見て「年取ったな」と感じたのではありませんよ。P.200 の old boy と同じで、旧友への親愛を表現しただけです。

② have got を現在完了だと勘違いすると、試訳のような訳になります。口語では have got は have と同じように使われます。

③ after an anguished pause は、pause を動詞的に訳して「苦しそうに間を取ってから」とすると、情景が浮かびやすくなるのではないでしょうか。

④ I'm afraid の訳出は、このコンテクストでは「恐れている」で適切ですが、普通の訳としては「思う」がよいです。

翻訳へブラッシュアップする

試 訳
ハリー・ブレインは椅子の中で<u>不安そうに</u>❶体を動かした。<u>老けてしまった</u>①ジョージの声にある苦悩によって<u>邪魔された</u>❷。 「そんな質問をする権限を君は<u>得ていない</u>②じゃないか。イーヴィに聞きたまえ」 「敢えて聞けないのだ」ジョージは<u>苦しい沈黙の後で</u>③答えた。「あいつ、真実をおれに語るのじゃないかと<u>恐れているのだ</u>④」 そこには<u>不愉快な沈黙</u>❹があった。 「相手は誰だったのだ？」

翻 訳
ハリー・ブレインは椅子に座ったまま、<u>居心地悪そうに</u>❶体を動かした。<u>親友の声にある苦悩の響きに動揺した</u>❷。 「<u>いくら君とおれの仲でも</u>❸、そんなことを聞く権利はない。直接奥さんに訊いたらいい」 ジョージは<u>苦しそうに間を取ってから</u>③、「その勇気がない。真実を話すんじゃないかと<u>思うのだ</u>④」と言った。 二人の間に<u>気まずい沈黙</u>❹があった。 「相手の男は誰なんだ？」

試訳からのアプローチ

❶ 「不安そうに」だと、ハリーがジョージに問い詰められているような印象も受けますが、状況からしてそこまでではありませんね。ハリーは親友である大佐にどう言ったらいいのかを考えあぐねているという程度だと判断し、翻訳ではそんなハリーの気持ちを汲み取って「居心地悪そうに」としてみました。

❷ 「邪魔された」では友人関係と矛盾しませんかね。それに不自然な日本語です。訳を工夫してみましょう。

❸ 翻訳に「いくら君とおれの仲でも」という文を補足して、二人の親密さを強調してみました。

❹ 「不愉快な沈黙」だと、二人がつまらないただのケンカをしているような印象にもなります。たしかに二人は熱のこもった議論をしますが、基盤に友情があるので、建設的な議論ですね。そのあたりを考慮して、翻訳では「気まずい沈黙」としてみました。

原文を分析する

Harry Blane looked at him straight in the eye.

'I don't know, and if I did I wouldn't tell you①.'

'You swine. Don't you see what a position I'm in? Do you think it's very pleasant to be made absolutely ridiculous❶?'

The lawyer lit a cigarette and for some moments silently puffed it❸.

'I don't see what I can do for you,' he said at last.

'You've got private detectives you employ❺, I suppose. I want you to put them on the job② and let them find everything out.'

語釈：if I did = even if I did／swine（俗語）「下衆野郎」かなりきつい罵りです／private detectives「私立探偵」次に関係代名詞that が省略されています。

原文からのアプローチ

① ハリーはどうして、if I did I wouldn't tell you と意地悪そうなことを言うのでしょうか？　ハリーは、この件に関してはジョージが何もしないのがベストだと思っていますので、不倫の相手を探させないように、相手のことを教えてやらないわけです。ハリーがイーヴィを弁護する言葉から察するだけですが、ハリーとイーヴィは理解し合っていたようです。現在の事実に反することを述べる仮定法過去が用いられていますが、もしかすると知っていたのかもしれません。

② the job は「イーヴィについて調べること」ですね。気がはやっている大佐の心の中ではすでに、ハリーに依頼するべき job となっているのでしょう。

翻訳へブラッシュアップする

試 訳
ハリー・ブレインは相手の目を まっすぐに見た。 「おれは知らん。<u>たとえ知ってい るとしても、君には言わないよ①</u>」 「ひでえ奴だな。おれがどんな立 場に置かれたのか分からんのか？ <u>完全に馬鹿にされる❶</u>のが非常に 楽しいと思うのか？」 弁護士はタバコに火をつけ、数分 間それを❸静かにくゆらした。 「当事務所としては、どんな仕事 をやってあげられるか分からな い」遂に言った。 「君は私立探偵を持っている❺と思 う。彼らを<u>その仕事②</u>に就かせて、 あらゆることを見出させるよう、 君に依頼する」

翻 訳
ハリー・ブレインは相手の顔を じっと見つめた。 「知らないよ。<u>知っていたとして も教えない①</u>」 「意地悪だぞ！　おれが今どんな 立場に置かれているか分からない のか？　<u>ひどい笑いものにされ る❶</u>のが、いい気分だとでも思う のか？」 <u>それに答えず❷</u>、ハリーはタバコ に火をつけ、黙ったまま数分間、 吸い続けた。 「君のために<u>弁護士として❹</u>何がで きるか分からない」ようやく言っ た。 「<u>雇っている私立探偵がいるのだ ろう❺</u>？　彼らに命じて<u>この件②</u>に 当たらせ、洗いざらい調べてくれ」

試訳からのアプローチ

❶ 「完全に馬鹿にされる」は不自然ですね。「ひどい笑いものにされる」 としたほうがスムーズに読み進められるでしょう。

❷ 原文にはありませんが、翻訳では状況を思い描いて補ってみました。

❸ 「それを静かにくゆらせた」の「それ」は不要ですね。何度も出てき ましたが、代名詞の訳出には注意してください。

❹ 全体として、ハリーは大佐をなだめ、多少とも冷静を取り戻させよ うと図っています。同時に冷たさも装います。翻訳ではその距離を 取るために、「おれ」や「ぼく」を使わず、「弁護士として」を補う などしてみました。

❺ 「私立探偵を持っている」は不自然な日本語です。探偵を「雇って」 いると表現したほうがいいですね。

'It's not very pretty❶ to put detectives on one's wife, old boy; and besides, taking for granted for a moment❸ that Evie had an affair❷, it was a good many years ago and I don't suppose it would be possible to find out a thing❷.　　They seem to① have covered their tracks❹ pretty carefully.'

'I don't care. You put the detectives on. I want to know the truth.'

語釈：covered their tracks「足跡をくらませた」／pretty（やや古風）「結構」／put the detectives on「探偵に調査させる」

原文からのアプローチ

① They seem to …以下の一文は、まるでハリーが過去にイーヴィのことを調査したかのような印象を与えるかもしれませんね。しかし当然そうではなくて、詩集の中に、特定の日時、固有名詞などがないことをハリーは指摘しているのでしょう。大佐に調査を断念させたいので、弁護士の立場から、調査が技術的に困難であることを知らせたのだと思います。

翻訳へブラッシュアップする

<table>
<tr><td>

試 訳

「ねえ君、自分の妻を探偵に調べさせるというのは非常に <u>結構とは言えないな</u>❶。そして、さらに、イーヴィが <u>情事を持った</u>❷ことを <u>一瞬当然視</u>❸してみても、それは随分昔のことだった。だから、何かひとつを <u>発見</u>❷できるだろうと思わない。彼らは相当注意深く <u>痕跡を隠した</u>❹ように思える」
「構うものか。探偵をつけてくれ。真相が知りたい」

</td><td>

翻 訳

「自分の女房を探偵で調べるなんてみっともないじゃないか❶。それにね、まあ、<u>仮にだよ</u>❸、奥さんが本当に浮気をしたとしてみての話だが、もうずいぶん昔のことじゃあないか。今になって探り出せることなどひとつもないと思う。かなり慎重に <u>証拠隠滅</u>❹したようでもあるし」
「構わん。いいから探偵に命じてくれ、どうしても真実が知りたいのだ」

</td></tr>
</table>

試訳からのアプローチ

❶ 翻訳では、「結構とは言えない」を「みっともない」と意訳しました。ハリーが大佐をなだめようとけん制しているニュアンスが出るのではないでしょうか。

❷ 「情事を持った」「ひとつを発見」など、もっと通りのよい、自然な日本語に変えたいですね。意味が正確に理解できているのに、うまい日本語が浮かばないのでは、もったいない。翻訳と比べてみて、コツを修得してください。

❸ taking for granted for a moment は、直訳すれば「一瞬の間だけ〜を当然のこととする」になります。認めるのは誤りだが、議論上、そう仮定してもいいがね、というのです。が、ここでは「当然とする」では状況にあまり合っていませんね。そこで翻訳では、「それにね、まあ、仮にだよ」としてみました。

❹ 「証拠隠滅」は弁護士が用いそうな言い回しなので使いました。

原文を分析する

'I won't, George. If you're determined to do that you'd better① consult someone else. And look here, even if you got evidence that Evie had been unfaithful❶ to you what would you do with it? You'd look rather silly divorcing your wife② because③ she'd committed adultery ten years ago.'

'At all events I could have it out④ with her.'

'You can do that now, but you know just as well as I do that if you do she'll leave you. D'you want her to do that?'

George gave him an unhappy look❸.

語釈：rather silly「かなり愚か」／At all events「ともかくも」／have it out with「議論して片を付ける」

原文からのアプローチ

① had better は比較的強い表現です。そのニュアンスを生かした、強い語調の訳にしてみましょう。

② divorcing your wife = if you divorced your wife です。仮定法でif節に当たります（*cf.* The same thing, happening in a jumbo jet, would cause a panic.「同じことでもジャンボ機内で起これば、パニックになろう」）。江川§177「if節に相当する語句 B.その他(1)現在分詞・過去分詞」参照。

③ because 以下は、You'd look rather silly の理由ではなく、divorcing your wife の理由を指していますよ。「～だからというので離婚する」です。

④ have it out のような、基本的な単語で直訳しても意味が分からないものほど、しっかりと辞書を引いてくださいね。引くことで、have it out の意味だけではなく、have it に色々な意味があることも分かります。

210

翻訳へブラッシュアップする

<table>
<tr><th>試 訳</th><th>翻 訳</th></tr>
<tr>
<td>

「ジョージ、わたしはやらない。君がそれをやる決意なら、誰か他の弁護士に相談したほうがいい①。それからね、いいかい、イーヴィが君に<u>不誠実だった</u>❶という証拠を握ったとしてもだね、その証拠によって何をやろうとするのだ？妻が十年前に浮気したからというので、今になって<u>離婚したとしたら</u>②、君はかなり愚かにみえるだろう」
「とにかく、<u>対決できる</u>④」
「今でもそれはできる。だがそれをやればイーヴィは出て行く。その点は間違いない。彼女にそうして欲しいのかい？」
ジョージは<u>彼に不幸な顔をした</u>❸。

</td>
<td>

「断る。どうしてもそうしたいのなら、他の弁護士事務所に行って<u>くれ</u>①。それにだね、よく考えてみたまえ、仮にイーヴィが<u>浮気した</u>❶という証拠を握ったとしたら、それでどうしようというのかい？妻が十年前に不倫をしたので<u>離婚します</u>というのは②かなり馬鹿げて見えないかな？」
「証拠が手に入れば❷、あいつにつきつけて、<u>対決できる</u>④」
「それなら今だってできる。だが、いいかね、もしそんなことをやれば、奥さんは家から出てゆくよ。それは君だって分かるだろう。そうして欲しいのかね？」
<u>大佐は辛そうな顔を見せた</u>❸。

</td>
</tr>
</table>

試 訳 からのアプローチ

❶ had been faithful を英語のまま「不誠実だった」と訳すのでは弱いですね。ここまで話が煮詰まってきたのですから、婉曲さは不要です。はっきり「浮気した」と訳してよいでしょう。

❷ 翻訳では「証拠が手に入れば」という具体的な内容を補足してみました。

❸ gave him an unhappy look は、unhappy を look から独立させ、また look を動詞的に訳出すると「しょんぼりとした様子で〜を見た」とできます。これでも試訳よりはこなれた日本語になりますが、翻訳ではコンテクストに合わせ、さらにハリーが大佐の表情に気づいたことを示すために、「辛そうな顔を見せた」としてみました。

原文を分析する

'I don't know. I always thought she'd been a damned good wife to me. She runs❶ the house perfectly, we never have any servant trouble; she's done wonders❷ with the garden and she's splendid with❸ all the village people. But damn it, I have my self-respect to think of①. How can I go on living with her when② I know that she was grossly unfaithful③ to me?'

語釈：servant trouble「使用人関係のもめごと」／done wonders with the garden「庭園に関して素晴らしい事をなした」が直訳です／grossly「はなはだしく」

原文からのアプローチ

① I have my self-respect to think of は、直訳すると日本語になりませんね。to think of は特に訳出しなくてもいいでしょう。

② この when の使用法を正確に知る人は多くないかもしれません。「なのに」と訳すのが相応しいので although と類似しています。ここは「〜であるのに、一体どうして…できようか？」となります。修辞疑問ですから「できようか？　いや、無理だ」というニュアンスで訳すのが適切です。

③ grossly unfaithful という表現に、イーヴィの不倫がいまいましいと思う大佐の気持ちが込められていますね。gross には「下卑た、みだらな、いやらしい」などのニュアンスがありますから。

翻訳へブラッシュアップする

「分からないな。とてもいい妻だといつも思っていたからな。家の<u>運営①</u>は上手だし、使用人と喧嘩したことは一度もない。庭の花々の育て方は一流だし、村人に対しても<u>親切だ③</u>。しかしだな、畜生、おれには自尊心ってものがあるのだ！　あいつがひどい不倫をしたと分かった<u>のに②</u>、どうしておめおめ一緒に暮らしていけるというのだ？」

「さあ、自分でも分からない。あいつはとてもいい妻だとずっと思ってきた。家事は完璧に<u>こなすし①</u>、使用人の扱いもうまくて、もめたことなど一度もない。庭園の手入れはあっと<u>驚くうまさ②</u>だし、面倒見がいいから村人には<u>人気が高い③</u>。それはそうだが、ちぇ、いまいましい、おれにだって自尊心がある。ひどく裏切られたと知ってい<u>ながら②</u>、今後どうして<u>夫婦として④</u>暮らしてなどいけようか！」

試訳からのアプローチ

❶ 個人の家庭ですから、runを「運営する」と訳すのは大袈裟です。

❷ 「あっと驚くうまさ」は原文のwondersを生かそうとしたのです。その他にも、翻訳では、「手入れ」「面倒見」など名詞を使って簡潔にテンポよくまとめてあることに注目して下さい。

❸ splendid withは「～に関して見事だ」です。村人の世話などをきちんとこなして、慕われているということです。翻訳では村人に対して親切で「人気が高い」という文章を補足し、イーヴィの性格をより立体的に描出してみました。

❹ 最後の文に「夫婦として」という文を補足したのは、大佐はイーヴィの不倫を汚らわしいと捉えているのを考慮したからです。

ハリーと大佐の対話が続きます。浮気をされて腹の虫がおさまらない大佐を、ハリーがあらゆる方向からなだめます。頑固で意固地な大佐と、それに根気よく付き合うハリーの姿が対照的に描かれていきます。

'Have you always been faithful to her?'

'More or less, you know. After all, we've been married for nearly twenty-four years and Evie was never much for bed.'

The solicitor slightly raised his eyebrows, but George was too intent on what he was saying to notice.

'I don't deny that I've had a bit of fun now and then. A man wants it. Women are different.'

'We only have men's word for that,' said Harry Blane, with a faint smile.

'Evie's absolutely the last woman I'd have suspected of kicking over the traces. I mean, she's a very fastidious, reticent woman. What on earth made her write the damned book?'

'I suppose it was a very poignant experience and perhaps it was a relief to her to get it off her chest like that.'

'Well, if she had to write it why the devil didn't she write it under an assumed name?'

'She used her maiden name. I suppose she thought that was enough, and it would have been if the book hadn't had this amazing boom.'

George Peregrine and the lawyer were sitting opposite one another with a desk between them. George, his elbow on the desk, his cheek on his hand, frowned at his thought.

'It's so rotten not to know what sort of a chap he was. One

can't even tell if he was by way of being a gentleman. I mean, for all I know he may have been a farm-hand or a clerk in a lawyer's office.'

Harry Blane did not permit himself to smile and when he answered there was in his eyes a kindly, tolerant look.

'Knowing Evie so well I think the probabilities are that he was all right. Anyhow I'm sure he wasn't a clerk in my office.'

'It's been a shock to me,' the colonel sighed. 'I thought she was fond of me. She couldn't have written that book unless she hated me.'

'Oh, I don't believe that. I don't think she's capable of hatred.'

'You're not going to pretend that she loves me.'

'No.'

'Well, what does she feel for me?'

原文を分析する

'Have you always been faithful to her?'

'More or less, you know. Under all➊, we've been married for nearly twenty-four years and Evie was never much for bed➋.'

The solicitor slightly raised his eyebrows➌, but George was too intent on what he was saying to notice①.

'I don't deny➍ that I've had a bit of fun now and then②. A man wants it③. Women are different.'

'We only have men's word for that➎,' said Harry Blane, with a faint smile.

語釈：never much for bed セックスの相手として失格だということ／intent on「〜に熱心で」

原文からのアプローチ

① このnoticeは名詞と勘違いしそうですが、動詞です。これは原文にも責任の一端がありそうです。つまりnotice it とあれば動詞であるのが一目で分かるからです。it を省略しても分かるので省略されているのですが、入っている方が普通だと言えます。

② now and then は「時々」です。モームの小説に *Then and Now*『昔も今も』というのがありますが、それとは違いますね。

③ wantは「必要とする」です。それに、A man は「ある男」ではなく、男性全般のことを指しています。不定冠詞の総称の用法ですね。「男とは〜というものだ」といった訳になります。

試訳からのアプローチ

➊ after all を見れば「結局」が反射的に口をついて出る人は多いでしょう。一度はそうしておいてから、再度考えるべきです。「何と言っても」などの表現が、ここでは合っています。

翻訳へブラッシュアップする

試 訳
「君の方はイーヴィを裏切ったことはないのか？」 「まあまあというところだよ。<u>結局</u>❶結婚して二十四年にもなるし、それに、あいつは<u>寝室では楽しい相手</u>❷じゃあないんだ」 弁護士はちょっと<u>眉を上げた</u>❸。しかし、ジョージはお喋りに熱中していて気づかなかった。 「ちょっとした遊びは、<u>今も昔も</u>❷<u>したのは否定しない</u>❹。<u>ある男はそれを欲する</u>❸。ただし女は別だ」 「<u>その見解に同意するのは男のみだろう</u>❺」ハリー・ブレインはちょっと笑って言った。

翻 訳
「君は浮気をしたことはないのかね？」 「いやあ、その、多少はいろいろあったさ。<u>何と言っても</u>❶、結婚してかれこれ二十四年になるのだし、それにあいつは昔から<u>夜の相手</u>❷としては落第だからな」 ハリーはちょっと眉をひそめた❸。だが、ジョージは喋るのに夢中で気づきもしない。 「正直に言えば、<u>時々</u>❷<u>女遊びはしたよ</u>❹。<u>男には必要なことさ</u>❸。女は違うがね」 「<u>それは男の言い分だな</u>❺」ハリー・ブレインは苦笑を浮かべた。

---

❷ ハリーが眉をひそめるくらいの下品な言葉を求めて、「夜の相手」云々としました。試訳では遠まわしな表現ですから、眉をひそめるまでいかないでしょう？

❸ raise one's eyebrows は軽蔑・驚き・疑いなどの気持ちで眉を上げることを言います。試訳の「眉を上げた」では、ハリーがどういう気持ちを抱いたかがはっきりしません。また、「眉を吊り上げる」は日本語では怒りを表すときにも使われますので、「眉をひそめる」にしました。

❹ 「〜は否定しない」もいいのですが、言わんとする内容をかみ砕いて、翻訳のように工夫することもできます。訳にバリエーションを出すことができます。

❺ 「その見解に同意するのは男のみだろう」は話し言葉としては堅苦しいですし、友人との会話という感じも出ませんね。翻訳では、for「〜に賛成」を生かして「男の言い分」としました。

原文を分析する

'Evie's absolutely the last woman I'd have suspected● of kicking over the traces. I mean, she's a very fastidious❷, reticent woman. What on earth made her write the damned book?'

'I suppose it was a very poignant experience and perhaps it was a relief to her to get it off her chest① like that②❸.'

'Well, if she had to write it why the devil didn't she write it under an assumed name?'

'She used her maiden name. I suppose she thought that was enough, and it would have been③ if the book hadn't had this amazing boom.'

語釈：the last woman「最後の女性」→「まず～しない女性」(cf. He is the last student to tell a lie.「彼はまず嘘などつかない学生だ」)／suspected of「～すると思った」／kicking over the traces「常識はずれのことをする、規範などに背く」／fastidious「気難しい、潔癖な」／reticent「無口な、控えめな」／poignant = deep／relief「解放、癒し」／get it off her chest「(重荷などを) 心から除去する」／why the devil = why on earth「一体どうして」／assumed name「仮の名前」

原文からのアプローチ

① get off は「～を取り除く、～から離れる、降りる」といった意味で、ここではイーヴィが poignant experience による精神的な重荷を捨て去るといった意味合いになります。

② like that は chest にかかる形容詞ではなく、get it off にかかる副詞句です。

③ it would have been の後には、enough が省略されていますよ。

試訳からのアプローチ

❶ suspect を「疑う」と訳すと決めている人が多いので、注意しましょう。「どうかなと思う」と覚えておけば適応範囲が広いです。

❷ 「気難しい」では、大佐が妻の性格にずっと以前から困らされていた

翻訳へブラッシュアップする

試　訳
「イーヴィが世間に背くことがあるなどと、絶対に疑わなかった❶。というのも、彼女は気難しい❷、控え目な女だからだ。一体全体、何故あの癪にさわる本なんか書いたのだろう？」 「心に重くのしかかるような経験だったのだろうな。だからあのようにして❷❸、それを頭から除去するのは、もしかすると、彼女にとって解放だったのかもしれない」 「書かねばならなかったにしても、何だって、仮名を使って書けなかったのか？」 「娘時代の名前を使ったじゃあないか。それで充分だと考えたのだろう。あんなベストセラーにならなければ、あれで充分だっただろうよ」

翻　訳
「あいつが道を誤るようなことをやらかすなんて、夢にも❹思っていなかった❶。そういう人柄じゃない。とても潔癖だし❷、控え目な女だからね。ねえ君、一体全体、あいつは何であんなけしからん本を書いたんだろうな？」 「それはね、こういうことじゃないかな。つまり彼女にとって非常に重い経験であったので、詩に書くことで❷❸心の重荷を取り除きたかったんだろう」 「そうか。だが書かざるを得なかったとしてもだな、どうして匿名で書かなかったのだ？」 「結婚前の名前を使ったじゃないか。それで充分だと思ったのだろうな。事実❹、こんなに評判になりさえしなければ、それで充分だったはずだもの」

ような印象にもなりかねませんが、事実は異なりますよね。ここでは、「潔癖」の方がふさわしいでしょう。

❸ 直訳は「そのような方法で」ですが、より具体的には「経験を詩に書くことで」ということになります。試訳の「あのようにして」から、翻訳では「詩に書くことで」へと、誰にもすぐに分かる訳にしました。

❹ 「夢にも」「事実」は、自然の流れで挿入しました。ここは会話教本などにない本当の大人の会話です。立体的にやり取りの場面が浮かび上がって来るように、生き生きと訳すことが望まれます。語尾などを工夫し、翻訳では生気のある活発なやり取りを再現したつもりです。モームはごく自然な、話しているような文章を書く作家です。作家の持ち味を生かすように翻訳したいものです。

原文を分析する

George Peregrine and the lawyer① were sitting opposite one another with a desk between them. George, his elbow on the desk, his cheek on his hand❶,　frowned at his thought②.

'It's so rotten not to know what sort of a chap he was. One can't even tell③ if he was by way of④ being a gentleman. I mean, for all I know⑤ he may have been a farm-hand or a clerk in a lawyer's office.'

語釈：rotten = unpleasant／for all I know「ひょっとすると」

原文からのアプローチ

① the lawyer はもちろんハリー・ブレインのことですね。

② his thought は、ハリーがさっき述べた見解か、それとも大佐自身が現在考えていることか、どっちを指すのでしょうか？　どっちだか不明だから曖昧のままに訳す、というのは無責任です。「ハリーの述べた考えに不快を覚えた」か、それとも「自分が考えていることに不快を覚えた」かのいずれかを示すのが、たとえ間違っていても、曖昧に放置するより立派な態度です。正しくは後者。ハリーの意見を thought とは言いませんし、この表現では「自分自身の考え」を指すと私は思います。

③ One can't even tell の部分は、主語を I にしてもよいのに、どうして one を使ったのでしょうか。実はちょっと気取ったのです。ジョージが多少は落ち着いてきて、いつもの紳士らしい口調になったのでしょう。

④ by way of は「～経由で」（cf. She went to Madrid by way of Paris.「彼女はパリ経由でマドリッドに行った」）や、「～のつもりで」（cf. I said so by way of a joke.「冗談のつもりでそう言った」）などがよく使われますが、ここではいずれとも違います。by way of being, doing と

翻訳へブラッシュアップする

試 訳
ジョージ・ペリグリンとハリーは机を挟んで両端に対面して座っていた。ジョージは肘を机に、頬を手に置いた姿勢で❶、彼の考えに対して顔をしかめた❷。 「相手の男がどういう階層の男だか分からないというのは不愉快だ。紳士と言える奴④かどうかさえ分からないのだからな。つまり、もしかすると、そいつは農家の下働きとか弁護事務所の事務員とかだったのかもしれないんだ！」

翻 訳
ジョージ・ペリグリンとハリー・ブレインは間に机を挟んで相対して座っていた。ジョージは机に頬杖をついて❶、しかめ面をして考え込んでいる❷。ようやく口を開いた❷。 「相手がどんな男だか分からないというのは気持ちが悪いよ。紳士階級④かどうかすら分からないんだものね。いやね、そいつが農家の働き手とか弁護士事務所の事務員だという可能性だってあるんだ。見当もつかんよ❸」

して辞書に出ていますよ。その意味は、「〜として通用して」などと載っていますが、断定を遠慮した感じです。実際はほとんど意味はないので訳の上では無視しても結構です（cf. She is by way of being a pianist.「彼女はまあピアニストと言っていい、ピアニストと認められている」）。

⑤ for all I know は「おそらく、たぶん」という意味です。may have been とありますから、「もしかすると〜だったかもしれない」という訳がよいでしょう。

試訳からのアプローチ

❶ 直訳の「肘を机に、頬を手に」では冗長ですし、情景が浮かび上がってきませんね。それに、この姿勢を一言で表す日本語がありますよ。そう、「頬杖をついて」ですね。

❷ 翻訳には、原文にはない「ようやく口を開いた」という文を補足し、時間の経過を感じさせるよう工夫してみました。

❸ こちらも、翻訳には「見当もつかんよ」という文を補足し、大佐の混乱した心境を代弁してみました。

原文を分析する

Harry Blane did not <u>permit himself to smile</u>❶ and when he answered there was in his eyes a kindly, tolerant look.

'Knowing Evie so well I think <u>the probabilities are that he was all right</u>①❷. Anyhow I'm sure he wasn't a clerk in my office.'

原 文 か ら の ア プ ロ ー チ

① the probabilities are that は、直訳の「可能性としては〜だ」ではおかしな訳になってしまいますね。「〜だと思う」などと、自然な日本語にしましょう。

試 訳 か ら の ア プ ロ ー チ

❶ smile を機械的に「微笑」「笑う」と訳すのはやめましょう。笑いにも文脈によってさまざまな種類があるのです。そもそも、面白くて笑うのか、楽しくて笑うのか、馬鹿にして笑うのか…「笑う」という単語がカバーする範囲が広いので、伝わりづらいときがあるのです。こういう場合は、できるだけ的確な訳語を見つけるように努力するべきです。翻訳では、ハリーの「やれやれ、ジョージときたら…」というちょっとした嘲笑の気持ちと、それでも友人を想う気持ちを

翻訳へブラッシュアップする

試 訳	翻 訳
ハリー・ブレインは敢えて笑わなかった❶。そして次に答えた時、思いやり深く、かばうような目で友人を見た。 「イーヴィのことはよく知っているから、可能性としては彼は大丈夫だったと思う①❷。とにかく、ここの事務員じゃあないのは確かだ」	ハリー・ブレインはにやりとしそうになったが、どうにか抑えた❶。次に返答をした時には、目に親切で寛大な表情が浮かんでいた。 「奥さんをよく知っているから分かるんだが、その可能性は低いと思うな①❷。 いずれにせよ、大丈夫だよ、ここの事務員じゃあないからね」

出せるように、「にやりとしそうになったが、どうにか抑えた」という訳にしてみました。いかがでしょうか。このシーンのあたりから、ジョージへの同情心がハリーの心に湧いてきた様子です。批判したい気持ちを抑えて、どうにか大佐の気分を楽にさせようとします。その微妙な変化を出して訳したいですね。その点から、試訳と翻訳を比べてください。僅かな差ですけど。

❷ まず、このheが誰を指すか分かりますか？ イーヴィの相手の男性ですね。「彼は大丈夫」というのはつまり、相手の男性がいたとしても、大佐が心配しているような身分の人（農家の働き手や事務員）ではなかっただろうということです。また、all rightには「完璧」、「大丈夫」、「許容範囲内」と幅があります。状況や会話の流れに合った訳を選びましょう。翻訳では全体的に意訳して「その可能性は低いと思うな」としてみました。

原文を分析する

'It's been a shock to me,' the colonel sighed. 'I thought she <u>was fond of❶</u> me. <u>She couldn't have written that book unless she hated me①</u>.'

'Oh, I don't <u>believe❷</u> that. I don't think she's capable of hatred.'

'You're not going to <u>pretend②</u> that she loves me.'

'No.'

'Well, <u>what does she feel for me❸</u>?'

語釈：hatred「憎しみ、憎悪」／pretend「言い張る」

原文からのアプローチ

① She couldn't have written that book unless she hated me. は、仮定法過去完了と仮定法過去が混合した文です。本を書いたのは会話時よりも前ですから仮定法過去完了、憎むのは会話をしている現在もですから仮定法過去になっています（*cf.* If I had been more careful about my health in my youth, I might be healthier now.「若い頃にもっと健康に注意していたならば、今もっと健康かもしれないのに」）。

② pretend は「ふりをする」という意味のことが多いですが、ここは違いますね。「〜であると言い張る」です。この用法は通常、否定文・疑問文で用いられます。

翻訳へブラッシュアップする

試 訳
「おれにとって、それはショックだった」大佐は溜息を洩らした。「愛してくれている❶とばかり思っていたからな。おれのことを憎んでいなければ、あんな本を書いたはずはない」 「それは信じられない❷。イーヴィは人を憎むことなどできない」 「でも、あいつがおれを愛しているというふりをする②つもりでもあるまい?」 「それはそうだ」 「じゃあ、あいつはどんな気持ちをおれに抱いているんだ❸?」

翻 訳
「今度のことはショックだったよ、君。あいつはおれのことを好いている❶と思っていたから。憎んでいるのでもなけりゃ、あんな本を書くはずないものな」ジョージが溜息混じりに言った。 「いやあ、それは違う②。イーヴィはおよそ人を憎むことなどできない人だ」 「だが、おれを愛しているとまでは、君だって言わないだろう②?」 「ああ」 「じゃあ、一体どういう気持ちをおれに対して持っているのだろうな❸?」

試訳からのアプローチ

❶ like が一時的に好きという気持ちを表すのに対して、be fond of は、特定の人が大好きで、しかも長い間好きだったというニュアンスがあります。しかしlove よりは好きの度合いが弱いのです。そこで**翻訳**では、「愛している」ではなく「好いている」と訳しました。実際、次の会話でlove が出てきていますが、こちらは少し違うニュアンスで使われていますね。

❷ believeは「思う」「信じる」などの意味の単語ですが、**翻訳**ではそれらを使わない訳し方をしてみました。こうすることで、訳文がワンパターンになるのを避けることができます。

❸ イーヴィはどんな気持ちを抱いているのでしょう? 愛でもなく、憎しみでもないとすれば、何でしょう? 詩集執筆の動機がジョージにはよく分からないのですね。翻訳ではまったく分からないというジョージの気持ちを出せるように「一体」と言葉を足してみました。

ハリーの友情ある説得が続きます。イーヴィを責める権利がジョージにないと気づかせ、事を荒立てずに、妻の著作を誇っているかのように振る舞えばよい、と助言します。

Harry Blane leaned back in his swivel chair and looked at George reflectively.

'Indifference, I should say.'

The colonel gave a little shudder and reddened.

'After all, you're not in love with her, are you?'

George Peregrine did not answer directly.

'It's been a great blow to me not to have any children, but I've never let her see that I think she's let me down. I've always been kind to her. Within reasonable limits I've tried to do my duty by her.'

The lawyer passed a large hand over his mouth to conceal the smile that trembled on his lips.

'It's been such an awful shock to me,' Peregrine went on.

'Damn it all, even ten years ago Evie was no chicken and God knows, she wasn't much to look at. It's so ugly.' He sighed deeply. 'What would you do in my place?'

'Nothing.'

George Peregrine drew himself bolt upright in his chair and he looked at Harry with the stern set face that he must have worn when he inspected his regiment.

'I can't overlook a thing like this. I've been made a laughing-stock. I can never hold up my head again.'

'Nonsense,' said the lawyer sharply, and then in a pleasant, kindly manner, 'Listen, old boy: the man's dead; it all happened a long while back. Forget it. Talk to people about Evie's book, rave about it, tell 'em how proud you are of her. Behave as though you had so much confidence in her, you *knew* she could never have been unfaithful to you. The world moves so quickly and people's memories are so short. They'll forget.'

'I shan't forget.'

原文を分析する

Harry Blane leaned back in his swivel chair❶ and looked at George reflectively①.

'Indifference, I should say②.'

The colonel gave a little shudder and reddened.

'After all, you're not in love with her, are you?'

George Peregrine did not answer directly③.

'It's been a great blow to me not to have any children, but I've never let her see that I think she's let me down. I've always been kind to her. Within reasonable limits❸ I've tried to do my duty by her❹.'

語釈：swivel chair「回転いす」／indifference「無関心さ」／shudder「身震い」／blow = shock ／let me down「失望させる」／do my duty by her この by は to でも同じです。

原文からのアプローチ

① この副詞 reflectively は「よく考えて、じっくりと」という意味です。reflection に「反射」の意味があるため「反射的に」としか訳さない人がいます。やはり辞書を引く姿勢が大切です。

② I should say を「言うべきだ」では義務になってしまい、ここでは奇妙です。この should は仮定法であり、遠慮、婉曲、遠まわしの言い方などです。「～とでも言ったところだ」「強いて言えばね」など訳はさまざまありましょう。

③ directly はイギリス英語のやや古風な使い方で、「直接に」でなく「すぐに」という意味です。

翻訳へブラッシュアップする

試 訳	翻 訳
ハリー・ブレインは回転椅子に座ったままそり返り❶、反射的に①友人を眺めた。 「無関心と、私は言うべきだ②」 ジョージ・ペリグリンは僅かながら体を震わした。そして赤面した。 「何とか言っても、君だって彼女を愛しているのじゃあなかろう？」 ジョージはそれに直接③答えなかった。 「子供ができなかったのは、おれには大きな打撃だった。でも、がっかりした様子はあいつに見せなかったと思う。いつだって、親切にしてやった。無理のない範囲でなら、おれはあいつへの義務❹を果たしてやったんだ」	ハリー・ブレインは回転椅子の背に体をそらして❶、友人をしげしげと①眺めた。 「そうだな、強いて言えば、無関心というとこかな②」 そう聞くとジョージ・ペリグリンはかすかに身震いし、赤面した。 「だが、君だって、結局のところ、惚れているわけじゃあないのだろう？」 ジョージはすぐには③返事をしなかった。 「そうだな、結婚後②、あれに子供ができなかったのはおれには相当打撃だった。でも、そのことで失望したのを見せたことはない。いつだって優しく接してきた。無理なことさえ言われなければ③、夫として妻への義務❹を果たしてきたと胸を張って言えると思う」

試訳からのアプローチ

❶ 座ったまま「そり返り」はおかしいですね。状況を頭に浮かべれば、椅子の「背に体をそらした」だと分かるはずです。

❷ 翻訳では、「結婚後」という語句を補足しました。

❸ ハリーにとってジョージの発言のどこが笑えるかと言えば、この「無理なことさえ言われなければ」です。どこまでが無理なのかを主観的に決め、「ダフネとの情事をするな」という要求は無理だという身勝手さが、おかしかったのです。

❹ 「夫としての妻への義務」と言い換えることで、二人の「夫婦としての関係」を強調する大佐の心情を表現してみました。

原文を分析する

The lawyer passed a large hand over his mouth to conceal the smile that trembled on his lips①.

'It②'s been such③ an awful shock to me,' Peregrine went on.

'Damn it all, even ten years ago Evie was no chicken and God knows④, she wasn't much to look at❶. It's so ugly②.' He sighed deeply. 'What would you do in my place?'

'Nothing.'

語釈：chicken（俗語）「若い娘」この他にも俗語でいろいろな意味がありますよ。「奴、被害者、同性愛の少年、売春婦、臆病者」などなど…。

原文からのアプローチ

① ここでのlip は「唇」ではなく「口元」です。lip は「唇より広く、鼻の下や周辺部も含む」と習ったことがあるでしょう？

② 三行目のit は「今回のこと」でよいのですが、It's so ugly のit は何を指すか分かりますか？　これは、状況のit です。江川§36「状況のit」を参照。話し手と聞き手には分かっている、その場の漠然とした状況を指します。具体的にコンテクストから考えると、イーヴィと青年との関係、特に「冴えない中年女が若者を相手に浮気したこと」に特化しているようです。

③ such は、ここでは「このような」といった種類や範囲を示す意味ではなく、「非常な、大変な」といった程度を表しています。

④ God knows には「神も知っている→たしかに」と「神しか知らない→人間には不明」のふたつの意味があります。ここでは前者です。翻訳では試訳より弱くして、文章の中に溶け込ませています。Damn なども同じですが、原文において文字通りの意味よりも気軽に使っているからです。

翻訳へブラッシュアップする

試 訳	翻 訳
ハリーは唇の上の①震えた微笑を隠すために、大きな手で口を覆った。 「とてもひどい③打撃だったよ」ジョージは続けた。 「くそ、十年前でさえイーヴィは若い娘でなかった。それに、はっきり言って、魅力もなかった❶。いやらしい関係だったに決まっている④」溜息をついた。「ねえ、君がおれと同じ立場だったとしたら、どうする？」 「何もしないよ」	ハリー・ブレインは、かすかな笑みが浮かんでくるのを感じて、あわてて大きな手を口にあてた。 ジョージが言葉を続けた。 「大変な③ショックだったよ。十年前だって、あいつは若い娘じゃあなかったし、それに、美人なんていうのじゃなかった❶のはたしかだ④。男との関係は②汚らわしいものだ」そこで深く溜息をついた。「君だったらどういう手を打つね？」 「何もしない」

試訳からのアプローチ

❶ not much to look atで、「見てくれが悪い、魅力がない」という意味です。翻訳では、大佐がハリーに率直な心情を打ち明けているのを考慮して、「美人なんていうのじゃなかった」とストレートな表現で訳してみました。

原文を分析する

George Peregrine drew himself bolt upright in his chair① and he
looked at Harry with the stern set face that② he must have worn
when he inspected❶ his regiment.

'I can't overlook a thing like this. I've been made a laughing-
stock③.　I can never hold up my head❷ again.'

語釈：stern set face「厳しく怖い顔」／regiment「連隊」

原文からのアプローチ

① draw oneself up は「直立する」、bolt upright は「まっすぐに」、それ
　でin his chair です。この in は状態を示しているので「椅子に座った
　ままで」と訳しました。座ったまま背筋をまっすぐに伸ばしたので
　すね。

② face that 以下の箇所は、試訳で訳し上げ、翻訳では訳し下げました。
　that 以下がこの長さならどっちでも構わないでしょうが、訳し下げの
　練習はしておきましょう。

③ laughing-stock で「物笑いの種」という意味です。「おれは笑いもの
　にされたんだ」などと訳せば、自然な日本語だと言えるでしょう。

翻訳へブラッシュアップする

試 訳
ジョージ・ペリグリンは椅子でまっすぐに背を伸ばした①。現役の頃、自分の連隊を調べた❶時に見せた厳めしい顔つきで、相手を睨みつけた。 「そのようなことを見逃すわけにはいかん！　おれは笑いものにされたんだぞ。決して顔を上げる❷こともできないんだ」

翻 訳
ジョージ・ペリグリンは椅子に座ったままで、直立不動の姿勢をとった①。ハリーを見据える厳しい顔は、その昔連隊を閲兵した❶時に見せたのと同じに違いない。 「このようなことを見逃すのは許せん。笑いものにされたんだ。二度と世間に顔向け❷できなくなったのだ」

試訳からのアプローチ

❶ inspectは「詳しく調べる」という意味で、試訳も間違いではありませんが、特に軍の部隊に対して使う時には「閲兵」という決まった用語があります。このような場合、国語辞典、類語辞典が役立ちます。ジョージが現役の大佐の時は連隊長として威厳があったのを、作者はここで読者に思い出させて、今との対照を楽しむように仕向けるのです。皮肉と言えば皮肉ですね。

❷ hold up my headを、そのまま文字通りに「顔を上げる」と直訳してしまったのでは、曖昧です。堂々と人前に出られなくなる、つまり「世間に顔向けができなくなった」と意訳した方が、日本語としてスムーズな表現ですね。

原文を分析する

'Nonsense,' said the lawyer sharply, and then in a pleasant, kindly manner, 'Listen, old boy: the man's dead; it① all happened a long while back. Forget it①. Talk to people about Evie's book, rave about it, tell 'em how proud you are of her. Behave as though you had so much confidence in her, you *knew*②③ she could never have been unfaithful to you. The world moves so quickly and people's memories are so short❶.　They'll forget.'

'I shan't④ forget.'

語釈：rave「ほめあげる」／could never have been「絶対に～のはずがない」

原文からのアプローチ

① 何度も出てきていますが、it を「それ」と訳す癖を直さないと、おかしなことになりますよ。Forget it の文でも、「それ」が直前の「以前に起きた」ことを指すと誤解されます。

② so much confidence in her, you knew の文は、so～that の構文であり、コンマは that の代わりになっているのを見逃さないようにしましょう。

③ knew はイタリック体になっていなくても、そもそも「固く信じる」の意味ですから、「絶対に固く信じる」という感じになります。ここで「思う」に相当する英語のおさらいをしておきましょう。fancy ＜ imagine, guess ＜ suppose ＜ think ＜ believe ＜ know の順で確信度が強くなるのです。

④ shan't は shall not の短縮形で、やや古風な用法ですが、話者の強い意志、決意を表します。「忘れるものか、絶対に忘れないぞ」というニュアンスです。I won't forget. よりも、ずっと強い意志なのです。

翻訳へブラッシュアップする

試 訳	翻 訳
「たわごとだ！」ハリーは厳しく言ったが、その後は明朗な、優しい声になった。「まあ聞いてくれ。男はもう死んだ。全ては昔のことだ。それは忘れろ。イーヴィの詩集について話すのだ。傑作だと言い、どんなに妻を誇っているか言うのだ。<u>とても信頼しているから②</u>、不貞を働くなどありえないというような態度を取るんだ。世の中の動きは速やかだ。人の記憶もごく短い。世間の人は忘れるさ」「<u>おれは忘れない②</u>」	「馬鹿言うな」ハリーは鋭く言い、それから愛想のいい、思いやりある口調で言った。「いいかね。相手の男はもう死んだのだ。全てはずっと以前に起きたことだ。忘れるんだ。奥さんの本のことを人々に自分から語るようにするのだ。うんと褒めてな。妻を誇りにしていると言うのだ。そして<u>君が妻を絶対に信頼しているから②</u>、不倫なんかしたはずがないと<u>心から信じている③</u>ように振る舞うのだ。<u>人の噂も七十五日❶</u>というだろう。人は他人のことなど覚えていない。世間はじきに忘れるよ」「<u>おれは絶対に忘れん②</u>」

試訳からのアプローチ

❶ 翻訳では諺の「人の噂も七十五日」を使いました。こういう日本的な表現は、やり過ぎるといけませんが、時々だと有効です。They'll forget. の they を「世間は」と訳出したのは、次の I shan't forget. の主語と対比させるためです。

❷ ハリーの言うことをなかなか聞かない大佐の頑なな感じを、語尾に出してみました。

また、全体として、翻訳ではハリーのセリフの文の数が原文より多くなっているのに気づきましたか？　ハリーが、なかなか納得しない友人に一語一語、念を押しつつ喋る感じを出そうとしたのです。

　友人間の議論が続きます。人の噂も七十五日というではないか、と説くハリーに対して、「おれは忘れん」と抵抗するジョージ。しかし、ハリーは、もっと現実的に考え直せ、名誉だの恥などという建前は忘れろ、とさらに説得します。ハリーは、作者モームの代弁者のようですね。

　さて、物語もいよいよ終わりに近づいていきます。大佐はどこで気持ちの落としどころをつけるのでしょう？

'You're both middle-aged people. She probably does a great deal more for you than you think and you'd be awfully lonely without her. I don't think it matters if you don't forget. It'll be all to the good if you can get it into that thick head of yours that there's a lot more in Evie than you ever had the gumption to see.'

'Damn it all, you talk as if I was to blame.'

'No, I don't think you were to blame, but I'm not so sure that Evie was either. I don't suppose she wanted to fall in love with this boy. D'you remember those verses right at the end? The impression they gave me was that though she was shattered by his death, in a strange sort of way she welcomed it. All through she'd been aware of the fragility of the tie that bound them. He died in the full flush of his first love and had never known that love so seldom endures; he'd only known its bliss and beauty. In her own bitter grief she found solace in the thought that he'd been spared all sorrow.'

'All that's a bit above my head, old boy. I see more or less what you mean.'

George Peregrine stared unhappily at the inkstand on the desk. He was silent and the lawyer looked at him with curious, yet sympathetic, eyes.

'Do you realize what courage she must have had never by a sign to show how dreadfully unhappy she was?' he said gently.

Colonel Peregrine sighed.

'I'm broken, I suppose you're right; it's no good crying over spilt milk and it would only make things worse if I made a fuss.'

'Well?'

George Peregrine gave a pitiful little smile.

'I'll take your advice. I'll do nothing. Let them think me a damned fool and to hell with them. The truth is, I don't know what I'd do without Evie. But I'll tell you what, there's one thing I shall never understand till my dying day: What in the name of heaven did the fellow ever see in her?'

原文を分析する

‘You're both middle-aged people. She probably <u>does a great deal</u>① more for you than you think and you'd be awfully lonely without her. <u>I don't think it matters if you don't forget</u>②. It'll be <u>all to the good</u>❷ if you can <u>get it into</u>③ <u>that thick head of yours</u>④ that there's <u>a lot more in Evie than you ever had the gumption to see</u>⑤.'

語釈：I don't think it matters if you don't forget「忘れなくても、それは大したことでない」このit は「忘れないこと」を指します／gumption「才覚、知恵」

---

① does a great deal は、曖昧にするよりも「いろいろ尽くしてくれる」と具体的に訳した方がいいでしょう。

② I don't think it matters if you don't forget. このit は「忘れないこと」を指しています。また、ここのif は「～だとしても」の意味ですよ。even if と同じです。それに気づかないと、試訳のような意味の通らないおかしな訳になってしまいますよ。

③ get it into「中に入れる」で、ここでのit は that there's a lot more 以下に当たります。気づきましたか？

④ thick head は「鈍い頭」、あまり物事に敏感に気づかない性質のことを指します。しかもハリーは your thick head と言わずに、that thick head of yours と強調しています。ここから、大佐は昔から人の気持ちの動きにあまり敏感ではないと（少なくとも）ハリーは思っている、ということが窺えますね。特にイーヴィのよさについての鈍感さを念頭においています。ハリーは夫よりイーヴィをよく理解し、敬意を抱いているようです。

⑤ 直訳すると、試訳のような分かりにくい日本語になってしまいます。a lot more とは何なのかを考えてみると、分かりやすい訳になりますよ。

翻訳へブラッシュアップする

<table>
<tr><th>試 訳</th><th>翻 訳</th></tr>
<tr>
<td>「君ら夫妻は中年だ。多分、イーヴィは君が考えているよりずっと多くのことをやってくれる①よ。何より、もし彼女がいなかったら、ひどく寂しい思いをする。もし君が忘れないならば、それが問題だとは思わんな②。イーヴィの中には、君に見る知恵があった以上のものが存在する⑤って事を、この機会に発見できれば好都合だな❷。これまで、分かっていなかったようだがね」</td>
<td>「君たちは二人とも中年だ。多分、イーヴィは君が考えている以上にいろいろ尽くしてくれる①だろうし、それに、彼女なしではとても寂しいだろう。君が忘れるかどうか、大した問題じゃあない②。それより❶、イーヴィには、にぶい君④には見抜けなかった素晴らしい資質がある⑤という事実を、この機会に悟ることができれば、今度の騒ぎも無駄でなかった❷と思う」</td>
</tr>
</table>

試訳からのアプローチ

❶ 翻訳では「それより」というつなぎの言葉を入れました。論理が通りやすくなったでしょう。

❷ all to the good は「好都合で」の意味。It was raining, which was all to the good.「雨天だったが、かえって好都合だった」などと使います。翻訳では、原文以上にハリーの主張を分かりやすくしてみました。試訳の「好都合」と内容は同じですが、「今度の騒ぎも無駄でなかった」と意訳した方が、読者の正確な理解を助ける点でより親切だと思います。

全体として、大佐が何かにつけてイーヴィに頼って生活しているのをハリーは知っていますから、それを思い出させています。もう一点、イーヴィが優れた人物だとも気づかせたいようです。

原文を分析する

'Damn it all, you talk <u>as if I was to blame</u>①.'

'No, I don't think you were to blame, but I'm not so sure that Evie was either. I don't suppose she wanted to fall in love with this boy. D'you remember those verses right at the end? <u>The impression they gave me</u>② was that though she <u>was shattered by</u>③ his death, <u>in a strange sort of way</u>② she welcomed it.

語釈：be shattered「取り乱す、ショックを受ける」

原文からのアプローチ

① as if I was は、厳密な英文法では I were とせよと言われていますが、実際は was となっている例も結構多いので、問題なしです。「まるでおれに責任があるようだ」という訳になります。

② in a strange sort of way で、「少々奇妙だが」という意味です。訳文にうまくニュアンスを溶け込ませたいですね。

翻訳へブラッシュアップする

試 訳
「畜生、君はまるでおれに責任があるように言うな」 「いや、君に責任があるとは思わない。でも、イーヴィに責任があるとも思えないのだ。彼女は自らすすんで、あの青年と恋に落ちたのでないと思う。詩集の最後の数行を覚えているかな？　<u>それらが与えた印象は</u>❷、彼女は死によって大きな痛手を受けた❸けれど、一方で死を奇妙に②<u>歓迎した</u>ということだ。」

翻 訳
「ちょっと待て。君はまるでおれに責任があるような言い方をするじゃないか！」 「いや、君に責任があるとは思わない。だが、イーヴィが悪いとも思わないんだ。彼女は<u>浮気したくて</u>❶青年に恋したのではない、と思う。最後の詩を覚えているかな？　<u>あそこを読んだ時の印象はね</u>②、彼女は青年の死をすごく悲しんだ❸けれど、<u>不思議なことに</u>②それを喜んでもいたようなのだ。」

試訳からのアプローチ

❶ 翻訳で「浮気したくて」と補足した理由を述べます。大佐のイーヴィへの怒りは裏切られたという私憤に加えて、美しくもない中年女の性的な欲望は醜悪だから悪い、という気持ちが混じっています。It's ugly. と発言しましたね。それに対する反論を、ここでハリーは行っていると私は考えましたので、その点を明確に出した次第です。

❷ 試訳のように「それらが与えた印象は」などと直訳してはいけませんよ。impression のような無生物主語を訳す時は、自然な日本語訳になるよう特に気をつけて下さい。

❸ 「痛手を受けた」と訳すとドライな気分がするので、イーヴィの感情を汲み取って「すごく悲しんだ」としました。

原文を分析する

All through she'd been aware of the fragility❶ of the tie that bound them. He died in the full flush❶ of his first love and had never known that love so seldom endures①; he'd only known its bliss and beauty. In her own bitter grief she found solace in the thought that he'd been spared all sorrow❷.'

'All that's a bit above my head, old boy. I see more or less② what you mean.'

語釈：All through「恋の初めから終わりまで、終始一貫して」／full flush「情熱の最高潮、盛り」このfullはfull moon「満月」などと同じです／spared all sorrow「全ての悲しみを免れた」／above my head「自分の頭では理解が困難だ」

原文からのアプローチ

① love so seldom endures「恋愛は滅多に存続しない」は、モームの基本的な考えです。彼は、恋愛とは普通は一時的なものであり、かつ片一方が愛するのみで、相思相愛などこの世の中に存在しない、という悲観的な考えを持っています。このパラグラフを含めた終盤のあたりは、特にモームの恋愛観が色濃く出ているので、作者の意図を汲み取って、訳文を工夫したいものです。

② more or less を、つい「多かれ少なかれ」と訳したくなりますが、「おおよそ、大体」という意味です。日本語のイメージに引きずられないよう気をつけましょう。

翻訳へブラッシュアップする

<table>
<tr><th>試 訳</th><th>翻 訳</th></tr>
<tr><td>

二人を結ぶ絆の<u>脆弱性</u>❶に最初からずっと気づいていたようだな。若者の方は、初恋の<u>充分な輝き</u>❶の中で亡くなったから、恋というものが滅多に長続きしないのをまるで知らないままだったね。恋の至福と素晴らしさのみ味わったのだ。<u>彼女自身の激しい悲嘆の中で、青年が恋の悲しみをまったく知らずに済んだことを思って、彼女はそこに慰めを見出したと思うな</u>❷」
「おれにはちょっと難しい理屈だがな、まあ、大体の意味は分かるよ」

</td><td>

二人を結びつけている絆の<u>もろさ</u>❶を最初からずっと彼女は意識していたようだ。青年は初恋の<u>盛り</u>❶に死んだから、恋なるものが滅多に長続きしないというのにまったく気づかずに済んだ。恋の至福と美しさだけ味わって、<u>恋の悲哀など、何も知らずに済んだのだ。そこに慰めを見出して、彼女はどうにか自分自身の深い悲嘆に耐えたのだと思うな</u>❷」
「おれには難し過ぎる話だが、まあ、言わんとするところは大体分かるよ」

</td></tr>
</table>

試訳からのアプローチ

❶ 「脆弱性」、「充分な輝き」などの訳語は明らかに不自然ですね。まずは、日本語の勉強が必要ですよ。これが旧友間の会話だというのを忘れないように。

❷ 試訳は原文に忠実に訳していますが、「彼女自身の激しい悲嘆の中で」などの直訳では、むしろ著者の言いたいことを読者に伝えにくくなってしまうでしょう。翻訳では、よりイーヴィの感情に寄り添って訳しています。全体として、翻訳では言葉の順序など、原文からちょっと離れていますが、試訳と比べて、どっちが生き生きしているでしょうか。私の好みで、淡々とした文章が続くと退屈するので、何とか変化をつけたいと思ってしまうのです。

原文を分析する

George Peregrine stared unhappily at the inkstand on the desk. He was silent and the lawyer looked at him with curious, yet sympathetic, eyes①.

'Do you realize what courage she must have had never by a sign❶ to show how dreadfully unhappy she was?②' he said gently.

Colonel Peregrine sighed.

'I'm broken❷, I suppose you're right③; it's no good crying over spilt milk❸ and it would only make things worse if I made a fuss.'

語釈：broken「ダメ、破滅だ」

原文からのアプローチ

① with curious, yet sympathetic, eyes これがモームの人生と人間を見る時の姿勢です。ハリーと作者であるモームはここへきて、ほぼ完全に重なります。

② Do you realize 以下は文の構造が少し複雑なので、直訳しておきます。「ひとつの身振りによってでも、自分がいかに不幸かを示さないようにするために、彼女がどんなに大きな勇気を要したか、君はそれに気づくか？」です。by a sign「たったひとつの素振りによってさえ（示さなかった）」は次の to show という不定詞にかかります。

③ you're right をすぐに「君は正しい」と訳してはいけません。「君の言う通りだ」と訳すことがとても多いからです。

翻訳へブラッシュアップする

<table>
<tr><td>試 訳</td><td>翻 訳</td></tr>
<tr><td>

ジョージ・ペリグリンは不幸そうに机上のインク壺を見つめた。だまっている。その様子を、ハリーは<u>好奇心あふれる、しかし同情心もある目で</u>①見た。

「イーヴィは、いかに自分が不幸だったかを、<u>ひとつの身振りさえ使わず</u>❶、人々に示そうとしなかったな。あれにはいかなる勇気を要したことか、君は理解できるかね？」ハリーの口調は静かだった。大佐は溜息をついた。

「おれは<u>もう破滅だよ</u>❷。<u>君は正しい</u>③。<u>覆水盆に返らず</u>❸だ。騒いだら、かえって事態は悪化するだけだろう」

</td><td>

ジョージ・ペリグリンは机の上のインク差しをしょんぼりと見つめている。無言のままだ。ハリーはその様子を<u>好奇心と同情の混じった目で</u>①見ていたが、やがて穏やかな口調で言った。

「イーヴィにどれほど勇気があったか、君に分かるかな？　つまり、自分がいかに不幸であるかを、<u>おくびにも出さなかった</u>❶のだからな」

ジョージは溜息をついた。

「<u>おれの負けだ</u>❷。<u>君の言う通りだ</u>③。<u>済んだことは済んだこと</u>❸、おれが騒いだりしたら、事態はかえって面倒なことになるだけだ」

</td></tr>
</table>

試訳からのアプローチ

❶ 「ひとつの身振りさえ使わず」という日本語は不自然なので、「おくびにも出さなかった」と工夫しました。

❷ 試訳だと、もう夫婦生活は続けられないという結論につながるような印象を受けます。実際にはハリーの意見を受け入れようとしているわけですから、もう一息工夫が必要です。

❸ 諺は類似のものが日本語にあることもありますが、多くの場合、類似であって微妙にニュアンスが違うので、注意しなくてはなりません。ここでの場合は差は僅少ですから、使用してもまあ大きな問題はないのですが、一般的な原文の諺の扱い方の学習のために、あえてこだわってみます。日本語の諺は「壊れたら復元不能」という点に力点があり、英語の諺は「騒いでも無駄」に力点があります。イーヴィとの結婚は今後も継続するのですから、ある意味では復元可能なわけです。

原文を分析する

'Well?'

George Peregrine gave a pitiful little smile①.

'I'll take your advice. I'll do nothing. Let them❶ think me a damned fool and to hell with them. The truth is, I don't know what I'd do❷ without Evie. But I'll tell you what, there's one thing I shall② never understand till my dying day: What in the name of heaven③ did the fellow ever③ see in her?'

語釈：to hell with them「奴らなんか、くそくらえ」／I'll tell you what（口語）「あのねえ、聞いてくれ」多少とも、変わった意見などを言う場合の前置きです／in the name of heaven 強調で「一体全体」／see in her「イーヴィの中に（いかなる魅力を）見つける」

原文からのアプローチ

① pitiful little smile「哀れなちょっとした笑み」ではどんな感情をジョージが抱いているのかわかりにくいです。前のところでも、大佐はインク壺を「unhappily」に見つめていましたね。そして「俺の負けだ」とも言っていました。そのあたりを踏まえて、いい訳を見つけましょう。

② この shall は、1人称を主語にして、予定、計画、決意などを表すやや古い用法です。will ではなく shall であるところに、大佐の「絶対に自分が理解する日は来ない」という気持ちが込められているのが分かります。

③ 最後の大佐のセリフは、in the name of heaven と ever で、かなり強調されていますね。「一体全体イーヴィの何がいいのか、さっぱり分からん」という気持ちを全面に押し出して言っているのを感じて訳しましょう。

翻訳へブラッシュアップする

試 訳

「じゃあどうする?」
ジョージ・ペリグリンは<u>哀れな
ちょっとした笑み</u>①を浮かべた。
「言われたようにする。つまり何
もやらない。<u>彼らには</u>❶勝手に思
わせる。構うもんか! 実際のと
ころ、あいつがいなくちゃ、<u>暮ら
して行けない</u>❷。だがなあ、聞い
てくれ。死ぬまで待っても分から
ない謎がある。その青年、一体あ
いつのどこがよかったんだろうな
あ?」

翻 訳

「それで?」
ジョージ・ペリグリンは<u>悄然とし
て微笑</u>①を浮かべた。
「君の助言に従うよ。何もしない
ことにする。<u>世間</u>❶がおれをどう
思おうと構わない。勝手にしろだ。
実際の話、もしイーヴィがいなく
なったらどうしていいか<u>途方に暮
れる</u>❷。だが、これだけは言って
おくけどね、死ぬ日が来ても納得
いかぬことがひとつある。相手の
若者は、一体全体イーヴィなんか
のどこがよくて惚れたのかね?」

試 訳 からの アプローチ

❶ 急に「彼ら」と言われても分かりませんから、「世間」などとしましょ
う。ハリーがこの機会をとらえて、イーヴィの優れた資質を説いた
のですが、ジョージには納得できなかったことがここで暴露されて、
読者は苦笑せざるを得ません。

❷ 翻訳では「途方に暮れる」を使いました。日本語らしい感じが出て
よいと思ったのです。「どんぴしゃり」「絶体絶命」「出たとこ勝負」「本
腰」「物議をかもす」などなど、普通の英和辞書にない訳語(私と大
学院同期の中村保男君の『新装版英和翻訳表現辞典』は、その点で
最高級の賛辞に値します)を使うのは、より自然な訳文を実現する
ため、望ましいと思います。しかしこれも行き過ぎがあり得て、「驕
る平家も久しからず」を使った私の尊敬する恩師が、読者から「イ
ギリスの小説に急に平家が出てきてびっくりした」と揶揄されたこ
とがあります。

翻訳を終えて

　さて、ジョージの最後の発言を読んで、読者の皆さんはどう思うでしょうか？

　ハリーの助言があっても、イーヴィを含む女性全体についての大佐の考え方は少しも変わらず、しょうがない奴だと軽蔑しますか？　それとも、この時代のこの階級のイギリス人はどうせそんなところだと苦笑するでしょうか？　この短編が、ジョージがイーヴィの浮気を知る時点で終わらず、弁護士との議論がいわば追加されているのをどう思いますか？　知らぬは亭主ばかりなり、の愉快な物語で終わってもよかったのに、蛇足だ、という意見もあれば、弁護士が大佐を説得する最後の部分にこそ作者の言いたかったことが盛られていて面白い、という見方もあります。

　さて、皆さんはいかが？ *"Well?"*

翻訳の
心得
&
暗記用
例文集

Life is not about surviving the storm; but how to dance in the rain.

人生で大事なのは嵐を切り抜けることではなく、嵐の中でいかに明るく踊るかである。

翻訳の心得 その ①

　翻訳の場合はもちろんですが、それだけでなく、精読や英作文やあるいは会話など、およそ英語を学ぶあらゆる場合に役立つ100例を集めました。ここで紹介する例文はぜひ暗記するようにしましょう。英語のどの教科書や参考書にでもあるものは敢えて避けて、学校や参考書では詳しく扱われていないもの、あるいは教わってもしっかり身に付いていないものを積極的に選びました。まずは基本となる30の例文について解説していきます。

例文❶❷　（P.264）

　さて、今の英語学習者なら、A happy idea has just occurred to me. の A happy idea は「名案」であって、「幸福な考え」でないのを知っていると思ってよいでしょうね。以前は happy に「適切な」の意味があるのを知っている人はあまりいませんでした。では、He is an exciting singer. はどうでしょう？　「彼は興奮している歌手だ」と訳して平然としている人はいませんか？　教師としての私の長年の経験から判断すると大勢いるのです。excite は「興奮する」だし、ing が付いているから進行形だ、と思っているのです。教室で自動詞、他動詞の区別を習っていない人はいないはずなのに、それが現実です。

　でも、もちろん間違いです。excite は「興奮させる」という意味ですし、また ing を付けて進行形を作るのは、行動の動詞だけで、感情の動詞は適用外ですよ。excite の他、surprise「驚かす」、irritate「苛々させる」、disappoint「失望させる」、bore「退屈させる」などについても同じ誤りを犯す人がまだいます。絶対に避けてください。念のために、もう一問。You are irritating. はどう訳せばいいですか？

　実は、東京大学二年生のあるクラスで、喜劇を使って訳読の学習をしている時に、この文が出てきたのです。指名された学生が「君は苛々しているね」と訳したので、私は「違う。隣の人はどう？」と聞きました。ところが別の学生の答えも「君はねえ、苛々しているじゃないか」とほぼ同じ

ものでした。私が「その隣の人」と聞けば、「同じです」の答え。50人全員が「苛々している」でよい、という有様。途方に暮れた私を見て、ある学生が「ひょっとして、『君は苛々させる』ですか？」と言いました。私が「ひょっとするじゃあない！　それに決まっているよ。諸君、自動詞、他動詞の区別くらい出来るでしょ！」と思わず声を高めました。ことほどさように、この英語は日本で定着しないのです。くどいようですが、注意して下さい。もう一言。You are right. を「君は正しい」でなく「君の言う通りだ」と訳す場合が多いように、「君は人を苛々させることを言うね」と訳すのが適切な場合もあるでしょう。

例文❸　（P.264）

She likes her own company best. を「彼女は自分自身の会社が一番好きだ」と訳す場合はまずありません。そう聞いたら、驚きますか？　ではヒントとして company を使った I have always been comfortable in my father's company. を見てください。これは「父と一緒にいると常に心地よかった」という意味であり、「父の会社で」ではないのです。in one's company は「〜と一緒の場合、〜と同席だと」などの意味なのです。この用法が分かれば、上の文は、「彼女は一人でいるのが一番好きだ、孤独を愛する」などと訳せますね。

例文❹〜❽　（P.264）

Mr. Eliot is apparently a kind gentleman. この訳は、もしかしたら読者の年代によって訳し方が変わるかもしれません。英和辞典は月日が経つと、どんどん良くなっているのを知っていますか？　書物を買う時に初版本を好む人がいるけれど、辞書の場合だけは損だ、と事情通の識者が言いますよ。辞書は、改訂の度に修正したり、新情報を加えたりしているからです。両親、あるいは祖父母から譲り受けた英和辞典が手元にある人は、apparently を調べてみてください。「明白に」という意味が最初にあるのに気づくと思います。探せば、「見たところ、外見上は」という意味もあるでしょうが、順位が低いでしょう。ところが最近の辞書では、順位が逆になっていますよ。でも何故か、いまだに「エリオット氏は明らかに親切な紳士です」と訳す人がいるので不思議です。注意しましょう。

同じことがYou had better go at once. の had betterについても言えます。意味としては「〜したほうがいい」ですが、丁寧な表現でないので、目上の人に使うのは避けるべきなのです。同様に、Will you send me a copy of your essay? についても、礼儀に関係した話があります。在日英米人が、日本の中高の英語の教科書で、この英文が「あなたのエッセイのコピーを送ってくださいますか？」という意味だと述べられているのを最近になって発見し、訂正するように提案しています。実はその通りでして、これは命令口調なのです。「君のエッセイのコピーを送ってくれたまえ」という感じなのです。この情報は数年内に英和辞書、教科書などに生かされるはずです。実は、will に関しては、もうひとつ、日本の中高での英語教育に問題がありまして、これも在日英米人が指摘しています。I will be twenty-one years old next Friday. を「私は来週の金曜日に21歳になるでしょう」と訳す人が多い、というのですが、皆さんはいかがですか？　will は未来形だから「〜でしょう」でよい、と思っていませんか？　でも、不確定な要素がない場合、「〜です」と訳すのが自然です。私は在日英米人の批判をすべて受け入れる必要はないと思っていますが、この点は耳を傾けてよいと思います。

　Alice is a very good speaker of Spanish, you know. これを「知ってのように、アリスはとてもスペイン語がうまい」と訳したのでは、as you knowと同じになってしまいます。you knowは元来は命令形「知りなさい」なのです。軽く「〜なのですよ、ね」というように使います。相手が知らない場合や、知っていても忘れたりした場合に注意するのです。ですから「知っているでしょうが」とは反対です。

　他にも間違えやすいものとして、particularを挙げておきます。particularには「特別の」「特定の」と大きく分けてふたつの意味があり、「特定の」とすべき場合に「特別の」とする人が多いので注意しましょう。会合で端正な顔をした紳士がいて、上品だなと思ったとしましょう。「他ならぬこの紳士が」を英語で言えば、this particular gentlemanになります。「訳さなくてよい場合もある」と注を付けた英和辞書もあるくらいですから、「特別の紳士」と訳すのは避けましょう。

Some things are better left unsaid. 佐々木高政先生は「事柄によっては言わぬが花です」と訳しています。直訳は「いくつかの事は口に出されないほうがよい」ですね。「いくつかの」という意味のsomeは訳し方が問題でして、たとえばSome fish can fly. は「魚の中には飛べる魚もいる」のように訳すと自然な日本語になるのです。Some people like me; others dislike me. を「数人は私を好み、他の数人は私を嫌う」とせずに、「私を好む人もいれば、嫌う人もいる」と訳せば分かりやすいでしょう？　Sometimes I go by taxi, and sometimes by bus.「私はタクシーで行くこともあるし、バスで行くこともある」も同じです。are better left unsaid も結構難しいですが、「言わないで放置されるほうがよい」が直訳です。unsaid は形容詞で補語になっています。よく、空港でDon't leave your things unattended.「目の届かない所に物を放置しないでください」というアナウンスを聞きますよね。

She is all that a wife should be. を「彼女は妻として完璧だ」と訳すのも、覚えておくと応用範囲が広いですよ。wife だと女性差別になるなら、代わりに好きな単語で覚えて結構です。

Perhaps Carol will pass the entrance examination.「多分キャロルは入試に合格するでしょう」という意味でしょうか？　もしそうなら、キャロルはこれを聞いて、さぞ喜ぶでしょうね。でも待ってください。喜ぶためには、surely、certainly でないまでも、せめて probably でないといけません。perhaps は「ひょっとすると」に相当するのですから、可能性が低いのです。「キャロルはもしかすると受かるだろう」です。これでは、運が良ければの話になりますね。アメリカ英語ではmaybeを同じように可能性が低い場合に使います。

you には「君、あなた、君たち」でなく、広く一般の人を漠然と指す用法があるのは、今では誰でも知っていると思います。諺でYou cannot

make an omelet without breaking eggs. というのがあります。「卵を割らず
にオムレツは作れない」という意味です。「蒔かぬ種は生えぬ」に相当し
ます。この you が一般の人を指すのは、疑問の余地はありませんね。でも
You must love your parents. はいかが？ 「親孝行すべきだ」と訳して一般
の人を指すことも、もちろんありますが、たとえば、これを言われたのが、
親不孝を悔いている Kevin という青年だとすれば、「今後は君も両親を大
事にするべきだな」と訳すのが相応しいでしょう。この場合は一般でなく
特定の人を指す「君」ですね。一般か特定か、見分けましょう。

　一般の人を表すには、you の他の代名詞、we、one、everybody なども使
えます。We cannot make an omelet without breaking eggs. は正しい英文で
す。でも we ではなく you が好まれるのです。どうしてかと言えば、one
は堅苦しいし、we だと「我々」以外の人は疎外されたようですから。さ
らに、you と言われると、誰でも一瞬、自分が呼びかけられたかと思って、
注意して耳を傾けるのです。ついでに you が自分を指すことさえあるとい
うお話をしましょう。テレビのインタビューで「いつ執筆するのですか」
と聞かれた作家が、Well, you work all the time. Writing is a full time job,
you know. と答えていました。「そう、一日中です。物書きは全時間勤務で
すからな」とでも訳せば正しいでしょう。つまり you work の you は I の代
わりに使われています。自分はそうだが、誰でも作家になれば同じだろう、
と質問者まで含む人間一般を漠然と指しているのです。

　さらに your のことも話しましょう。There are more things in heaven and
earth, Horatio, than are dreamt of in your philosophy. という文に記憶ありま
せんか？ シェイクスピアの『ハムレット』にあるとても有名なせりふで
す。ハムレット王子が友人のホレーショに向かって言うのです。「ホレー
ショよ、天地には汝が哲学にて夢想し得ざる所のものあり」と訳した例が
昔はあったようです。しかし、これは誤りで、ここでの your は「いわゆる、
例の」という多少軽蔑の気持ちの入った使い方です。したがって正確な訳
は、「ホレーショよ、いわゆる哲学などで夢想もしていないことが天地に
はあるのだ」となります。

　ofを「の」だと覚えておけばよいと思っていませんか？　確かに We had to change our schedule because of the late arrival of the train. の the late arrival of the train は「列車の遅れ」だし、Columbus' discovery of America was accidental. の冒頭も「コロンブスによるアメリカの発見」ですから、訳す時には「の」で事足りることは多いです。でも、このふたつは同じ用法ではありません。「列車が遅延する」と「アメリカを発見する」というのですから、前のofは主格、後のofは目的格であるのは明らかですね。まずこの違いをしっかり覚えておきましょう。love of mother が「母性愛」に決まっていると考えていると、Tom's love of his mother was touching. という文に戸惑います。これは、もちろん目的格の of でして、「トムの母親への愛情は感動的だった」となります。主格、目的格の of の訳し方を覚えておきましょう。The disappearance of fish in the river may be a symptom of water pollution. には of がふたつありますが、いずれも主格ですね。「川に魚がいなくなったのは、水質汚染の兆候かもしれない」と訳すのがスムーズでしょう。前の of は「が」、後のは「の」としました。では、I cannot understand the reason for the omission of his name from the list of the founding fathers of this university. にある of はどうでしょうか？　この文には三つの of があります。「彼の名前をこの大学の創設者リストから省いた理由が理解できない」とすればよいですね。

　and を「そして」だけで足りる、と考えている人いませんか？　省エネも結構ですが、行き過ぎですよ。『英文精読術』（Gakken 刊）で、私は「この and は『そして』ではありませんよ」と何回注意したことでしょう！そこを読んでいただいてもよいのですが、ここでは別の例文で解説しましょう。まず You cannot eat your cake and have it. という文。ちょっと戸惑うのですが、落ち着いて考えると、ケーキを食べて、それを持つのは不可能というのですから、ふたつ願っても無理、ふたつ同時に良いことはない、ということだと見当がつきます。諺であり、You cannot have your cake and eat it. とも言います。いずれにしても、cannot で否定しているのが have と eat の両方だという点が肝心です。She is timid and bold.「彼女は臆病

であり、また大胆でもある」なども同じです。ここのandは一見相反する言葉を結ぶ役目を果たしていて、それを強調するために、both A and B、at once A and Bという形を取ることもあります。He is both a teacher and a novelist.「彼は教師であり、同時に小説家でもある」などですね。また、I can't live with her, and I can't live without her. と She did her best, and still had poor marks. のandが、but あるいはyet と同じだというのは、文脈で推察できますね。それぞれ、「私は、彼女と同居はできないが、彼女なしでは生きていけない」、「彼女はベストを尽くしたが、成績は悪かった」と正しく訳しましょう。

Father held that all children should be taught to play on something and sing. He was right, perhaps. On the other hand, there are children and children. I had no ear for music. ここで、どう訳すのかと気になるのは、children and children の部分でしょう。他の名詞で、girls and girls、dogs and dogs でも同じ用法です。これは「いろいろある、多種多様」という意味です。だから、「父は、子供は皆何らかの楽器の演奏と歌を習うべきだと主張した。もしかすると父の言う通りかもしれない。でも一口に子供といってもいろいろだ。僕は音痴だった」と訳せます。

命令文でのandの用法は多分覚えているでしょうが、念のために例文をふたつ。Give me five minutes, and I'll change the tire.「五分待ってくれれば、タイヤ交換しましょう」。Pull away, boys! A little more effort, and we'll reach the shore.「みな頑張って漕げ！　もう一息で岸に着くぞ」

中学で英語の曜日を教わった時、A week has seven days. They are Sunday, Monday, Tuesday, Wednesday, Thursday, Friday and Saturday. という文を読んで、土曜日の前にだけandがあるのが気になりませんでしたか？　これは、「さあ、次でおしまいですよ」という合図の役目を果たしています。日本語にはそういう用法はないので、訳さないのがよいです。

Spiders rarely bite, and then only in self-defense. におけるandの役目は？　強調です。「その上」とか「しかも」と訳せます。「クモは滅多に噛みつか

ない。しかも噛みつくのは自分の身を守るときだけだ」。She can run a full marathon, and at a good speed.「彼女はフルマラソンを、それも速く走れる」も同じ用法です。この用法では、and thatになることもあります。He will come, and that very soon.「彼は来る、それもすぐにだ」のように使います。

It is nice and warm this evening.「今夜は気持よくあたたかです」や、John was good and tired after the day's work.「ジョンはその日の仕事でかなり疲れていた」は、それぞれ、nice and, good andの形で後に来る形容詞を強めています。

He tried to be very nice to the dog, and it soon became his friend.「彼は犬に優しく接したので、やがて犬は懐くようになった」。これは理由・結果の用法で、and soとなることもあります。

　文頭に置かれることは多くないのですが、もしAndとあれば、それなりの意味があってのことです。「それでは」と単に話題を変える時に使うこともありますが、やや複雑なニュアンスを込めることも少なくありません。たとえば、Can you go to the market? と母に言われた息子が、And? と答えた場合、母はI want you to buy two cartons of milk. と答えるでしょう。このandは「それで？」としか訳せませんが、母の意図を引き取って同意、反問、驚きなどを導く用法です。もう一例挙げます。Mr. White has become a rich man. And you know how.「ホワイト氏は金持ちになった。で、君はその手口を知っているんだろうな」。相手が黒幕だと決めつけているような発言ですね。知っているくせに隠しているのを非難しているようでもあります。

例文⑲ （P.266）

　but もいろんな用法があります。まず前置詞・副詞としての用法。She eats nothing but vegetables.「彼女は野菜しか食べない」。onlyと同じですね。Who else but Kevin would have given such a gift?「ケヴィン以外にそんな贈り物をした者がいるだろうか」と She is anything but a careful driver.「彼女は注意深い運転者では絶対にないな」は、いずれもexceptと同じ用法です。

次は接続詞としての用法ですが、not…but の用法ですから、皆さん心得ているでしょう。面白い例文です。Homework is one of the few things a child is scolded not for doing but for not doing.「宿題は子供がやったからでなく、やらなかったから叱られる数少ないことのひとつだ」。

It is true the bird did not talk, but he and I were able to communicate.「その鳥は喋れなかったけれど、鳥と私は意思疎通をはかることができた」。it is true…but の他、indeed…but も同じ用法です。Life is indeed a tragedy at times and a comedy very often, but as a rule it is what we choose to make it.「たしかに人生は時に悲劇あり、しばしば喜劇にもなるが、概して自分の心掛け次第のものだ」。次は、やや古風な文ですがモームの Red にあったものです。I shouldn't wonder but he wanted to fight somebody.「レッドが誰かと喧嘩したがったとしても驚きません」。このように doubt、wonder、deny などの動詞が否定されている場合には、but（あるいは but that）は that と同じです。There is no doubt but that he succeeded at long last.「彼が遂に成功を収めたのは疑いない」。

例文⑳ （P.266）

few と a few、little と a little の違いを知らない人はまずいないと思うのですが、その知識を生かせないことが多いのです。次の詩を読みましょう。I gazed and gazed but little thought / What wealth the show to me had brought. これを「私は見た、ひとみを凝らして見た。でもこの風景がどれほど豊かな恩恵をもたらしてくれたか、そのとき少し気づいた」と訳した人いませんか？　これだと少しにせよ気づいたことになりますね。little とあれば否定の意味合いが深いのですから、正しくは「ほとんど気づかなかった」とすべきです。これはイギリスロマン派の詩人ワーズワースの Daffodils『水仙』という有名な詩の一節です。詩人が昔見て感動した無数の水仙の咲く情景について、その時点ではその豊かさに気がつかないで、ずっと後に回想してようやく気づいたのです。There are few things better than a good Havana.「上等のハヴァナ葉巻に勝るものはまずない」、A little learning is a dangerous thing.「生兵法は大けがのもと」、これらは諺です。Not a few people read from habit.「癖になっているので読書する人も結構い

る」。not a few だと「かなり多くある」になりますね。

例文㉑ (P.266)

What he is is not what he appears to be. こういう文は、一瞬では分かりません。でも落ち着いて文の構造を考え、次に意味合いや内容を考えれば訳せます。What he is とは「彼が何であるか」で主語です。一方 what he appears to be は「彼が何に見えるか」の意味で補語です。「真実の彼」と「外見上の彼」とが違う、というのです。意地悪な人間が偽って親切らしく振る舞うことは世間でよく見かけますから、納得できる内容ですね。「実際の彼は外から見た彼と異なる」など、訳は原文の意味がしっかり分かれば、工夫できるでしょう。では、She is what she appears to be. はどうですか？実際と外見が同一、つまり「裏表がない」のです。最後にもうひとつ。あるイギリス詩人が、We look before and after; /And pine for what is not. と歌っています。「将来を望み、過去を顧みては無いものを求めて悩む」と正しく訳せますか？

例文㉒ (P.266)

Paddington jumped up for joy. He had just heard his aunt was coming to visit him. このふたつの文を「パディントンは嬉しくて跳びあがりました。伯母が彼を訪ねてやってくると聞いたばかりでした」と訳したらOKでしょうか。これでは前文、後文がそれぞれ独立し、無関係みたいです。そうでしょうか？　英語の習慣では、何か不可解なことを述べたら、直後に弁明をする必要があるのです。パディントンが嬉しくて跳びあがったのなら、その理由を言うのです。時制に注目すると、最初の文は過去形、次の文は過去完了形です。つまり、had just heard してから jumped for the joy したのですね。そう分かれば、「伯母さんが遠路わざわざ会いにくると知ったからでした」という訳になり、なるほどと納得できます。「パディントンは嬉しくて跳びあがりました。伯母が訪ねてきてくれるとちょうど聞いたからです」と訳せば文句なしです。

別の英語の習慣として、同一の語の繰り返しを避ける癖にも触れておきましょう。これも日本人にはなかなか理解してもらえません。鳥飼玖美子

さんも、学生と読んだ英文記事の中で、ある事務総長が「元イタリア外交官」「ボス」「チーフ」などと色々に呼称されていたので、実は同一人物だと分からせるのが難しかったと述べています（『歴史をかえた誤訳』新潮文庫、2004）。私にも、「色んな呼称には理由があるのだから翻訳に反映すべきだ」と主張する編集者にてこずった経験があります。次の話をしてやっと納得してもらいました。第二次世界大戦後、連合軍最高司令官だった General MacArthur に関する長い新聞記事では、記者が general、chief、commander などの呼称で足りず、father of Arthur、twice-married man などの私生活に基づく呼称まで使っていました。ベテラン記者はそういう多様な言い換えができるだけの情報を持っていると期待されていたのです。こうした習慣のない日本では、元帥、司令官だけで十分であり、さもないと別人のことだと勘違いされます。

例文㉓㉔ （P.268）

　前置詞の with の用法に慣れると便利です。「共に、一緒に」だけ覚えていたのでは困ってしまうでしょう。たとえば Mary went up to New York to stay <u>with</u> her grandmother. はどう読めばよいのでしょう？　「祖母と一緒に滞在した」ではなく、「祖母の家に泊まった」ということですよ。よく間違える用法のひとつが、「～に関して」という意味です。<u>With</u> God nothing is impossible. は「神の場合には不可能なことはない」だとすぐに分かりますか？　Don't be too strict <u>with</u> little children.「小さい子にはあまり厳しくするな」も同じですし、誰でも知っている What is the matter <u>with</u> Tom? の with も同じ用法です。もうひとつは付帯状況の用法です。The bird landed <u>with</u> its wings extended.「鳥は翼を広げて地上に降りた」や、<u>With</u> prices so low, we can buy anything we want.「こんなに物価が低いと、欲しいものが何でも買える」などと使います。

例文㉕〜㉗ （P.268）

　仮定法に関しては、仮定法過去、仮定法過去完了の典型的な文例をしっかり覚えて下さいと述べておきます。その解説や例文は、どの教科書や参考書でも見つかります。ここでは仮定法過去と仮定法過去完了が混じった例文をひとつ出すだけに留めます。If I <u>had worked</u> harder in my youth, I

would be a rich man now.「若い頃もっと働いていれば、今頃は金持ちであ
ろうに」。仮定法の仮定の用法は多くの日本人が理解しているようです。
問題は、仮定法には、その名称にもかかわらず、仮定の他に、丁寧、遠慮、
控え目などの用法もあることで、このことをしっかりと理解し、翻訳に生
かせる人は意外なほど少ないのです。それでこの用法の例文をいくつか選
びました（なお仮定法については翻訳の心得その❷でも扱っています）。

　まず、Will you send me a copy of your paper? でなく、Would you 〜? と
すれば丁寧な表現になります。I think that she is wise. が「彼女は賢いと思
います」であるのに対して、I should think she is wise. なら、「そうですね、
あの方、賢いと思いますけど」と断定を避けて控え目に意見を述べる感じ
になります。

　次に、I know they are mother and daughter, but they might be sisters.「母
娘だと知っているが、姉妹だといってもおかしくないね」。母がよほど若
く見える婦人なのでしょうね。You might have helped me. は「助けてくれ
てもよかったのに」と恨みを述べています。「might」や「might ＋ have ＋
過去分詞」には、推量の「かもしれない」「だったかもしれない」だけで
なく、譲歩、恨みの「してもよい」、「してもよかったのに」の用法もある
のです。

例文㉘ （P.268）

　When the dog was sick Tom was there first, on his knees with a page of the
newspaper.　ここでの was sick は吐き気がして実際に吐く行為を言います。
on his knees「膝をつく」です。このように細部が分かっても、全体がつか
みにくいかもしれませんね。でも想像を働かせれば、「犬が吐き気をもよ
おすと、トムはまっさきに駆けつけて床に膝をつき、新聞紙をひろげた」
と訳せるでしょう。

例文㉙ （P.268）

　How can a man of eighty-four carry such a heavy chair? を「どのような
方法を使えば、84歳の老人でもこんな重い椅子を運べるだろう？」と考

えて、「ワゴンを使えばできるんじゃあない」と答えることもあるでしょう。でも、普通はこの質問は「修辞学上の疑問（Rhetorical Question）」です。疑問文の形を取っていても、答えは分かっていて、嫌味で尋ねているのです。したがって、「84歳の老人にこんな重い椅子を運ばせるのは無理だ」と訳すのが当たっている場合が多いのです。

例文⓾ （P.268）

Excess, it seems to me, may justly be praised if we do not praise it to excess. 「過度というのは、過度に褒めさえしなければ、褒めるのが正しいように思われる」。justly という副詞が、この一文全部に係るという点をしっかり認識しましょう。It is just to praise excess 〜 と書き換えられます。最後の to excess は「過度に」で、excessively と同じです。it seems to me が挿入句だというのは前後のコンマで分かりますね。excess という語を敢えて二度使って、表現も内容もバランスが取れた、簡潔にして要を得た名文だと思います。

1. He is an exciting singer.

2. You are irritating.

3. She likes her own company best.

4. Mr. Eliot is apparently a kind gentleman.

5. You had better go at once.

6. Will you send me a copy of your essay?

7. I will be twenty-one years old next Friday.

8. Alice is a very good speaker of Spanish, you know.

9. Some things are better left unsaid.

10. Some fish can fly.

11. She is all that a wife should be.

12. Perhaps Carol will pass the entrance examination.

1. 彼は人をわくわくさせる歌手だ。

2. 君は人を苛々させるよ。

3. 彼女は一人でいるのが大好きだ。

4. エリオット氏は一見親切な紳士のようだ。

5. すぐに行くほうがいいよ。

6. エッセイのコピーを送ってくれるか？

7. 来週の金曜に21歳になる。

8. アリスはスペイン語がすごくうまいんだよ。

9. 事柄によって言わぬが花のこともある。

10. 魚の中には飛べるものもいる。

11. 彼女は妻として完璧だ。

12. キャロルは、ひょっとすると合格するかもしれない。

13. You cannot make an omelet without breaking eggs.

14. There are more things in heaven and earth, Horatio, than are dreamt of in your philosophy.

15. Tom's love of his mother was touching.

16. You cannot eat your cake and have it.

17. I can't live with her, and I can't live without her.

18. Spiders rarely bite, and then only in self-defense.

19. It is true the bird did not talk, but he and I were able to communicate.

20. Not a few people read from habit.

21. What he is is not what he appears to be.

22. Paddington jumped up for joy. He had just heard his aunt was coming to visit him.

13. オムレツを作るには卵を割らねばならない。

14. ホレーショよ、いわゆる哲学などで夢想もしていないことが天地にはあるのだ。

15. トムの母さん孝行は心を打つものだった。

16. ふたつ同時にいい事はない。

17. 彼女とは一緒に住めないけど、彼女無しでは生きていけない。

18. クモは滅多に噛まないし、それも身を守るためだけだ。

19. 鳥は喋れなかったけれど、鳥と私は意思疎通をはかることができた。

20. 癖になっているので読書する人も結構いる。

21. 彼の実体は外見と違う。

22. パディントンは嬉しくて跳びあがりました。伯母さんが訪ねてくると聞いたところだったからです。

23. With God nothing is impossible.

24. With prices so low, we can buy anything we want.

25. If I had worked harder in my youth, I would be a rich man now.

26. I should think she is wise.

27. I know they are mother and daughter, but they might be sisters.

28. When the dog was sick Tom was there first, on his knees with a page of the newspaper.

29. How can a man of eighty-four carry such a heavy chair?

30. Excess, it seems to me, may justly be praised if we do not praise it to excess.

23. 神様の場合は、不可能はない。

24. こんなに物価が低いと、欲しいものが何でも買える。

25. 若い頃もっと働いていれば、今頃は金持ちであろうに。

26. 彼女はまあ賢いんじゃないかしら。

27. 母娘だと知っているが、姉妹だといってもおかしくないね。

28. 犬が吐き気をもよおすと、トムはまっさきに駆けつけて床に膝をつき、新聞紙をひろげた。

29. 84歳の男にこんな重い椅子など運べるものか。

30. 過度というのは、過度に褒めさえしなければ、褒めるのが正しいように思われる。

翻訳の心得 その ②

さて、ここからはテクニック別にもう少し詳しく解説をしていきます。

代名詞の省略

　I have two books.「私は二冊の本を持っています」は、英文和訳の答えとしてなら完璧ですが、翻訳の立場から言うと不自然です。スムーズに抵抗なく耳に自然に入る日本語を求められたら、「本、二冊持っています」の方が多くの状況で使えるのではないでしょうか？　以下、同様に自然な訳文のための心得を述べます。

　She washed her face with her hands. を「彼女は彼女の顔を彼女の両手で洗った」と訳したら、変だと思わない日本人は一人もいないでしょう。自然な日本語は「彼女は両手で顔を洗った」ですね。さらに、たとえばこの英文が、男の子が面倒臭がり屋で、片手でさっと一回顔を濡らして、「ママ、顔洗ったよ。これでいいでしょ？」と言ったのに対して、母親が妹はもっと丁寧に両手で洗ったわよ、と言った時の発言だとすると、「妹は、ちゃんと両手で洗ったのよ」とでも訳せば、よい翻訳になります。
　次の訳文は、固有名詞を変えた以外は、ある文庫本に実際にあったものです。代名詞を抜かさずに訳すとどうなるか、読んでみてください。トムとバーバラが、外国にいるジョージについて話し合っている場面です。

　「このつぎ手紙をお出しになるとき、いつ帰るつもりなのか、とたずねてみていただけないかしら？」
　彼女の態度はじつにさりげないものだったので、この彼女のたのみに強い希望がこめられているのを見破ったのは、トムの鋭い感受性だけだったということができよう。彼は陽気に笑った。
　「ええ、きいてみましょう。彼がなにを考えているのか、見当もつきませんからね」
　その後何日かして、また出逢ったとき、彼がなにか気に病んでいるのに、彼女は気づいた。ジョージの出発以来、ふたりはよく逢ってい

た。ふたりはともに彼を献身的に愛し、それぞれが不在の人のことを語りたい気持になっていて、快く話を聞いてくれる者を相手にみつけていたのだった。その結果、バーバラはトムの表情すべてをよく知り、彼がいくらちがうといっても、彼女の鋭い直感には効果がなかった。彼の当惑した表情がジョージに関係しているように思えてならず、彼女は休まず彼を責め立てて、とうとう話をさせることになった。

　何度も繰り返して読まないと、一度読んだだけでは、人間関係がさっぱり分かりませんね。これは極端な例だと思いますが、人のふり見て我がふり直せ、と言いますから、翻訳で代名詞を抜かす習慣をしっかりつけて欲しいものです。
　日本語は英語に比べれば代名詞を使わないでも、意味が正確に伝えられる言葉です。「翻訳では意味不明にならない限り代名詞を極力省く」ことの練習として、**Where is my pen?** をいろんな状況を想像して翻訳してみてはどうでしょう？　たとえば、母親が子供に向かって言う時なら、「ママのペンどこかしら？」とすれば、代名詞のない、現実によく使われる日本文ですね。
『思考の整理学』で有名な、英文学者でエッセイストの外山滋比古氏は、代名詞を使わないで文章を書くのでも知られています。それが日本語の本来の姿だと信じて、時に無理してでも工夫して、代名詞なしでも誤解の生じない流麗な日本文を書いています。『頭の旅』（毎日新聞社、2010）から引用します。

　　おそろしい事件のあったあと、同僚が、あの日、よほど出かけようと思ったが、やめてよかったという話をした。そういうからにはよほどの用事に違いなかろうと想像していると、何と、アイスクリームを買いたかったのだ、という。たしか辛党のはず。その人が買いにいくのなら、ただものではなかろう。
　　聞いてみると、アズキのアイスクリームである。見たことはないけれども、かき氷の宇治が大好きだから、その連想からだけでも口がむずむずしてくるようであった。

いかがですか。日本語を母語とする人には、代名詞がなくても、まず理解できて困らないですね。もしこれを英文にするとしたら、he, his などの代名詞がどれほど必要になることでしょう！　ところが日本語を母語としない、たとえばアメリカ人だと、たとえ優れた日本文学研究者でも誤解することがあるのです。

　ここに川端康成の『伊豆の踊子』の一場面があります。

　「踊子は……何度となくこくりこくりうなずいて見せるだけだった。はしけはひどく揺れた。踊子はやはり唇をきっと閉じたまま一方をみつめていた。私が縄梯子に捉まろうとして振り返った時、さよならを言おうとしたが、それも止して、もう一ぺんただうなずいて見せた」

　「さよならを言おうとしたが、それも止して、もう一ぺんただうなずいて見せた」のが私でなく踊子であるのは、誤解の余地がないでしょう？　ところがあのサイデンステッカー氏が、I looked back. I wanted to say good-by, but I only nodded again. と翻訳しているのです！

　多くの例を出して強調したように、ことほどさように、代名詞の有無は日本人と英米人とでは受け止め方が違うのです。ですから英文の翻訳では、繰り返しますが、代名詞を抜くことが日本語らしさを出すコツの中でもとても大事なのです。

訳し上げ下げ

　The juggler keeps his hands in his pockets as he plays the trick. この文を「手品師は手品を見せる時、両手をポケットに入れたままだ」と訳しても、「手品師は両手をポケットに入れたままで手品を見せる」と訳しても、内容は同じですね。翻訳としていずれが優れているとも言えません。

　もうひとつ。**She gained very pleasant experiences there which she could not forget.**「彼女はそこで忘れがたいとても楽しい経験をした」とするか、「彼女はそこでとても楽しい経験をして、忘れられなかった」とするか。前者を「訳し上げ」、後者を「訳し下げ」と呼んでいます。

　関係詞の導く節が短い場合は、上げ下げ、いずれでも自然な日本語にな

りますが、長い時は、訳し下げる方がよいことが多いでしょう。その文と前後の文との関係がスムーズであるかなどを、コンテクストで判断するしかありません。

　通訳の場合は、否応なしに、原文の順に頭から訳し下げることになりますね。耳で聞こえる英語と、日本語の訳をなるべくシンクロさせないと、同時通訳の場合は特に置いてけぼりになってしまいます。訳し上げている時間はありません。その点、翻訳の場合は、通訳より時間的に余裕があるので、じっくり検討できます。

And then I heard a bell whose every vibration found an echo in my innermost heart. の訳し方として、「その時、そのひとつひとつの響きが私の心の奥底にこだまするような鐘の音が聞こえてきた」とするのは、訳し上げです。関係代名詞 whose は限定用法で、通常前にコンマがありません。昔はこのような場合、「～するところの」という訳し方で訳し上げるのが普通でした。

　でも、この文を「その時、鐘の音が聞こえてきたが、そのひとつひとつの響きが私の心の奥底にこだました」と、英語の語順に沿って訳しても、まともな日本文になりますね。これが訳し下げです。どちらがよいかは、好み次第でしょうが、せっかちな現代の感覚では、訳し下げた方が、情報が早く伝わるので好まれるでしょう。訳し上げる方法だと、「そのひとつひとつの響きが私の心の奥底にこだまする」と訳すのを聞いている間、あるいは読んでいる間、「何の話なのかな？」と待たされて苛々する場合があるかもしれません。

　訳し下げが成功した例を、もうひとつ見ましょう。

After walking about three miles we crossed a long bridge under which muddy water swirlingly flowed from the mountainous regions where it had rained very heavily the previous night.
「私たちは五キロほど歩いてから、長い橋を渡った。橋の下には、前夜豪雨の降った山岳地帯から出てくる濁流が渦巻くようにして流れていた」

　ベテランの翻訳者の中村保男氏の訳です。もしこれを訳し上げていたら、

どうなるでしょうか。やってみましょう。「我々は五キロほど歩いた後、前夜に雨が激しく降った山岳地域から渦巻きながら濁流がその下を流れている長い橋を渡った」となります。この場合は、訳し下げた方が、達意な日本語になることを認めない人はいないでしょう。

It was only after many hesitations that he told me the truth. これはいわゆる it…that の強調文であり、その訳し方は、that 以下から先に訳す、と教わった人が多いでしょう。つまり、「彼が真相を語ってくれたのは、何度もためらったあげくのことだった」としたものです。これでも立派な日本語かもしれませんが、本当にそうでしょうか？ 試しに、英語を知らない老人がもし近くにいらしたら、尋ねてみて下さい。「分かるけど、ちょっと変な日本語だね」という答えが返ってくるでしょう。一方、頭から訳し下げると、「何度もためらったあげく、やっと彼は真相を話してくれた」となり、誰にとっても、すっと頭に入る訳文になりませんか？

一方、訳し上げるのが適切な場合もあります。**Man is the only creature that is gifted with speech.**「人間は神に言語を与えられた唯一の生物である」、**We admire the skill with which the carpenters have built this beautiful house.**「大工たちがこの美しい家を建てた腕前には感心する」などです。

A white dog was seen yesterday near the police-box in front of the bus stop. これを「昨日、白い犬がバス停前の交番の近くで見られました」と訳すよりも、「白い犬が昨日目撃されたのは、バス停前の交番近くでした」とした方が自然で音調もいいですね。

原文と同じ順に沿って訳して不具合がない場合は、訳し下げればよいです。ただここで注意しておきますが、英語を聞く場合は、英語の順に従って理解するのが望ましいでしょうが、翻訳の場合は、英語を知らない読者にとって読みやすい日本語を書くのだというのを念頭に置きましょう。英語と日本語のように違いの多い言語の間では、原文の順にこだわるより、訳文が自然で読みやすいということを優先させるのが当然です。

コンテクスト

文脈とか前後関係とか訳されているコンテクストは、翻訳ではとても大事な用語です。今さら説明する必要もないほど、精読や翻訳を話題にする

時頻繁に用いられていますが、念のため、簡単に説明しておきましょう。

　まず日本語の場合から。ある母親が、小学4年生の息子が国語のテストで間違えたのを嘆いていました。空所補充形式のテストで、「蛙の子は（　　　）」の解答に息子が（おたまじゃくし）と書いたからです。

　さて、国語の問題というコンテクストでは、蛙が正解ですが、理科の問題なら、いかがでしょう？　おたまじゃくしが正解で、蛙は誤りになりますね。理科の学習というコンテクストでは、蛙こそ誤りなのです。

　英語に慣れるために、精読に並行して多読が要ると聞いていると思います。多読するには、平易な文章で書かれた本が適切ですね。私も高校時代に、使用された語彙が2000〜3000語までの英文で語られた小説、ディケンズの『二都物語』を夢中で読んだ経験があります。知らない単語が一頁にひとつくらいしかなければ、コンテクストから意味の見当がつくので、いちいち辞書を引いて、興味を削がれてしまうことはありませんでした。

　英文精読や翻訳の場合、知らない単語があれば、まず英和辞書を引きます。ところがひとつの英語の単語に対して、いくつもの意味が出ていて、その中のどれがコンテクストから見て適切かを選ぶのが結構難しいというケースは、誰でも経験していることでしょう。ある翻訳を読んでいたら、「プリンストン大学のスミス教授（後大統領）」という記述がありました。大学教授でアメリカ大統領になった人はいるかもしれませんが、スミス大統領というのは聞いたことがありません。原書を見たら、案の定、presidentの誤訳だと判明しました。大学関係者だというコンテクストから「学長」という訳語を選ぶべきでした。常識に欠ける訳者だと思わざるをえません。

　コンテクストをしっかり見据えないと誤訳をします。私自身の経験です。**My landlady took the empty siphon, swept the room with a look to see that it was tidy, and went out.** 主人公の青年がロンドンの高級な下宿屋に住んでいた時の話です。「おかみは空になったサイホンを取り、丁寧に部屋を掃除して出て行った」と訳しました。これは誤訳でした。問題はsweptで、これには「掃除した」の他に、「見まわす」という意味もあるのです。「おかみ」と訳したのですが、女性の下宿経営者のことであり、下

仕事をするメイドを雇っていて、階級制度の厳しかった当時のイギリス社会では、仕事の分担が決まっています。こういう背景、コンテクストから考えれば、「見まわした」と訳すべきでした。誤りに気づき、再版では訂正しました。「部屋がきちんとなっているのを確認した」というのが正しいのです。

　もうひとつ。イギリスのある港で、昔は海外からの珍しいお土産品が入手できました。そのことについてある世慣れた紳士が、**We were able to get beautiful parrots at the port, brought by the sailors. And what a vocabulary!** と言って、にやりとします。さて、この vocabulary はどういう意味でしょうか。フェイバリット英和辞典には、「語彙（ある専門分野、職業、階級に属する人や、個人によって使用される単語全体：集合的に用いる）」と説明されていて、He has a large vocabulary.「彼は語彙が豊富だ」という例文などが出ています。実は、これは相当力のある学生からなるゼミで尋ねて、誰も正解しなかったのです。コンテクストとしては、オウムは人真似が巧み、船乗りは荒くれ男が多く下品な言葉を使う、紳士がにやにやして発言した、などです。これらのヒントから考えます。さて、考えた結果は？
　はい、オウムは、南海の島からイギリスの港までの船中で船員の下品な言葉遣いを覚えてしまったのです。ということで、「何という下品な言葉を喋ったものだ」が正解です。「何と多くの言葉を喋ったことだろう！」と訳した学生もいましたが、彼の真面目さが誤訳させたのでした。

　以上の例は、コンテクストの読みが深ければ正解が得られたと言えるのですが、正直言いますと、こんなこともあります。コンテクストは正しかったのですが、イディオムの知識がなかったせいで誤訳した例です。これも、実は私の経験です。
　ある気の弱いアメリカ青年が、好意を寄せた人妻と再会しようとしています。その時、彼女が夫と不仲だという噂を耳にして、再会をためらいます。その理由は、そのような状況で再会するのは、**fishing in troubled waters** だからだ、というものでした。さて、これは何でしょうか？　文字通りだと「荒れた海で魚釣りをする」というのですから、波にさらわれる

ので危険だということではないでしょうか。

　青年は臆病で「君子危うきに近寄らず」を信条とするタイプですから、そのコンテクストから推測すれば、この解釈で正しいと私は思いました。しかし、ある人に注意されて、辞書を引くと、「火事場泥棒」「混乱に乗じて利益を得ようとする」「漁夫の利」という意味の熟語だと分かりました。これなら、青年が人妻の夫との不仲につけ込んで、彼女と親しくなろうと図る、というのですから、より適切な解釈だと言えます。

　コンテクストから正確な意味が分かる、というのには違いないのですが、その場合も多くの慎重さが要ると言えます。私と同じように、読者の皆さんも、勘違い、読み間違いなどが何度あっても、そのたびに進歩するのですから、めげずに前進してくださいね。

求める意味が辞書にある

　前項では、知らない単語、熟語があっても、コンテクストから意味を推察することも可能だと述べました。面白い本を読んでいて筋の展開を早く知りたくて、辞書など引かずに読み進める場合もあるでしょう。

　しかし、正しい翻訳を志すのであれば、辞書に頼らなくてはなりません。ある英米小説の翻訳家で、「辞書はあまり使わない。物語に深く入り込めば、おのずから意味が分かるものだ」と豪語している人がいました。この人の訳は読みやすいのですが、抜かした箇所はあるし、誤訳がいくつもありました。

　日本の英和辞典の出来栄えは見事です。大中小、たくさん出版されていますから、互いに競い合って、版を重ねるごとに進歩してゆきます。これは、英語人口が多いので可能なことなのです。例文のない、単語帳のような辞典は別ですが、学習用の見出し語五万語ほどの辞典があれば、まず不自由しないで翻訳の作業をすることが可能でしょう。最近のものは、had betterは「目上には失礼だ」などのミニ情報も実に豊富に載っています。畏友浅野博君が編集したので、私はフェイバリット英和辞典をいつも手元に置いています。小説やエッセイの翻訳の場合、もちろん英英辞典や大型の英和辞典も使いますが、95％まではその辞典で足ります。後述するsport「突然変種」も、ちゃんと出ています。

インターネットで無料で使える辞書Weblioなども親切にできています。しかも日進月歩で、**I couldn't agree more.** の訳が、以前は「もっと同意できなかった」だったのに、今は正確に「大賛成だ」となっています。

　辞書での調べ方を、実例で述べます。
　Elizabeth appeared in a close fitting riding habit. このhabitを「癖、習慣」と訳す人はまずないでしょうね。この文では合致しそうもない、と考えて手元の英和辞書を引くでしょう。辞書には「体にぴったり合った乗馬服」だと出ています。紙の辞書なら、どんな小型の英和辞典でも出ています。スマホなどでは、主要な意味の「癖、習慣」しか載せていないこともあるかもしれませんから、注意しましょう。

　Sex has nothing to do with the ability to learn. という文は、どう訳せばいいでしょうか。「セックスは学習能力と無関係だ」と訳して、事足りたと思った人がいるかもしれません。でもそれは誤りで、正しくは、「性差は学習能力と無関係」です。辞書を引けば、たとえスマホで調べても、すぐ分かるでしょう。sexのように、日本語になっていて、よく知っているつもりの単語の場合は、よけいに注意しなければなりません。
　単語、熟語の意味を調べる場合、もう何度も述べたように、コンテクストが大事です。文が単独で出てくる場合は少なく、普通は話の中で出てくるものです。例文も、アリスという女生徒が、高校の物理の授業で、成績がよくて皆が感心している場面での発言です。「物理は男子が得意だと言うけど、関係ない、アリスの例で性差があるというのは嘘だと分かった」と言うのです。だから、そういうコンテクストで出てきたsexの意味が「セックス」のはずがないのは、容易に納得できますね。

　次の例は、もうちょっと厄介です。
　英文学についてのエッセイにあったものです。英文学の傑作『嵐が丘』の特質を論じる中で、「かのリーヴィス博士もその名著『イギリス小説の伝統』の中で、『一種の気晴らしである』と述べている」という文があったのです。情熱的な恋愛を描いた作品が気晴らしとは？と不思議に思い、原書に当たったところ、***Wuthering Heights* is a kind of sport.** とありました。

sportにも多くの意味があります。辞書を引いてみると、あまり使わない意味なので項目の下の方に、「（動植物の）突然変異」と出ていました。これが正解です。リーヴィス博士は英国小説の伝統を論じていて、その伝統から外れて突然出現した作品として、『嵐が丘』を捉えたのです。「気晴らし」と誤訳した学者も、多少変だと思ったのか、「気晴らし」の意味を拡大解釈して、つじつまを合わせようとしていましたが、何よりも「コンテクストに合致する訳語を探すべき」のイロハを、まず実行すべきでした。

　こんな経験があります。もう半世紀も前のことです。知り合いのアメリカ人のエルマー先生と話をしている時、私の先輩のことを先生が話題にしました。面白い話をする感じのよい青年だけど、**He makes quite a few mistakes in his talk.** というのです。当時の私はquite a fewを直訳して「まったく少ない」という意味だと思いました。しかし、先生は先輩のおかしな英語を滑稽だと思っているのが窺われました。その上、先輩は英会話が苦手だと私は知っていました。こういうコンテクストから、quite a fewには、私は知らないけれど「多くの」という意味があるはずだな、と見当をつけました。帰宅して辞書を引きました。しかし、家中の辞書を調べても載っていないので失望しました。コンテクストから、私の考えで正しいと思っていましたが、確証が欲しかったのです。

　幸い、それから数年して、「多くの」の意味が出ている辞書の改訂版が出ましたので、嬉しかったです。現在では全ての英和辞典、英英辞典に出ています。この場合のように、ある単語に、コンテクストから考えて当然あるはずの意味が辞書にない場合、時には自分で考え出すしかありません。日本の英和辞典はどれも素晴らしいものですから、そんなことは決して多くないのですけれども。

　最後にもうひとつ。**The father narrowed his eyes at the sight of his sons fighting each other.** 息子が喧嘩しているのを見て、父はどう反応するでしょうか。「目を細めて喜ぶ」父は、どこにもいないでしょう。事実、どの辞書にも「眉をひそめる」と出ています。

求める意味が辞書にない

　前項の最後でも述べたように、単語や熟語の適切な意味が辞書に見つか

らないことも時にはあります。辞書が改訂された後なら載っているかもしれませんが、それでは今の役には立ちません。その場合は、コンテクストから推論して、訳語を自分で考え出すしかありません。

My dear friend, have you made another mistake? という文では、My dear friend という表現はどんな意味を持つのでしょうか。辞書では「親愛なる友」とか、手紙の冒頭の「拝啓」とか説明されています。しかし、私の求める意味は見つかりません。friend でなくても、aunt でも、Tom でもよいのです。むろん、文字通り「親愛なる」と好意を示している場合もありますが、抗議するときの冒頭の言葉として使われている場合がもっと多いというのが、私の経験からの印象です。ヘンリー・ジェイムズの小説やシャーロック・ホームズ物、モームの劇や小説で見る例では、相手を叱ったり、たしなめたりする時に頻繁に使われているのです。

　そこで、私は my dear を「ダメじゃあないか」と訳すことにしています。上の文も、「ダメじゃあないか、またしくじったのかい」と訳すのが適切だと思っています。目上の人にも、My dear aunt「そんなことおっしゃっても」と使えるのです。

　次の例です。communicate はコミュニケーションの動詞ですから、「意思疎通する」という意味であるのは、誰でも知っていますね。でもそれでは原文に合致しないことがあったのです。

To many of these people the great loss was the loss of language——that they could not say what was in them to say. They could, of course, manage to communicate, but just to communicate was frustrating.

　マラマッドというアメリカ人作家の「ドイツからの亡命者」という短編小説の冒頭の文です。They は、第二次世界大戦前にドイツからアメリカに亡命してきたインテリのユダヤ人たちのことです。訳してみると、「これらの中の大部分の人にとって、最大の損失は言葉の損失、つまり言いたいことが言えないことだった。もちろん、意思疎通はできたが、ただ意思疎通ができるだけでは、欲求不満に陥る」となります。でも普通は、意思疎通ができれば、満足するのではないでしょうか。ですから、ここでのcommunicate は、やや異なる意味で使われていそうですね。そう、「日常

的な生活で話が通じる」ということを意味しているとしか考えられません。大きな辞書でも、「日常生活で話が通じる」という意味は出ていませんが、そのように解釈しなくては、論理が通りませんから、スムーズな日本文に訳すこともできません。

　もうひとつの例も、私自身が経験したことです。
『英語青年』（研究社）で英文和訳練習欄を担当した時、雑誌Timeからよく出題しました。そのひとつで、担当した21年間で投稿者からもっとも質問が多く寄せられたのがこれです。
　　In the last generation of the 20th century, all revolutions are local. Technology assures whatever struggle occurs——in the streets, the factories, the schools——it reaches living rooms all over the world.
　普通に訳せば、「20世紀の最後の世代では、あらゆる革命はローカルである。いかなる争いが起きても——通りでも、工場でも、学校でも——それは世界中の居間に届くことを技術が保証する」となります。
　問題はローカルですね。「局所的」ですから、例えばフランス革命は、フランスという地域的なものだ、ということです。ところが、それが技術の進歩のおかげで、つまりテレビやインターネットなどの進歩のおかげで、世界の居間に届く、とは一体どういうことでしょうか？　たしかにお茶の間のテレビで世界中の争いなどの出来事が見られます。だとすれば、どこの革命も「国際的に知れ渡る」とでもいうなら理解できますが、逆に「局所的」になるとは？
　このように疑問が湧くのが当然でしたから、投稿者から原文に誤植か何かあるのではないか、理屈に合わないから、という質問が殺到しました。
　結論を述べましょう。誤植ではありませんでした。local newsと言えば、町役場でいつも愛想よく尻尾を振っていた犬が仔犬を五匹生んだ、というようなお茶の間的な身近な情報です。ローカルには「身近な」「近所のことのような」という意味合いがあるのです。「身近な」と訳せば、論理の通じる訳文ができます。
　しかし、どの英和辞書にも、この意味は出ていません。『英語青年』の全国の投稿者が全員熱心に辞書を調べたのですから、どの辞書にも載っていなかったと断定できます。ローカルの箇所だけ訳し直すと、「あらゆる

革命は身近なものとなる」とすれば正解です。また、「あらゆる革命は地元で起きた革命と同じ影響を及ぼす」と説明的な意訳にすれば、これも原文の意味を正しく伝えていますね。

　辞書に詳しいある友人が、「身近な」という意味を改訂版で載せるように提案しましょうかね、と言っていたので、いずれ載るかもしれません。しかし、そこまでする必要はないかもしれませんね。考えてみれば、翻訳の訳語がうまく英和辞典にそのまま載っているというのは、むしろ珍しいのです。英語と日本語の間に一対一の関係があるわけでない以上——そのように誤解している人もいますが——翻訳では、英和辞典に頼りながらも、コンテクストに合致する訳語を自分で考え出すことが多くあるのです。

　長くなりましたが、求める意味が辞書になくても、正確でスムーズな翻訳に到達する方法の一例を示しました。

　さて、自分の求める意味が辞書にない場合のために、その手助けになる素晴らしい本があるのをご存知でしょうか。なんと、「辞書にない訳語の辞書」を標榜する書物があるのです。院でのクラスメートだった中村保男君の遺作『新装版英和翻訳表現辞典』（研究社、2019）です。著者本人が挙げている好例ですが、at large という熟語は、「犯人がまだ捕まっていない、逃走中、拘束されていない、自由だ」などと辞書にあるのですが、それを中村氏は「野放しになっている」と簡潔に、しかもよく使う自然な日本語にしています。辞書ではないので網羅的に全ての単語を拾っているわけではありませんが、820頁もあり、例文が豊富でもあり、驚くほど便利な本です。よく単独で、こんな見事な例をこんなに多く集めたものだと、感嘆します。

描出話法

　物語の中などで、作中人物が思ったり感じたりしたことを、たとえば、**He said to himself, "Mary is very kind."** という直接話法や、**He thought that Mary was very kind.** という間接話法で述べないで、**Mary was kind.** とだけ書くことがあります。作者による客観的な描写でなくて、作中人物の主観的な心理が地の文に書いてあるのです。これが描出話法（Represented Speech）と呼ばれるもので、フランス語では自由間接話法といいます。

江川§315「中間的な話法」にある例文を見てみましょう。

At midnight there was a light tap on her door. Who could it be? She began to feel uneasy, for she was sure there was no one else in the house.

この文では、真ん中の Who could it be? が描出話法です。全体を翻訳すれば、「夜中にドアを軽くノックする音がした。一体誰かしら。彼女は不安になった。家には自分以外には誰もいるはずがないのに」となりますね。

もっと長い例を出します。ある小説の冒頭です。

Mr. Tench went out to look for his ether cylinder. A few vultures looked down from the roof with shabby indifference: he wasn't carrion yet. A faint feeling of rebellion stirred in Mr. Tench's heart. One rose and flapped across the town towards the river and the sea. It wouldn't find anything there: the sharks looked after the carrion on that side.

誤訳 テンチ氏はエーテル入りのシリンダーを取りに出て行った。数羽の禿鷹が薄汚く無関心に、屋根の上から見下ろした。彼はまだ屍肉ではなかった。僅かな反抗心がテンチ氏の心で動いた。禿鷹が一羽飛び立って、川と海の方へと飛んで行った。そこで何も見つけないであろう。その周辺では鮫が屍肉の世話をした。

正訳 テンチ氏はエーテル入りのシリンダーを取りに出て行った。禿鷹が数羽、薄汚く無関心に屋根の上から見下ろした。こいつ、まだ死んで腐ってないな、ふん。僅かに何くそという気持ちがテンチ氏の心に浮かんだ。禿鷹の一羽が飛び立って町を越えて川と海の方に羽ばたいて行った。そっちへ行ったって、何もあるもんか。そっちの屍肉はな、鮫がちゃんと処分するからな、ざまみろ。

禿鷹とテンチ氏の心中を、地の文章で書いた描出話法を無視した訳にしてしまっては、誤訳だと言えます。メキシコを舞台にしたグレアム・グリーンの小説『権力と栄光』の冒頭で、みすぼらしい歯科医が屍肉をあさる禿鷹に毒づく場面です。

もう一例、モームの "Escape"「家探し」という短編からです。

Roger begged her to have patience; somewhere, surely existed the very house they were looking for, and it only needed a little perseverance and they would find it.

ここでは、somewhere から最後までが描出話法です。翻訳すれば、「ロジャーは辛抱してくれと頼んだ。きっとどこかに僕らが捜しているような家があるに違いないさ。ちょっと我慢すればいいんだ。そうすれば見つかるさ」となります。

描出話法を見分ける方法のひとつは、この例のように、wasn't、wouldn't などの省略形があることです。本人が直接小声で語っている感じですから、自然に会話風になるのです。とはいえ、そうなっていない場合も多くあります。ある文が描出話法か否かの判断は、ある程度まで訳者に任されています。私の経験では、見落とす人の方が多いので、特に心理を描いている場面では「これは描出話法じゃないかな」と推測する習慣をつける方がよいと思います。

関係詞

名詞表現が好きな英語では、名詞の後に、関係代名詞、関係副詞、接続詞を使って、その説明を長々と加えることがよくあります。この訳し方のコツを学んでおきましょう。「訳し上げ下げ」の項目で述べたことと、重なる部分が多いことを断っておきます。

さっそく実例です。**It may be the manner in which moths flutter in so abruptly out of the night that terrifies us.** を、「我々を怖がらすのは、蛾が突然闇の中からひらひら飛び込んでくる（ところの）様子だ」と直訳したのでは、ぎこちないと思います。説明調ですし、「我々を怖がらすのは」を最初に出した段階で、読者の頭の中には各人の怖いものが無意識に浮かんでしまい、次のフレーズへと素直に入っていけなくなるのです。「蛾が突然闇の中からバタバタと飛び込んでくるところが、我々には怖いのだろう」と訳せば、自然な表現ですし、誰でもすぐ理解できるでしょう。

That all men are equal is a proposition to which, at ordinary times, no

sane human being has ever given assent.「全ての人が平等であるというのは、普通なら、常識のある人なら同意したことのない命題だ」という訳でも通じますけど、ぎくしゃくしています。「全ての人が平等である」ということが誰の考えなのか、分からないまま話が進んでしまっています。そこで、「命題」ということを明示して、「人が皆平等だという命題は、普通は、まともな人なら誰一人認めたことのないものです」とすれば、一度読んですぐに頭に入りますね。

One ant can always tell, by some means which we do not yet quite understand, whether another one belongs to its own nest or not.「今のところ人間にははっきり分かっていない何らかの方法によって、ある蟻は別の蟻が自分の巣に属するか否かを常に告げることができる」という訳だと、which以下が理解の邪魔になり、全体として述べられているポイントが曖昧になりませんか？　一方、「蟻は何らかの方法で自分以外の蟻が自分の巣に所属する仲間かどうか常に見分けることができる。人間には、この方法のことはまだはっきり分かっていない」と挿入句を独立させると、曖昧さはかなり減ります。

We deplore the extent to which Mt. Fuji has been commercialized on every souvenir.「富士山があらゆる土産品に商業化されている程度を嘆く」が直訳になります。英語らしい表現ですから、英語母語者なら誰もが瞬時に理解できますが、日本の読者には意味不明です。どうしても「嘆かわしいことに、富士山はひどく商業化されて、ありとあらゆるお土産物に描かれている」と意訳せねばなりません。内容を咀嚼して、相当する日本語を考えましょう。

Love of flattery, in most men, proceeds from the mean opinion that they have of themselves; in women, from the contrary.「お世辞好みは、男の場合、男が自分自身について抱く低い評価から生じる。女の場合は逆である」と訳したのでは、何のことか判然としないのではありませんか。関係代名詞that以下を訳し上げたせいで、曖昧さが生じました。これも、一度原文の意味を把握してから分かりやすい日本語にほどいてみることが大切で

す。関係詞の文は、修飾関係がハッキリしたら訳を再構築するくらいの気持ちでいましょう。「お世辞を言われるのが好きなのは、男性の場合は、自分を低く評価しているせいであり、女性の場合は、自分を高く評価しているせいだ」なら納得できるでしょう。

最後に三つの関係代名詞、接続詞の that がある文を見ます。Mother Teresa の言葉です。

I have come more and more to realize that it is being unwanted that is the worst disease that any human being can ever experience.「『必要とされぬこと』というのが、およそ人が経験しうる最悪の病気だとますます気づくようになりました」という訳で正しいでしょうか。It……that の強調文であるのは明らかですが、間に入る箇所を間違えているのではありませんか？　もっと意味深いことを述べているはずですから。that any human being can ever experience「およそ人が経験できるかぎりの」が、the worst disease「最悪の病気」を先行詞とする形容詞句だというように、構文を考えればよいのです。こう考えて訳せば、「次第に気づくようになったのですが、『必要とされぬ』という状態こそ、およそ人間が経験しうる最悪の病なのです」となります。

無生物主語

Her pride did not allow her to behave that way. の訳として、「プライドがそう振る舞わせなかったのだな」という日本語は、昔は意味は分かるにしても奇妙だと感じる人が普通でした。ですので、「プライドのせいで」とか「プライドがあるので」と訳すように指導したものでした。でも今は、このような直訳を実際に使う日本人も少なくないと思います。

また、無生物主語の訳し方一般も、私の経験では、日本人学習者の扱いは上手になってきています。ここでは、いくつかの代表的な例文を挙げるにとどめておきます。まず申し上げておきたいのは、英語は名詞、日本語は動詞好きということです。それを頭に入れておきましょう。

The omission of your name from the list was an oversight. の直訳は「リストからのあなたのお名前の漏れは見落としでした」です。英語では極め

て自然な表現ですが、日本語では変です。「リストからあなたのお名前を抜かしたのは見落としでした」と、omission を動詞形 omit に変換して訳すと、スムーズな表現になります。「意図的でなかった」と弁明しているのです。

Her charm of manner made her very popular. は、「彼女は態度が何となく人を引きつけるので非常に人気があった」とすれば自然な日本語ですが、「彼女の物腰の魅力」を直訳で主語にしたのでは、ぎこちない訳になるでしょう。

Long experience as a salesman had taught him to sell things to people who did not want them.「セールスマンとしての長年の経験で、欲しくない人に品物を買わせるコツを彼は心得ていた」。この平明な訳と「セールスマンとしての長年の経験が彼に、品物を、それを欲しがっていない客に売るコツを教えた」という訳を較べましょう。無生物主語の場合、日本人の多くがやってしまいがちな訳ですね。人を主語にした方が分かりやすい日本語になるという例です。

All attempts at persuasion could not bring him to share our views.「どう説得してみても、彼を我々の意見に同調させるのは無理だった」。この場合も、「説得のあらゆる努力」を主語にしたのでは、分かりやすい訳文にならないでしょう。隠れた主語 we を抜き出して、「（我々が）どんなに説得してみても」とする必要があります。

His admiration for her beauty blinded him to her faults.「彼女の美への賛美が、彼女の欠点に対して彼を盲目にした」より「彼女の美しさに心を奪われて、彼には欠点が目に入らなかった」の方が分かりやすいですね。これも隠れた主語 He を入れて、「（彼は）彼女の美しさに心を奪われた」と理解してから、P.270で述べたように代名詞「彼」を抜いているのです。

形容詞の比較級と否定語

これは、江川先生の名著で何故か詳しい解説のない事項ですので、ここで補わせていただきます。日本人にはなかなか馴染めない表現でして、間

違うことが多いので要注意です。

聞いた話ですが、相当に英語を勉強した日本の女性が英語を母語とする男性と親しくなり、ある時のデートで "**I couldn't love you more.**" と囁かれて、一瞬ぎょっとしたとか。愛されているという確信があったので、「大好きだよ」と言われたはずだと分かっていましたが、一瞬「もう愛していない」と否定的なことを言われたのかと解釈してしまったそうです。

同じように、日英間での貿易の交渉の場で、ある通訳が英側の発言、**We couldn't agree more.** を「同意できません」と誤訳しました。その発言をしたイギリス人が穏やかな微笑を浮かべていたので、本当は「同意します」と言っているのだろうと、日本側は見当をつけることができましたが、同席していた畏友神田欣之助君は一瞬ぎょっとしたそうです。

イギリスのウィリアム王子に第二子が誕生した時、王子は、**We couldn't be happier.** と集まった記者たちに言いました。「こんな嬉しいことはない」「この上なく幸せです」という意味であるのは明白です。

以上の三つの例は、いずれも仮定法の丁寧用法のcouldが使われていました。王子の発言は、「仮に幸福なことがあるとしても、今よりもっと幸福なんてありえない」という意味合いです。控え目な、謙虚な言い方です。

仮定法でない場合もあります。

No more stupid apology for pain has ever been devised than that it elevates. elevates「高める」は、他動詞なのに目的語が省略されていますね。補えば、「人の心、人間」です。なくても分かるからというので省略されているのですが、翻訳では補った方がいいですね。「苦痛が人間を向上させるなどというぐらい愚かしい苦痛の弁護は、これまで考え出されたことがない」と訳せば、理解しやすいですね。

There can seldom have been a greater need than now of a critic of authority, for the arts are at sixes and sevens. 否定語はseldomです。「いまだかつて、今以上に権威ある批評家が必要とされる時代はありえない。それは今日、諸芸術が滅茶苦茶な状態にあるからだ」で分かりますね。比較されているものを取り違えると、「権威ある批評家がもっとも必要だ」と誤ってしまうので、要注意です。ちなみに、at sixes and sevens は「ごちゃごちゃになって」という意味のイディオムです。

We hear it often said that ignorance is the mother of admiration. No falser word was ever spoken. 前文は「無知は称賛の母、とよく言う」で問題ないのですが、後文は、「もっと誤った言葉は決して語られたことがない」と直訳したのでは、何のことか分かりません。あるべき翻訳は、「これくらい誤った発言はない」、「これはひどく間違った発言だ」です。

最後に、最上級も入った文を読みましょう。

Not the least of the Zoo's many attractions is their inexhaustibility. There is always something new, and――what is not less satisfactory―― there is always something old that you have previously missed. 冒頭に最上級と否定語、真ん中の挿入句に比較級と否定語がありますね。前者は「最少でなく」→「結構大きな」であり、後者は「より小さいのではない」→「それに劣らず」という意味です。全体の翻訳は、「動物園の持つ数多い魅力の中で、結構見逃せない魅力のひとつは、無尽蔵だということだ。いつ行っても常に新入りの動物がいるし、さらに――このことがそれに劣らず嬉しいのだが――前からいるのに以前は見逃した動物がきっといることである」ということになります。

比較級と否定語の結びつきでは、**I couldn't care less.**「私は少しも気にしない」、**A whale is no more a fish than a horse is.**「鯨が魚でないのは、馬が魚でないのと同じである」、**He is no younger than I am.**「彼は私より決して若くない」、**The shop has changed hands no less than three times during the past two years.**「あの店はここ二年間で三回も経営者が変わった」など、一瞬、肯定か否定か迷う表現がいくつもあります。迷ったら、コンテクストで見当をつけるのが安全です。

諺、慣用句、金言、引用

The old man has kicked the bucket. は、「老人はくたばった」という意味になります。「バケツを蹴飛ばす」のがどうして「死ぬ」と等しいのでしょうか。それは、kick the bucket が俗語、卑語で「くたばる、おだぶつになる」という意味のイディオムだからです。かなり以前に、スタンリー・クレイマー監督の *It's a Mad, Mad, Mad, Mad World* という喜劇映画を見まし

た。ある場面でこの熟語に出会いました。事故にあった老人が倒れ、取り囲むようにして多数の人が集まってきました。すると老人が置いてあったバケツを蹴飛ばし、すぐに動かなくなったのです。人々はそれを見て、にやにやしたり笑ったりしたのです。私はどこがおかしいのか分からず、帰宅してから辞書を調べたら、この意味があったので、ようやく笑えました。熟語としての意味を知らなければ、「蹴飛ばした」と訳すのは当然ですね（この熟語の起源は諸説ありますが不明です）。

　英語には無数のイディオムがあり、それを知らないと誤訳することが非常に多いのです。正直に告白しますが、私なども、しばしば意味を知らない熟語に出会って、いくら長年勉強して来てもまだまだ知らない熟語があったのか、とがっかりしています。知らなければ辞書に手を伸ばしましょう。英語に熟語が多いということを悟ってほしいので、印象的な例としてこの話をしました。

　何冊も刊行されている誤訳を指摘する書物の多くは、翻訳者が熟語としての意味を知らずに犯した誤訳の実例をネタにしています。熟語の中には、例えば、put up が「持ち上げる」という意味であるように、すぐに見当がつく場合もあるのですが、どうしてそのような意味になるのか想像がつかないものも多く存在します。get along with you が「仲良くする」という意味であるのは分かりますが、「黙れ、馬鹿者」という意味もあるのは不可解です。put up with がどうして「我慢する」という意味になるのでしょう？give up が「諦める」という意味だというのも、知っていればいいものの、どうしてそんな意味になるのでしょうね。全て自分にとって未知の新語として覚えるしかありません。

　私の狭い経験ですが、アメリカ留学中に現地の平均的なアメリカ人で試したことがあるのですが、皆私の知らない熟語の意味をちゃんと知っていました。「いつまで勉強しても知らない単語や熟語があるので、困惑する」という嘆きは、英語学習につきものです。「日常会話は1000語くらいしか使わないのだから、中学で覚えた単語で足りる」という人がいますが、いい加減な発言です。kick と bucket は知っていても、kick the bucket の意味は分かりません。繰り返しますが、未知の新語として覚えるしかないのです。英文に接して、自分の知っている単語の意味ではなさそうだと気づい

たら、すぐに辞書に手を伸ばすしかありません。その癖を、この熟語の話を機に身につけて下さい。

I am going to see a man about a dog. 変な言い方ですね。一体何のことかと思って辞書に当たれば、すぐに判明します。男性が言いたくない用事、多くは洗面所に行く時などに、「ちょっと失礼させて頂きます」と断る場合の決まり文句です。

The rest is silence. これはシェイクスピアの『ハムレット』で王子が死の直前にもらす言葉で、「残りは言えぬ」と翻訳するのが普通ですが、知らないと、「休息は沈黙」と誤訳しかねません。

Tomorrow is another day. これは『風と共に去りぬ』の最後で、運命に負けそうになったヒロインのスカーレット・オハラが頑張って言う言葉です。「明日は明日の風が吹く」というのが相応する諺のようです。知らないと、「明日は別の日だ」などと直訳してしまいそうです。

諺には日英で類似のものが多いのは事実です。ただ仔細に検討すると微妙な違いがあることもあります。「大佐の奥方」の翻訳でも、こんなことがありましたね。**It's no good crying over spilt milk.** は「覆水盆に返らず」と同じだとされているけれど、結局大佐夫妻は離婚しないので、その訳を使わず、「済んだことは済んだこと」と訳したのです。このような慎重さは必要ですけれど、翻訳する場合に諺の知識は必須です。さもないと **People will talk.** を「人の口に戸は立たぬ」とせずに、「人々は語るだろう」などと誤訳してしまいますから。

背景となる知識は、英語の翻訳に必須です。日頃から聖書やシェイクスピアなどの古典に触れておき、さらに、何かあるのかな？　自分の持たぬ知識が要るのかな？と疑った場合には、必ずインターネットなどで調べる癖をつけておきましょう。

仮定法

I could be justly blamed if I saw only people's faults and were blind to their virtues. I am not conscious that this is the case. モームのこの文のように、典型的な仮定法らしい主節も if 節があれば、翻訳の面で問題ないで

すね。「私が人の欠点ばかり見て、長所には目をつぶっているというのなら、非難されても仕方ないと思う。だが、そんなことはしていない」と訳すのは容易です。

　しかし、翻訳でしばしば仮定法の訳し方が問題になるのは、if 節の部分が隠れている場合が多いからです。**To hear him talk, you might take him for a great thinker.** を、「話しているのを聞くだけだと、彼が偉大な思想家だと勘違いするかもしれない」と訳せますか。これは不定詞に仮定が隠れているのです。

　同じく **I would give anything to know her identity.** も「彼女の正体を知るためであれば」という仮定が to know 以下に隠されていますね。give anything は、anything の代わりに the world、the kingdom、あるいは one million dollars などが来ることもあります。「〜のためなら、どんな不可能なことでもする」という直訳から推察できるように、「是が非でも〜をしたいものだ」という意味になります。

　The ideal society would enable every man and woman to make the most of their inborn abilities. を、「もし理想社会が実現すればの話だが、男性も女性も全て生得の能力を最大限まで発揮できるだろうに」と正しく訳せますか。主語に仮定が隠れていますよ。

　You might have jumped in the river at once and saved my dog. これは私が恨みの might と呼んでいるものですが、「すぐ川に飛び込んで犬を救ってくれればよかったのに」と訳せます。「それが可能であったならば」という気持ちが言外にありますね。might には「かもしれない」という意味もありますから、その場合の訳し方も述べておきましょう。

　よく似た少女が二人いた場合、他人は **The two kids may be twins.**「双子かもしれないな」と言うでしょう。でも少女たちが実際はそうでないと知っている人なら、**The two kids might be twins.** と言います。どう訳せばいいでしょう？　「双子と言っても通るくらい似ている」ではどうでしょうか。

　Could we know all the vicissitudes of our fortunes, life would be too full of hope and fear to afford us a single hour of true serenity. この冒頭は、if

が省略されたので倒置構文になっているのですね。ifの省略による倒置は本来文語体なのでしょうが、頻度は高く英米の雑誌でよく見ますので、見逃さないでください。「自分の運命の浮き沈みの全てを、もし知り得たとすれば、人生はあまりにも希望と恐怖にあふれてしまい、一時たりとも心が休まることがなくなるであろう」と訳せばいいです。

　さて、仮定法という名称ではありますが、仮定以外に、丁寧、遠慮、控え目なども表すことがあるのは知っていますね。英語にも敬語はもちろんあるのですが、仮定法が大きな役割を果たしているのです。たとえば、目上の人に向かって、「中に入って下さい」と言う場合、**Would you step in, please?** と言えばよいのです。心得その1でも述べたように、日本の中学段階で、**Will you step in, please?** と言えばよいと教えているのは誤りです。**May I borrow this book?** なら「この本借りていい？」ですが、**Might I borrow this book?** なら「このご本、お借りしていいでしょうか？」になります。

　I should think he is a bit too serious. はI thinkに比べて遠慮がちですから、「彼、ちょっと真面目すぎるんじゃあないかしら」という訳が適切でしょう（「考えるべき」でないので要注意）。**I should have thought you'd like to know what people thought about your pictures.** は、作品を見せたがらない偏屈な画家への言葉です。「人があなたの絵をどう思うか、いくらあなただって知りたいだろうと思ったんですがねえ」くらいなら、控え目な助言の感じが出るでしょうか。「仮にあなたが考えればのことですが」というような、if節が隠れています。

　How many of us could face having our reveries automatically registered and set before us? ここでは、having以下にif節が隠れています。「記録され目の前に～されたとしたならば」の部分です。全体は「もし頭の中で考えていることが自動的に記録されて目の前につきつけられたとしたら、我々のうち幾人がそれに堪えられるだろうか」という訳になります。修辞疑問ですね。

擬態語、品詞・態の転換など

　春になると、我が家の花壇にカエル君がひょっこり現れます。冬眠から目覚めたのでしょうが、「ひょっこり」という擬態語が様子を的確に表しています。そう思って、ふと以前ある学生が訳読の時間にこの言葉を使ったのを思い出しました。英米の短編だったと思います。原文はunexpectedlyでした。英和辞書には「突然、思いがけず、急に、意外に、いきなり」まではありますが、「ひょっこり」はありません。私も他の学生たちも「ピタリのよい訳だな」と感心しました。

　そこで、**An old friend of mine unexpectedly visited me the other day.** のこなれた訳文は「先日、旧友がひょっこり訪ねてきた」になります。**Mother gave a warm welcome to her guest from abroad.** も、「母は外国からの客をいそいそと出迎えた」とすれば、ただ「温かく」とするより雰囲気が生き生きしませんか？　日本語に豊富にある擬態語の使用は、訳文を生き生きとさせるのに効果的であることが多いので、適宜使いましょう。

　Life is not about surviving the storm; but how to dance in the rain. この文を理解するには、まずaboutの用法を知らねばなりません。What is life about? という表現は、「人生で大切なものは何か」という意味です。そして、dance in the rain は、嵐の時のような大雨の最中に、それに負けずに頑張る生き方のたとえです。そこで、負けずに生きるという原文のニュアンスを出すために「明るく踊る」と訳してみました。「めげずに踊る」もいいでしょう。このように補足して明瞭な日本語を書くのも、翻訳には必要です。

　Visitors to the shop are always impressed by the way they are welcomed by the shopkeeper. この are impressed も are welcomed も、受動態のまま訳すよりも、能動態に変換して訳すほうが滑らかになるようです。自分で試してみて下さい。たとえば「その店の客がいつも感心するのは、店主がとても温かく歓迎してくれることだ」と訳せばいいですね。

　品詞の転換も、よい訳文を書くのに有効な場合があります。
It was not a serious bite. It was the sudden, nervous speed with which Tom withdrew his hand which caused the damage. トムが犬に噛みつかれ

た時のことで「大した嚙み方ではなかった」のですが、ある事情で大きな怪我になった、というのです。直訳すると「ダメージが大きくなったのは、トムの手の唐突で神経質な引き方のせいだった」になります。これではぎくしゃくしていて、普通の自然な日本語とは言えません。後半 nervous speed 以下を「トムが不安になって突然さっと手を引いたためだ」と動詞を使えば、解決します。このように、日本語が滑らかではないと感じたら、名詞を動詞的にしてみたり（「引き方」→「引いたため」）、形容詞を副詞的にしてみたり（「唐突で神経質な速さの」→「不安になって突然にさっと」）、品詞の転換を試みるのも手です。

Our narcissism is forever crying out against the wounds of those who want to criticize us.「自分のナルシズムは、我々を批判したがる人々の傷に対して絶えず抗議し続ける」というのが直訳ですね。「人々の傷」というのは何のことでしょうか。本来 wound は、wounding「傷つけること」と being wounded「傷つけられること」の両方の意味があります。ここではコンテクストから判断して、人々が我々を傷つける、ということですから、名詞 wounds を動詞的に使って、「傷つけられること」と言い換えるのが適切です。つまり「自己愛のせいで、人は他人に批判され、傷つけられることに対して、絶えず抗議の声をあげている」が適切な訳になります。

I am not an industrious sight-seer, and when guides urge me to visit a famous monument I have a stubborn inclination to send them about their business.「私は熱心な観光客ではない。ガイドが有名な記念物を見に行くように促すと、彼らをお払い箱にする頑固な傾向が私にある」と直訳できます。She is a poor sailor. を「下手な船乗り」でなく「船酔いする」と訳すのと同じように、名詞 industrious sight-seer を「熱心に名所を見るほうでない」と訳したいですね。「私はせっせと名所巡りをするほうではない。ガイドにどこそこの有名な記念物を見に行こうとしつこく勧められると、うるさいと頑固に追い払いがちである」とすればいかがでしょう。「代名詞の省略」（P.271）の項で紹介した外山滋比古ばりになったでしょうか。

Young men want to be faithful and are not; old men want to be faithless

and cannot. 誰に対して貞節なのか、隠されているのは、恋人とか妻ですね。形容詞のままで、「〜に対して誠実なままでいる」と訳しても、意味は明瞭ですが、「裏切る」と動詞にしてみると、さらに分かりやすい日本語になります。「若い男は女を裏切らぬようにと望むが不可能であり、老人は裏切りたがるが、無理だ」としてもいいし、さらに、young men を「若い時には」と関係副詞に変えてもいいですね。

What a nice boss he is! He always shifts the responsibility to me. における nice が、反語であるのはコンテクストからすぐに分かりますね。nice を辞書で引くと、（しばしば反語、皮肉で使う）と断ってあります。I like that. という文も、（しばしば逆の意味で使う）と記されています。このように注記されていない言葉でも、イントネーションやコンテクストで、皮肉な使い方だと分かることがあります。すると、訳は「あの人は何てご立派なボスだろう！　いつだって責任をぼくに転嫁するんだからな」となります。

He came with a girl who he said was his cousin. 挿入句を見分けるには、原文の構造を検討して前後から浮き上がった箇所、前後から独立した箇所を見つけるのがコツですね。ここでは he said（彼が言うには）がそれです。「彼が一緒に来た若い女性は、いとこだという話だった」と訳せばいいでしょう。

　同様に、**A great many people feel concerned as you do about the future of the world.** も、as you do が挿入句だと気づかないと、「世界の未来に関して、あなたと同じように心配している人は非常に多い」と訳せないでしょう。ただし、多くの場合は、挿入句の前後にコンマや括弧、ダッシュ（棒線）があるので、見分けやすいのです。たとえば、**If the mayor is expelled, it was argued, this city would be a paradise.** は「市長が追放されれば、この町は極楽となるなどという議論がなされた」と、すぐに分かりますよね。

He found himself kneeling alone in the high grass, beside an ancient and moss-grown tomb.　英語の習慣で、まず大まかに述べ、次に細かく述べる、

というのがあります。**He stuck me on the head.** では、まず大まかに「体」、次に具体的に「頭」となっています。これを知らないと、ここも「彼はふと気がつくと、自分はたったひとり古い苔むした墓のかたわらの背の高い草原でひざまずいていた」と誤訳してしまいます。正しくは「背の高い草原で、古い苔むした墓のかたわらに」です。

特別編

　最後に原文の翻訳というより、原文の内容に相当する日本語を当てるのが適切な特殊例を挙げましょう。時に必要であり、時に有効ですので。

　夏目漱石が英語の授業で学生が **I love you.** を「我君を愛す」と直訳したら、「日本人がそんな台詞を口にするものか。『月が綺麗ですね』とでも訳しておけ」と教えたと伝えられています。「愛する」という言葉が自然に響かなかった昔の話ですから、漱石の教えは日本語で「普通に使う言葉で訳す」べきだという点と、もうひとつ「代名詞を使うな」という助言でもあったのかもしれません。二葉亭四迷は「死んでもいいわ」と訳したと伝えられています。昔は「好きよ」などというのは、花柳界の女性だけだったのです。

　Homer sometimes nods. これは古代ギリシャの優れた詩人であるホメロスといえども、時にうたたねすることがある、という意味の諺です。「猿も木から落ちる」、「弘法にも筆の誤り」、「河童の川流れ」などと似ています。知らないとnodの通常の意味である「同意する」として、誤訳してしまうでしょう。なお、この文を翻訳する時、「猿も木から落ちる」を用いるのは結構ですが、「河童」を使うと、「あれ、英米にも河童はいたかな？」と揶揄されるかもしれませんよ。

　Who Killed Kennedy? 新聞記事などの見出しです。ケネディー大統領を殺害した犯人は誰か、という意味であり、そのようにしか翻訳できないかもしれませんね。でもこの英語を見たら、平均的な英米人ならすぐピンとくることがあるのです。子供の時から馴染んでいる『マザーグースの唄』の中でも有名な、Who Killed Cock Robin? という唄のもじりだからです。スズメが大きなコマドリの雄を殺したというのですが、大きなコマドリをどうして殺害できたのか、真犯人は他にいるのではないか、という謎です。この表現は、それだけで事件の複雑さを暗示します。「ケネディー殺害の

謎を追う」とでも訳せば、日本人の読者にもニュアンスが伝わるかもしれません。

長文に挑戦

　ここまで、短い例文についてテクニック別に解説してきましたが、短い文を覚える習慣ができたところで、最後に長めの文に挑戦してみませんか？　好き嫌いもあるでしょうから、性格の異なる名文を三つ挙げましょう。これまで覚えた翻訳のコツをフルに活用する絶好の機会です。でも「こんなに長いの覚えるなんて無理だ！」と一瞬思うかもしれませんが、内容は面白くてためになる名文ですし、声に出して読んでみるととても口調がよいのです。試してみて下さい。意外に覚えられるものですよ。

For the most wild, yet homely narrative which I am about to pen, I neither expect nor solicit belief. Mad indeed would I be to expect it, in a case where my very senses reject their evidence. Yet, mad am I not——and very surely do I not dream. But tomorrow I die, and today I would unburden my soul. (Edgar Allan Poe: "The Black Cat")

　最初の文を直訳すると、「私がこれから書こうとしている非常に野蛮な、しかし平凡な物語のために、（読者が）信じることを期待もしないし、またお願いもしない」となります。belief を「信念」「信仰」などでなく、believe の派生語として「信じること」と考えるのがコツです。

　次の文は、強調のために形容詞が冒頭に置かれていますから倒置文です。また仮定法であり、どこに if が隠れているかと問い、不定詞 to expect it を「仮にそれを期待するならば」と訳すのが正しいと判断できたでしょうか。**my very senses reject their evidence** という文は、じっくり考える必要があります。「他ならぬ自分自身の五感が、自分の証拠を拒否する」というのは、具体的には、たとえば目が見たものを「これは違う」と言って拒む、つまり「こんなことはありえない」と判断するということです。

　最後の文では、明日のことであるのに、現在形の die が使われているのに注目しましょう。この語り手は実は死刑囚であり、明日刑が執行されるので、未来であっても確実だから、現在形を用いるのです。ここの would は「現在の強い意志」を示すやや特殊な用法です。and は「それだから」

ですね。unburden my soul は「自分の魂から重荷を取り去って軽くする」です。

　では翻訳してみましょう。「これから語ろうとする、極めて凶暴な、しかし非常に家庭的な物語を、読者に信じてもらおうとなど、期待もしないし、願いもしない。自分自身の五感が自らの証拠を全て否定するような場合にあって、人に信じて貰おうなどと仮にも期待するとすれば、狂人でしかないからだ。だが私は狂っているのでもないし、夢を見ているのでもない。ただ、明日死ぬ身なのだ。だから今日の中に心の重荷を除きたいのである」となります。

Schooling is perhaps the most universal of all experiences, but it is also the most individual. No two schools are alike, but more than that——a school with two hundred pupils is two hundred schools, and among them, almost certainly, are somebody's long remembered heaven and somebody else's hell. (James Hilton: *Goodbye, Mr. Chips*)

　冒頭のschoolingは、通信講座の「スクーリング」でなく、一般的な「学校教育を受けること」を指します。universalとindividualとは、それぞれ「普遍的、万人共通である」と「個別的、個人差がある」という意味であり、本来は対立した形容詞です。しかし、ここでは両面があると説かれています。万人共通に学校に通うのであるけれど、その思い出は千差万別だと言うのです。このように全体の意味合いを推察できれば、「200人の生徒のいる学校は200の学校だ」という一見奇妙な表現が納得できるでしょう。まずは細かな点に拘らずに全体を数回読んで見当をつけ、それから細部に目を向ける読み方が有効な文ですね。そのようにして、heavenとhellの箇所の訳も、自然とできてくるでしょう。

　では訳します。「学校に通うということは、人間のあらゆる経験の中で、おそらくもっとも万人に共通のことかもしれないが、同時にまたもっとも個人差があるもののひとつでもある。ふたつと同じ学校は存在しないが、話はそれに留まらない。200人生徒のいる学校は200の学校である。学校を長く忘れえぬ天国と思う者もいれば、また同じ学校を地獄だと思っている者もいるのは、まず確実である」でいかが。

Of those who have written on spring, few have been censorious or even lukewarm. The poets seem to be incapable of realism when once the name of the season is mentioned, and write as though white hairs and stiffened joints ceased to exist about the beginning of April. (Robert Lynd: "The Rites of Spring")

　最初の Of は、few of those の順序が逆になっただけで、「の中では」だと分かりましたね。「春について書いた人たちに関して」などと誤訳しないで下さい。censorious は「非難がましい」で、lukewarm は「生ぬるい、熱意がない」という意味です。

　次の incapable of realism を直訳で済まそうとする人は、もういないでしょうね。「写実主義が不可能」という訳では、何のことかよく分かりません。春を賛美するのに夢中になって、世の中には、青春の只中の若者だけでなく、老人も存在するという現実の姿を描けなくなる、ということですね。white hairs と stiffened joints が「老齢、老人」のことだと理解するのは、ちょっと考えれば分かることだと思います。the name of the season は spring の言い換えですから、単純に「季節の名」と直訳してはいけません。

　では翻訳します。「春を論じた人たちの中には、春を非難した人は、いや春について生半可な褒め方をした人さえも、極めて少ない。詩人は、いったん春という名を聞くやいなや、真実を写すことができなくなるようで、まるで白髪とかこわばった関節とかいうものが四月の初め頃には存在しなくなったかのような書き方をする」でよく通じるでしょうか。

代名詞の省略

31. She washed her face with her hands.

32. Where is my pen?

訳し上げ下げ

33. The juggler keeps his hands in his pockets as he plays the trick.

34. She gained very pleasant experiences there which she could not forget.

35. And then I heard a bell whose every vibration found an echo in my innermost heart.

36. It was only after many hesitations that he told me the truth.

37. Man is the only creature that is gifted with speech.

38. We admire the skill with which the carpenters have built this beautiful house.

代名詞の省略

31. 妹は、ちゃんと両手で顔を洗ったのよ。

32. ママのペンどこかしら？

訳し上げ下げ

33. 手品師は両手をポケットに入れたままで手品を見せる。

34. 彼女はそこでとても楽しい経験をして、忘れられなかった。

35. その時鐘の音が聞こえてきたが、そのひとつひとつの響きが私の心の奥底にこだました。

36. 何度もためらったあげく、やっと彼は真相を話してくれた。

37. 人間は神に言語を与えられた唯一の生物である。

38. 大工たちがこの美しい家を建てた腕前には感心する。

39. A white dog was seen yesterday near the police-box in front of the bus stop.

コンテクスト

40. My landlady took the empty siphon, swept the room with a look to see that it was tidy, and went out.（20 世紀初頭のイギリスでの話です）

41. We were able to get beautiful parrots at the port, brought by the sailors. And what a vocabulary!
（荒くれ船乗りたちが連れてきたオウムに対して、紳士がひとこと）

求める意味が辞書にある

42. Elizabeth appeared in a close fitting riding habit.

43. Sex has nothing to do with the ability to learn.

44. *Wuthering Heights* is a kind of sport.

45. He makes quite a few mistakes in his talk.

46. The father narrowed his eyes at the sight of his sons fighting each other.

39. 白い犬が昨日目撃されたのは、バス停前の交番近くでした。

コンテクスト

40. おかみは空になったサイホンを取り、部屋がきちんとなっているのを確認してから出て行った。

41. 港で船乗りが持ち帰った綺麗なオウムが入手できた。だが、すごく下品な言葉を喋ったよ。

求める意味が辞書にある

42. エリザベスは体にぴったり合った乗馬服を着て現れた。

43. 性差は学習能力と無関係だ。

44. 『嵐が丘』は一種の突然変異である。

45. 彼は会話で多くのミスを犯す。

46. 息子たちが喧嘩しているのを見て、父は眉をひそめた。

47. My dear friend, have you made another mistake?

48. They could manage to communicate, but just to communicate was frustrating.

49. In the last generation of the 20th century, all revolutions are local.

描出話法

50. At midnight there was a light tap on her door. Who could it be? She began to feel uneasy, for she was sure there was no one else in the house.

51. One vulture flapped towards the river and the sea. It wouldn't find anything there: the sharks looked after the carrion on that side.

52. Roger begged her to have patience; somewhere, surely existed the very house they were looking for, and it only needed a little perseverance and they would find it.

47. ダメじゃあないか、またしくじったのか。

48. 日常生活に必要な話はまあ通じたが、それだけでは、欲求不満になる。

49. 20世紀も最後の世代になると、あらゆる革命は身近なものとなる。

描出話法

50. 夜中にドアを軽くノックする音がした。一体誰かしら。彼女は不安になった。家には自分以外には誰もいるはずがないのに。

51. 一羽の禿鷹が川と海に向かって羽ばたいて行った。そっちへ行ったって、何もあるもんか。そっちの屍肉はな、鮫がちゃんと処分するからな、ざまみろ。

52. ロジャーは辛抱してくれと頼んだ。きっとどこかに僕らが捜しているような家があるに違いないさ。ちょっと我慢すればいいんだ。そうすれば見つかるさ。

53. It may be the manner in which moths flutter in so abruptly out of the night that terrifies us.

54. That all men are equal is a proposition to which, at ordinary times, no sane human being has ever given his assent.

55. One ant can always tell, by some means which we do not yet quite understand, whether another one belongs to its own nest or not.

56. We deplore the extent to which Mt.Fuji has been commercialized on every souvenir.

57. Love of flattery, in most men, proceeds from the mean opinion that they have of themselves; in women, from the contrary.

58. I have come more and more to realize that it is being unwanted that is the worst disease any human being can ever experience.

53. 蛾が突然闇の中からバタバタと飛び込んでくるところが、我々には怖いのだろう。

54. 人がみな平等だという命題は、普通は、まともな人なら誰一人認めたことのないものです。

55. 蟻は何らかの方法で自分以外の蟻が自分の巣に所属する仲間かどうか常に見分けることができる。人間には、この方法のことはまだはっきり分かっていない。

56. 嘆かわしいことに、富士山はひどく商業化されて、ありとあらゆるお土産物に描かれている。

57. お世辞を言われるのが好きなのは、男性の場合は、自分を低く評価しているせいであり、女性の場合は、自分を高く評価しているせいだ。

58. 次第に気づくようになったのですが、「必要とされぬ」という状態こそ、およそ人間が経験しうる最悪の病なのです。

59. The omission of your name from the list was an oversight.

60. Long experience as a salesman had taught him to sell things to people who did not want them.

61. All attempts at persuasion could not bring him to share our views.

62. His admiration for her beauty blinded him to her faults.

形容詞の比較級と否定語

63. I couldn't love you more.

64. We couldn't agree more.

65. We couldn't be happier.

66. No more stupid apology for pain has ever been devised than that it elevates.

59. リストからあなたのお名前を抜かしたのは見落としでした。

60. セールスマンとしての長年の経験で、欲しくない人に品物を買わせるコツを彼は心得ていた。

61. どう説得してみても、彼を我々の意見に同調させるのは無理だった。

62. 彼女の美しさに心を奪われて、彼には欠点が目に入らなかった。

形容詞の比較級と否定語

63. すごく愛しているよ。

64. 大賛成です。

65. この上なく幸せです。

66. 苦痛が人間を向上させるなどというぐらい愚かしい苦痛の弁護は、これまで考え出されたことがない。

67. There can seldom have been a greater need than now of a critic of authority, for the arts are at sixes and sevens.

68. We hear it often said that ignorance is the mother of admiration. No falser word was ever spoken.

69. Not the least of the Zoo's many attractions is their inexhaustibility.

70. The shop has changed hands no less than three times during the past two years.

諺、慣用句、金言、引用

71. The old man has kicked the bucket.

72. I am going to see a man about a dog.

73. The rest is silence.

74. Tomorrow is another day.

75. People will talk.

67. いまだかつて、今以上に権威ある批評家が必要とされる時代はありえない。それは今日、諸芸術が滅茶苦茶な状態にあるからだ。

68. 無知は称賛の母、とよく言うが、これくらい誤った発言はない。

69. 動物園の持つ数多い魅力の中で、結構見逃せない魅力のひとつは、無尽蔵だということだ。

70. あの店はここ二年間で三回も経営者が変わった。

諺、慣用句、金言、引用

71. 老人はくたばった。

72. ちょっと失礼させて頂きますよ。

73. 残りは言えぬ。

74. 明日は明日の風が吹く。

75. 人の口に戸は立たぬ

76. I could be justly blamed if I saw only people's faults and were blind to their virtues.

77. I would give anything to know her identity.

78. The ideal society would enable every man and woman to make the most of their inborn abilities.

79. You might have jumped in the river at once and saved my dog.

80. The two kids might be twins.

81. Could we know all the vicissitudes of our fortunes, life would be too full of hope and fear to afford us a single hour of true serenity.

82. Might I borrow this book?

83. I should think he is a bit too serious.

84. I should have thought you'd like to know what people thought about your pictures.

76. 私が人の欠点ばかり見て、長所には目をつぶっているというのなら、非難されても仕方ないと思う。

77. 是が非でもあの女の正体を知りたいものだ。

78. もし理想社会が実現すればの話だが、男性も女性も全て生得の能力を最大限まで発揮できるだろうに。

79. すぐ川に飛び込んで犬を救ってくれればよかったのに。

80. あの子たち、双子と言っても通るくらい似ている。

81. 自分の運命の浮き沈みの全てを、もし知り得たとすれば、人生はあまりにも希望と恐怖にあふれてしまい、一時たりとも心が休まることがなくなるであろう。

82. このご本、お借りしていいでしょうか。

83. 彼、ちょっと真面目すぎるんじゃあないかしら。

84. 人があなたの絵をどう思うか、いくらあなただって知りたいだろうと思ったんですがねえ。

85. How many of us could face having our reveries automatically registered and set before us?

擬態語、品詞・態の転換など

86. An old friend of mine unexpectedly visited me the other day.

87. Mother gave a warm welcome to her guest from abroad.

88. Life is not about surviving the storm; but how to dance in the rain.

89. Visitors to the shop are always impressed by the way they are welcomed by the shopkeeper.

90. It was not a serious bite. It was the sudden, nervous speed with which Tom withdrew his hand which caused the damage.

91. Our narcissism is forever crying out against the wounds of those who want to criticize us.

85. もし頭の中で考えていることが自動的に記録されて目の前につきつけられたとしたら、我々のうち幾人がそれに堪えられるだろうか。

擬態語、品詞・態の転換など

86. 先日、旧友がひょっこり訪ねてきた。

87. 母は外国からの客をいそいそと出迎えた。

88. 人生で大事なのは嵐を切り抜けることではなく、嵐の中でいかに明るく踊るかである。

89. その店の客がいつも感心するのは、店主がとても温かく歓迎してくれることだ。

90. 犬の噛み方は大したことはなかった。怪我が大きくなったのは、トムが不安になって突然さっと手を引いたためだ。（名詞→副詞）

91. 自己愛のせいで、人は他人に批判され、傷つけられることに対して、絶えず抗議の声をあげている。（名詞→動詞）

92. I am not an industrious sight-seer, and when guides urge me to visit a famous monument I have a stubborn inclination to send them about their business.

93. Young men want to be faithful and are not; old men want to be faithless and cannot.

94. What a nice boss he is! He always shifts the responsibility to me.

95. He came with a girl who he said was his cousin.

96. A great many people feel concerned as you do about the future of the world.

97. He found himself kneeling alone in the high grass, beside an ancient and moss-grown tomb.

92. 私はせっせと名所巡りをするほうではない。ガイドにどこそこの有名な記念物を見に行こうとしつこく勧められると、うるさいと頑固に追い払いがちである。（名詞→動詞、名詞→副詞）

93. 男というものは、若い時は女を裏切らぬようにと望むが不可能であり、老齢になると女を裏切ろうと望むが無理だ。（形容詞→動詞）

94. あの人は何てご立派なボスだろう！　いつだって責任をぼくに転嫁するんだからな。

95. 彼が一緒に来た若い女性は、いとこだという話だった。

96. 世界の未来に関して、あなたと同じように心配している人は非常に多い。

97. 彼はふと気づくと、自分はたったひとり背の高い草原で、古い苔むした墓のかたわらにひざまずいていた。

98. For the most wild, yet homely narrative which I am about to pen, I neither expect nor solicit belief. Mad indeed would I be to expect it, in a case where my very senses reject their evidence. Yet, mad am I not—and very surely do I not dream. But tomorrow I die, and today I would unburden my soul.

99. Schooling is perhaps the most universal of all experiences, but it is also the most individual. No two schools are alike, but more than that— a school with two hundred pupils is two hundred schools, and among them, almost certainly, are somebody's long remembered heaven and somebody else's hell.

100. Of those who have written on spring, few have been censorious or even lukewarm. The poets seem to be incapable of realism when once the name of the season is mentioned, and write as though white hairs and stiffened joints ceased to exist about the beginning of April.

98. これから語ろうとする、極めて凶暴な、しかし非常に家庭的な物語を、読者に信じてもらおうとなど、期待もしないし、願いもしない。自分自身の五感が自らの証拠を全て否定するような場合にあって、人に信じて貰おうなどと仮にも期待するとすれば、狂人でしかないからだ。だが私は狂っているのでもないし、夢を見ているのでもない。ただ、明日死ぬ身なのだ。だから今日の中に心の重荷を除きたいのである。

99. 学校に通うということは、人間のあらゆる経験の中で、おそらくもっとも万人に共通のことかもしれないが、同時にまたもっとも個人差があるもののひとつでもある。ふたつと同じ学校は存在しないが、話はそれに留まらない。200人生徒のいる学校は200の学校である。学校を長く忘れえぬ天国と思う者もいれば、また同じ学校を地獄だと思っている者もいるのは、まず確実である。

100.春を論じた人たちの中には、春を非難した人は、いや春について生半可な褒め方をした人さえも、極めて少ない。詩人は、いったん春という名を聞くやいなや、真実を写すことができなくなるようで、まるで白髪とかこわばった関節とかいうものが四月の初め頃には存在しなくなったかのような書き方をする。

おわりに

　ささやかな著書ですが、執筆に際して多くの人々のお世話になりました。江川先生、別宮先生からのご厚意は「はじめに」に記しましたが、その他にも過去現在に接した多くの方々、書物にも多大の恩恵を受けています。

　「はじめに」で告白したように、私は、長いことコツをあまり意識することなしに多数の英米小説やエッセイを翻訳してきました。英文の意味が本当によく理解できさえすれば、翻訳まではもう一歩に過ぎないと思っていたのです。しかし本書では、翻訳術という題名に嘘があるのは許されませんので、読者を翻訳の現場にご案内し、コツをお伝えしようと図り、いろいろ工夫しました。

　第一部では精読と翻訳の学習に最適の作品を選んで、精読から翻訳への過程を具体的に示し、第二部では翻訳心得をエッセイ風に書き、コツを集約した例文集を暗記するように読者に勧めました。本書全体を通して、これまでの翻訳における私自身の失敗例と成功例をフルに活用しました。

　試訳、翻訳を制作するためには、教室で接した様々な学生たちや、月刊誌『英語青年』の翻訳教室への投稿者たちが、私に示してくれた悪例と良例が大いに参考になりました。本書の試訳、翻訳は、こうした実例に基づくのですから、架空の想像の産物ではありません。

　それに加えて、編集者の方々の親身な協力も欠かせませんでした。読者に成り代わって質問と助言をして下さいました。試訳から翻訳への道程で、たとえば、私が受動態を能動態に変換した場合、「これこれの理由があったのでは？」と、私自身意識していなかったことを指摘して下さいました。指摘は常に的確でした。編集者の方々の強力な協力がなければ、ここまで身近に、読者に翻訳の実際を体験して頂くことはできなかったでしょう。

　第一部の作品論については畏友吉村信亮氏と妻恵美子から助言を得

ました。第二部の執筆に際しては、東大での教え子であった河島弘美、平島よう子、西川健誠の三氏から例文の提供を受け、本全体の構想について助言を得ました。

　また本書全体の執筆では以下の書物にお世話になりました。記して感謝いたします。

朱牟田夏雄『英文をいかに読むか』（文建書房、1959）

朱牟田夏雄『翻訳の常識』（八潮出版社、1979）

上田勤『現代英文の解釈と鑑賞』（金星堂、1959）

上田勤・行方昭夫『英語の読み方、味わい方』（新潮選書、1990）

佐々木高政『和文英訳の修業』（文建書房、1952）

佐々木高政『新訂英文解釈考』（金子書房、1980）

江川泰一郎『英文法解説』（金子書房、1953、1964、1991）

外山滋比古『英語の発想・日本語の発想』（NHKブックス、1992）

別宮貞徳『翻訳読本』（講談社現代新書、1979）

別宮貞徳『誤訳迷訳欠陥翻訳』（文藝春秋、1981）

別宮貞徳『誤訳辞典』（日本翻訳家養成センター、1983）

別宮貞徳『翻訳と批評』（講談社学術文庫、1985）

別宮貞徳編『翻訳』（作品社、1994）

別宮貞徳『特選誤訳迷訳欠陥翻訳』（ちくま学芸文庫、1996）

別宮貞徳『実践翻訳の技術』（ちくま学芸文庫、2006）

別宮貞徳『ステップアップ翻訳講座』（ちくま学芸文庫、2011）

納谷友一・榎本常彌『モームの例文中心英文法詳解』（日栄社、1970）

原仙作・中原道喜『英文標準問題精講』（旺文社、1933、1999）

河野一郎『翻訳のおきて』（DHC、1999）

河野一郎『誤訳をしないための翻訳英和辞典改訂増補版』（DHC、2017）

長崎玄弥『奇跡の英語類語辞典』（DHC、2001）

中村保男『翻訳の秘訣』（新潮選書、1982）

中村保男『新装版英和翻訳表現辞典』（研究社、2019）

中村保男『英和翻訳の原理・技法』（日外アソシエーツ、2003）

安西徹雄『英文翻訳術』（ちくま学芸文庫、1995）

池上嘉彦『英語の感覚・日本語の感覚』（NHKブックス、2006）

中原道喜『誤訳の構造』（吾妻書房、1987）

中原道喜『誤訳の典型』（聖文新社、2010）

宮脇孝雄『翻訳の基本』（研究社、2000）

宮脇孝雄『英和翻訳基本辞典』（研究社、2012）

川本皓嗣・井上健編『翻訳の方法』（東京大学出版会、1997）

柴田元幸『翻訳教室』（新書館、2006）

柴田元幸監訳『英語クリーシェ辞典』（研究社、2000）

猪浦道夫『英語冠詞大講座』（DHC、2016）

山本史郎『東大講義で学ぶ英語パーフェクトリーディング』（DHC、2010）

山本史郎・森田修『英語力を鍛えたいなら、あえて訳す!』（日本経済新聞出版社、2011）

越前敏弥『日本人なら必ず誤訳する英文』（ディスカヴァー携書、2009）

真野泰『英語のしくみと訳しかた』（研究社、2010）

マーク・ピーターセン『ニホン語、話せますか？』（新潮社、2004）

　拙著ですが、本書と記述が重なる部分もあるので、ここに挙げておきます。

『英文快読術』、『英語のセンスを磨く』、『英語の発想がよくわかる表現50』、『英文の読み方』、『実践英文快読術』、『解釈につよくなるための英文50』、『身につく英語のためのAtoZ』いずれも岩波書店刊です。

　以上全ての方々のご協力を得て、ようやく本書は誕生しました。心からお礼申し上げます。

行方昭夫

大佐の奥方

訳・行方昭夫

この話は全て大戦の始まる二、三年前のことだ。

ペリグリン夫妻は朝の食事をしていた。家族は二人だけで細長い食卓についているのに、その両端に向かい合って座っている。壁の上から、いずれも当時の有名画家の手になる一家の先祖代々の肖像画が二人を見下ろしていた。そこに朝の郵便物を届けに執事が現れた。大佐宛てに手紙、と言っても仕事関係の手紙が数通と『タイムズ』、それに奥方のイーヴィ宛てに小包が一つあった。

主人は手紙をさっと見、それから『タイムズ』を開いて読みだした。夫妻は食事が済むと、食卓から立ち上がった。ふと見ると、妻はまだ小包を開けていない。

「その小包は何かね？」

「あ、本なのですよ」

「あけてあげようか？」

「ええ、お願いするわ」

夫は紐を切るのを好まなかったので、面倒でも、紐をほどいた。

「あれ、同じ本じゃないか！」包を開いて主人が言った。

「一体何だって、同じ本が六冊も要るんだね？」一冊開いた。「詩なのか」それから題名と著者名を読んだ。『ピラミッドが朽ちる時』E・K・ハミルトン著。イーヴァ・

キャサリン・ハミルトン。妻の旧姓だった。驚いたように微笑を浮かべて、妻を見やり「イーヴィ、本を書いたのかね？ 隅に置けない人だなあ」と言った。

「あなたにはあまり興味ないだろうと思ったものですからね。でもいかが？」

「そうだね、その通り、詩はよく知らないんだが、まあもらっておくとしよう。読んでみよう。書斎に持ってゆく。いや、今朝は忙しいなあ」

主人は『タイムズ』と手紙と本を抱えて、食堂を後にした。書斎は大きくて居心地のよい部屋だった。大きな机と、革の肘掛け椅子が数脚置かれ、いずれの壁にも「狩猟記念」と称する動物の頭部の剥製がかかっている。書棚に並んでいるのは、農業、園芸、釣り、狩猟の参考図書、それに自らが従軍して戦功十字勲章と殊勲賞を授与された、前大戦に関する図書であった。イーヴィと結婚する以前、ウェールズ近衛歩兵連隊所属の軍人だったのだ。終戦とともに退役し、地方の名士として、シェフィールドから二十マイルほど離れた村に落ち着き、先祖がジョージ三世時代に建てた広大な屋敷に暮らしていた。ジョージ・ペリグリンの地所はおよそ千五百エーカーもあったが、これを上手に管理している。また治安

判事としても、誠実に職務を果たしていた。狩猟のシーズンになると、週に二回、乗馬し猟犬を連れて狩りにでた。銃猟の腕は上々で、ゴルフも好きだし、テニスをやらせれば、もう五十歳を少し過ぎているのに、若い者相手で互角に戦えた。自分は万能選手だと自負しているが、事実その通りだ。

近年体重が増えてきたものの、それでもまだまだ恰好のいい体形を誇っている。背は高いし、白髪まじりの巻き毛の頭髪は、天辺が少し薄くなりだしただけだ。曇りのない青い眼をして、端正な顔立ちで、血色も申し分ない。世の中に役立つのが好きで、いくつもの地方団体の会長を引き受けている。階級と身分から当然のことで、保守党の忠実な党員だ。自分の土地の小作人たちが気持ちよく働けるように配慮するのが、地主の責任だと思っていたので、イーヴィに任せておけば、病人の面倒や貧しい者の世話など全てそつなくやってくれるのが有難かった。大佐は村外れに診療所を建て、看護師の給料は厚遇を受けた人々にはお返しとして、選挙の時、州の選挙でも総選挙でも、彼が応援する候補者に投票してもらえば、それでもう充分だと思っている。親しみやすい人柄で、目下の者に愛想がよ

く、小作人に親切で、近隣の紳士階級の間で人望があった。もし誰かに「あんたって、何ていい奴なんだろう」と言われたとしたら、さぞ嬉しがっただろうが、その一方で少々照れたであろう。正に図星であり、それ以上の賛辞など望んでいないのだ。

子供がいないのだけが不運だった。もしいれば、優しさと厳しさを持ち合わせた理想的な父親になったところだ。息子であれば、紳士の息子として理想的に育ててみせる。つまり、学校は無論イートン校に入れ、家では、魚釣り、猟銃の扱い、乗馬を直接教えてやるのだ。やむをえず、跡取りとしては、車の事故で亡くなった弟の倅、自分の甥に決めていた。この少年、悪い子というのではなかったものの、先祖代々の血筋を引く男らしい子でなく、むしろ正反対であり、おまけに、その子の母親は、呆れたことに、男女共学の学校に通わせていた。その点、イーヴィにひどく失望していた。もちろん、妻には美点がいくつもある。間違いなく淑女であり、自分名義の財産が少しあるし、家計の管理も手際が非常にいいし、パーティでの客のもてなしも申し分ない。村人からも慕われている。結婚当初は結構小柄な可愛い女性で、クリーム色の肌に、薄茶の髪で、すらりとした体型である

し、健康でもあるし、テニスなどもそこそこにやる。どうして子供ができないのか不可解だった。もちろん、今は老けてきて、四十五に手が届くところだ。肌はくすんできたし、髪はつややかさを失くし、ひどく痩せてしまった。今でも身だしなみがよく、常によく似合う服装をしていたが、自分が人の目にどう映るかなどまったく気にしない。お化粧はしないし、口紅さえぬらない。夜パーティなどのためにきちんと装うと、若いころは結構魅力的だっただろう、と分かるのだった。でも、普段はと言えば、そう、道ですれ違っても誰も振り向かない。むろん、よい人柄だし、良妻でもある。子供ができなくても彼女に罪はない。とはいえ、実子を跡継ぎにしたいと切望する男には、その点はとてもつらかった。そうだ、あの女には活気というものがまったくないな、そこが問題なのだ。求婚したときは、愛している気でいた。少なくとも、結婚して所帯を構えようと思う男にとって、これくらいで十分と思える程度には愛しているつもりだった。しかし時が経つにつれて、共通点があまりないと気づくようになった。彼女は狩猟に無関心だし、魚釣りには退屈してしまう。当然、二人は別々の道を歩むようになった。そうかと言って、夫に迷惑や手数を掛けたこと

は決してない。公平に言って、この点は大佐としても認めざるを得ない。夫の言葉に言い返すことなど一回もなかったし、夫が勝手気ままに振る舞うのは当然だと考えているようだった。大佐が時々ロンドンに出かける折にも、「あたしも一緒に行きたいです」などとは絶対に言い出さなかった。ロンドンに行けば若い女が待っていた。ま、もう三十五歳にはなっていたので、必ずしも若い女とは言えなかったかもしれない。でも、金髪で、色っぽく、予め上京の旨を連絡しておきさえすれば、食事を共にし、ショウを観て、一夜を共にできた。いけませんかね。でも、男子なら、普通の健康な男子なら、時には人生を楽しまねばなりませんよ。もしイーヴィがこんなに善良な主婦でなければ、ベッドを共にする妻としてましたかもしれない、という考えが頭に浮かぶことが時々あった。しかし、大佐として歓迎すべき考えでなかったので、いつも頭から追い払っていた。

ジョージ・ペリグリンは『タイムズ』を読み終えると、よく気が利く性分だったから、すぐベルを鳴らして、執事にイーヴィの部屋に持って行かせた。時計を見ると十時半で、十一時にはある小作人が来ることになっている。

4

そうだ、半時間ばかり余裕があるな。

「イーヴィの本を覗いておくことにするか」と大佐は思った。

薄笑いを浮かべながら詩集を手に取った。イーヴィは自室に高尚な本をたくさん置いていた。大佐が面白がる種類の本でなかったけれど、妻に面白いのであれば、好きに読んだらいいと彼は思っていた。ふと見ると、手にした書物はせいぜい九十頁くらいしかない小冊子だ。結構、結構だ。「詩は短くあるべし」という、かのエドガー・アラン・ポーと詩論に無知な大佐が同意見だったことになる。ところが、頁を繰ってみると、何とイーヴィの詩の中には、不規則な長さの長い行が並んだのもあれば、脚韻を踏んでいないものさえあった。これはおかしいぞ。詩といえば、子供の時に小学校で習った「少年は燃ゆる甲板に立てり」で始まる詩を思い出す。イートン校に進んでからは、「慈悲なき王よ、汝に破滅あれ」で始まる詩を教わった。さらに『ヘンリー五世』も一学期勉強した。思い出の詩作品と比較して、大佐はイーヴィの詩を呆れ顔で凝視した。

「これはいわゆる詩ではないな」

幸いなことに、全部が全部そんなふうというのでもな

かった。三語か四語の数行の次に十語ないし十五語の長い行がある、というような、見るからに奇妙な作品に混じって、もっとまともなものもあった。とても短い詩で、行は皆同じ長さだし、有難いことに、ちゃんと韻を踏んでいるようだ。頁によっては、ただ「十四行詩」という題名になっているものもあった。好奇心に駆られて行数を数えてみたら、ちゃんと十四行あった。それなら、と思って読んでみた。どういう内容であるか、よく分からない。「慈悲なき王よ、汝に破滅あれ」と暗誦してみた。

「イーヴィも可哀そうな奴だな」思わずため息がもれた。ちょうどその時、待っていた農夫が書斎に案内されてきた。本を置いて、愛想よく相手を迎えた。すぐに仕事の話が始まった。

「あの本、読んだよ」昼飯の席につく時、妻に言った。

「面白かった。あれ出版するのに大分金がかかっただろうね」

「それが運がよかったんですよ。出版社に送ったら、そこから出してくれましたから」

「とにかく、詩では儲からんからな」夫は親切に優しく言った。

「ええ、そうですね。今朝、バノックは何の用事でし
たの？」

バノックというのは、イーヴィの本を読んでいる時に
入ってきた小作人だった。

「血統書つきの雄牛を買いたいので、金を貸してくれっ
て言うのだ。いい奴だから、願いを叶えてやろうかと
思っているんだ」

ジョージ・ペリグリンは妻が例の本のことを話題にし
たがらないのに気づいたが、読んでいない大佐にとって
は持って来いのネタだった。あの本が人の噂になることはあり
えないだろうが、万一ということもあるので、妻が今の
姓を避けて、旧姓を用いてくれて助かった。どこかのへ
ぼ文士風情が新聞の書評で「ペリグリン夫人著の本」を
からかうようなことが生じたら、さぞや気分が悪いだろ
う。

珍しい名門の苗字が汚されるのは許せない。

それからの数週間、詩集のことは何も尋ねないのが賢
明だと思っていた。イーヴィのほうから話題にすること
も一切なかった。あたかも、不名誉な出来事だから、お
互いに触れまいと暗黙裡に同意したかのようだった。と
ころが、間もなく奇妙なことが起きた。大佐はロンドン
に行く用事ができて、ダフネを夕食に連れ出した。これ

が上京した際に、いつも連れ出しては愉しい数時間を過ご
す相手の女性だった。

「あのね、今世間で噂になっている本ねえ、あれ奥さん
が著者なの？」

「藪から棒に何を言うんだね？」

「知り合いに批評家がいるのよ。その人がこの間の夜、
夕食に誘ってくれたんだけど、その時、本を持っていた
わ。だから『あたしのために持ってきてくれたの？』そ
れどういう本？』と聞いたの。そしたら、『これは、君に
は向かないな。詩なんだ。今ちょうど書評のために読ん
でいるところなのだ』と答えたわ。『詩なら結構だわ』っ
て言うと、『読んだこともないような実にセクシーな本
だと言ってもいい。羽根が生えたみたいに、売れている。
そのくせ作品として一流だ』ですって」

「著者は一体誰なんだ？」

「何でもハミルトンという女性ですって。でもそれは本
名じゃあなくて、本当はペリグリンですって。『あら変
ねえ。ペリグリンっていう人なら知っているわよ』って
言うと、『陸軍大佐でね。シェフィールド近郊に住んで
いる』と言ったわ」

「私の名前を気軽に友人などの前で出さんで欲しかった

のに」大佐は苛立ち、不快な表情を見せた。

「まあまあ、ぷりぷりしないで！　大丈夫よ。あたしの対応のうまいの、知ってるじゃないの。『それじゃあ、違う人だわ』って言ったわ」ダフネはくすくす笑い出した。「その人ったらね、『噂じゃあ、その軍人は、漫画に出てくるそっくり返ったデブ大佐殿にそっくりらしいな』ですって」

大佐はそう聞くとニヤニヤした。

「ほう、そうかね。ダフネならもっと、本当のことが言えるとこだろうな」笑いながら言った。「いいかね、家内が本を書いたのだとしたら、まず私が最初に知るはずじゃあないか？」

「まあ、そうよね」

とにかくこの話に彼女は関心がなく、大佐が話題を変えると、もう忘れてしまった。大佐も忘れることにした。その批評家とかいう馬鹿者がダフネを担いだだけだ。その男からセクシーな本だと聞いて、ダフネが本を買い、開いてみたら、たわごとだと知って、がっかりする様子を想像して面白がった。

彼はいくつかのクラブに属していて、翌日はセント・

ジェームズ通りのクラブで昼食を取ろうと思った。午後早めの列車でシェフィールドに戻る予定だったのだ。食堂に行く前に、シェリーを飲みながら気持ちよい脇掛椅子に座っていると、そこに旧友が近寄ってきた。

「やあどうも、元気かい？　どんな気分かね、有名な女房の亭主になるっていうのは？」

大佐は友人の顔をじっと眺めた。何だか目が笑っているような気がする。

「分からないな、何のことやら」

「しらばくれるな。皆知っているんだぜ、E・K・ハミルトンが君の奥方だっていうのを。詩集があんなベストセラーになるなんて滅多にあることじゃあない。あのねえ、ヘンリー・ダッシュウッドと食事するところなんだが、彼、君に会いたいっていうんだよ」

「一体全体、そいつは何者なんだね、ヘンリー・ダッシュウッドとかいう奴は？　それに何だって会いたがるんだね？」

「ねえ君ったら！　田舎じゃあいつも何をしているんだね？　驚いたな、知らんのか。ヘンリーといえば、まあ当代切っての批評家だよ。イーヴィの本を激賞する書評を書いたのだ。まさか見せてもらってないって言うの

じゃあるまいな？」

ジョージが答える間もなく、友人は一人の男を差し招いた。長身で痩せていて、額が広く、あごひげを生やし、長い鼻に猫背という、大佐なら一目見て嫌いになりそうな男だった。お互いの紹介が済むと、ヘンリー・ダッシュウッドは座った。

「ひょっとして奥様もロンドンにいらっしゃいましょうか？　是非お目にかかりたいです」

「いいえ、家内は都会が嫌いでしてね。田舎のほうが好みです」ジョージはよそよそしい態度で答えた。

「私の書いた批評にとても丁寧な礼状をくださいました。正直言って嬉しかったです。何しろ、我々批評家というのは、感謝されるどころか文句ばかり言われていますからな。あの詩集にはただもう圧倒されています。とても初々しく、独創的で、極めて現代的でありながら曖昧さがない。古典詩でも自由詩でも、自由自在に書いておられる」それから批評家として褒めるだけでは足りないと思ったらしい。「音読すると、時に滑らかに音読しにくい箇所もあります。でも、その点は、完璧なエミリー・ディキンソンについてさえ同様なことが言えますよ。短い叙情詩の中には、かのランドー作だと言われれば、そうかもしれぬと思うものが数点あります」

ジョージ・ペリグリンには全て理解不能だった。こいつは不愉快なインテリぶった野郎そのものだ。そう思ったものの、礼節が身についていたので、褒められた礼を丁重に言った。しかし、ヘンリー・ダッシュウッドはそれがまるで聞こえなかったように喋り続けた。

「だがこの詩集を特異ならしめているのは、どの詩行にも情熱が脈打つことです。最近の若手の詩人連中は、誰も彼も、みな貧血症で、冷淡で、血潮がたぎっていないし、妙に知的で退屈ですよ。ところがどうでしょう、ここには赤裸々な生の情熱があるじゃありませんか！　むろん、このような深く誠実な感情は悲劇的です。いやいやあなた、ハイネが詩人は大きな悲哀から小さな詩を作る、と言ったのは至言でしたなあ。心を揺さぶる詩を一度読み、さらに読み返しながら、時々頭に浮かんだのはですな、何と古代ギリシャのサッフォーでしたよ」

大佐はここでもう耐えられなくなって、さっと立ち上がった。「ええと、家内のささやかな本をいろいろ褒めて頂き恐縮です。伝えてやれば、喜びましょう。ではこれで失礼いたします。列車に乗るので、その前に急いで食事をしなくてはなりません」

「あの大馬鹿野郎め」二階の食堂に行きながら、神経を高ぶらせてつぶやいた。

夕食に間に合う時刻に帰宅できた。イーヴィが寝室に入るのを見澄まして、書斎に行き詩集を探した。人々が本のことでどうしてあんなに騒いでいるのか、自分の目で確かめようと思ったのだ。ところがどこにも見当たらない。イーヴィが片づけてしまったのだろう。

「馬鹿な奴だ」と小声で言った。

イーヴィには、この間、なかなか面白かったと言ったのだ。それ以上言うことはなんてないじゃあないか。いずれにせよ、気にすることはない。パイプに火をつけ、眠くなるまで『フィールド』に目を通した。しかし、それから一週間後、用事でシェフィールドに日帰りで出かけることになった。クラブで昼食をとり、食事が終わりかけた時、ハヴェレル公爵が食堂に入ってきた。土地の有力者だから、もちろん大佐も知っていたが、挨拶を交わす程度の間柄に過ぎない。だから、その大物がテーブルに近づいて立ち止まったのには驚いた。

「奥様が週末にいらっしゃれず、とても残念です」公爵は控え目ながら、さも残念そうに言った。「立派な人々をお招きしているのですよ」

大佐はあっけにとられた。ハヴェレル家から週末に夫妻で招かれたのに、イーヴィが自分に一言も相談せずに、勝手に断ったのだと思った。でも、動揺を隠して、申し訳ございませんと答える余裕はあった。

「この次の機会にはいらして頂けましょう」公爵は愛想よく言って立ち去った。

大佐はかんかんに怒り、帰宅するとすぐに奥方に言った。

「おい、ハヴェレル邸に招待されたっていうのは、どうしたんだ？　何だって、伺えませんなんて言ったんだ？　初めての招待だし、それにあそこには州きっての猟場があるというのに！」

「それには気づきませんでしたわ。ただ、あなたが退屈なさるってことだけ考えましたの」

「だけども、せめて行きたいかどうかくらい聞いてくれても、よかったんじゃないかね？」

「ごめんなさいね」

大佐は妻の様子をよく観察した。表情にどうもよく理解できないものがあったのだ。眉をひそめた。

「夫婦で招待されたんだろうな？」怒鳴りつけるような口調で言った。

イーヴィの顔が少し赤くなった。

「それがね、わたしだけのお招きでしたの」

「私を差し置いてお前だけ招待するとは、公爵たちもずいぶんと失礼なものだな」

「きっと、あなたの好きそうなパーティでないと思ったからじゃないかしら。公爵の奥様は作家とかそういう人がお好みなようなの。パーティに批評家のヘンリー・ダッシュウッド先生をお招きしていて、先生が何故だかわたしに会いたがっているというのです」

「断ってくれてすごく有難いな」

「それくらい当然のことをしただけですわ」イーヴィはにっこりした。彼女は一瞬ためらった。それから「ねえ、実は、詩集を出してくれた出版社がお祝いにささやかな夕食会を、月末近くに予定しているのです」もちろん、あなたにも出てほしいそうよ、どうなさる？」と言った。

「そうだな、どうもぼくの好みじゃあなさそうだ。でもよかったら、一緒に上京してもいい。食事の相手なら誰か見つかるさ」

ダフネのことだ。

「そうですわ。どうせ退屈なパーティでしょうけど、先方では大事なことと思っているみたいなの。それからね、先

その次の日なんですけど、アメリカでの出版をする会社がクラリッジズ・ホテルでカクテル・パーティをやるそうです。お嫌でなかったら、これにはあなたに是非出ていただきたいのですが……」

「そっちもひどく退屈そうだけど、是非というのなら、出ることにするよ」

「申し訳ありません」

ジョージ・ペリグリンはカクテル・パーティに出て茫然とした。何しろ出席者の数が半端でない。結構見栄えのいい人もいる。もっとも男性は粗末な服装の者が多いが。彼は、こちらはペリグリン大佐です、ほらE・K・ハミルトンのご主人ですよ、というように誰にも引き合わされた。男性たちは特になにも喋ることもなさそうだったが、女性たちは皆すごい勢いで喋りかけてきた。

「奥様のこと、どんなに誇りに思っていらっしゃることでしょう！　素晴らしいことじゃありませんか！　わたし、一気に初めから終わりまで読んだのですけれど、本を離すのが嫌で嫌で、もう一度初めから読み直し、今度も最後まで読み通してしまいましたわ。わくわくして身体が震える程でした」誰もが皆こんな調子だった。

イギリスの出版人は「詩がこれほど成功したのは、わが社としては二十年ぶりです。こんな好評を頂いたのは初めてです」と大佐に言った。

アメリカの出版人は「素晴らしいですな。アメリカでも必ず大成功になりますよ。まあ見ていてごらんなさい」と言った。

アメリカの出版社からイーヴィに贈られた豪華なランの鉢が飾ってある。ひどく無駄なことをするものだな、とジョージは思った。会場に来ると、人々はまずイーヴィのところに案内される。みんながお世辞を口にしているのは確かで、イーヴィはその一人一人に愛想よい微笑を浮かべて、お礼の言葉を返している様子だ。興奮して頬をほんのり紅潮させているけれど、ちゃんと落ち着いている。出版騒ぎ全体は下らぬことだと思っている大佐であったが、妻が全ての面できちんと上流夫人らしく振る舞っているのを見て、たいしたものだと満足した。

「そうだな。イーヴィが貴婦人だというのは誰だって一目で分かる。そう言えるだけの女性は、このパーティには他に一人だっていないぞ。その点は結構だ」

大佐は何杯もカクテルを飲んだ。いい気分になったがひとつだけどうも気になってしょうがないことがあった。

紹介された人々の中に、変な目でこちらを見る人がいるような気がしてならない。何だか分からない。一度など、ソファに座って話し合っている二人の女性の側を通った時、自分が噂されているような印象を受けた。通り過ぎた後から、二人がくすくす笑ったのはまず確実だった。

パーティが終わって、ほっとした。

ホテルに戻るタクシーの中でイーヴィが言った。

「あなた素敵でしたわよ。もてもてだったじゃないですか! 娘さんたち、あなたに夢中でしたわ。すごくハンサムだって思ったのね、きっと」

「ふん、娘だって! 婆さんじゃねえか」

「退屈なさったのね」

「うんざりした」

イーヴィは自分も同じ思いだというように夫の手を握った。

「明日の予定ですけど、ゆっくりして、午後の列車で帰宅することにしてもいいでしょうか? 午前中にちょっと用事ができたのです」

「いいよ。買物かね?」

「ええ、買物も少しあるのですけど、それより、写真を撮りに行かねばなりませんの。あたしは写真なんて嫌な

「いや、結構。ちょっと見ているだけだ」妻なのに、その本を買いたいというのもばつが悪かったから、自分で見つけてカウンターに持って行こうと思った。でも、どこにもない。仕方なく、さっきの店員が近くにいたので、

「あのね、『ピラミッドが朽ちる時』とかいう本はあるかね？」と、つとめてさりげなく訊いた。

「新版が今朝入りました。持ってきましょう」

店員はじきに本を持って戻ってきた。背の低い、やや小太りで、乱れた赤毛で眼鏡をかけている。一方、背が高くすらっとして、軍人然としたジョージ・ペリグリンは、店員を見下ろすような姿勢になった。

「では、これは新版なのかね？」

「そうです。五版になります。まるで小説のような売れ行きですよ」

ジョージは一瞬ためらったが、尋ねた。

「どうしてそんなに売れるのだと思うかね？　誰も詩なんて読まない、と聞いているのだが」

「それはですねえ、何と言っても作品として優れているからです。自分も読みましたが」店員は教養はありそうだが、下町訛りがわずかにあり、ジョージは、反射的に相手を見くびるような態度になった。「それに大衆好み

んですけど、先方がどうしてもお願いしますって言うのよ。アメリカ向けですからねえ」

大佐は無言だった。でも心の中で考えた。アメリカの読者が、平凡でしなびた著者の写真を見たらさぞショックを受けるのではないだろうか。何しろ、アメリカ人は何事であれ、きらびやかなのを好むのだからな。

大佐は考え続けた。翌朝イーヴィが出て行くや、クラブに行き図書室に直行した。『タイムズ文芸付録』、『ニューステイツマン』、『スペクテイター』などいずれも最新号を取り出した。ようやくイーヴィの詩集の書評が見つかった。そう丁寧に読んだわけでないが、それでもどれも極めて好意的に評価しているのは分かった。次にピカデリー通りの本屋に向かった。時たま本を買っている店だ。癪な話だが、とにかくイーヴィの例の本をきちんと読むしかないと思ったのだ。だからといってイーヴィに前に進呈してくれた本をどうしたのかと尋ねたくない。自分で新たに買うしかない。店に入る前にショーウィンドーを眺めると、最初に目に入ったのが『ピラミッドが朽ちる時』だった。ふん、下らぬ題名だ！店に入ると、若い店員が出てきて、「何かお探しで？」と訊いた。

の話ですよ。エロチックだがそれでいて悲劇的でもある、というのですから」

ジョージ・ペリグリンは少し眉をひそめた。この店員は結局生意気なのだと思い始めた。いまいましい詩集に筋があるというのは、初耳だった。書評を読んだのでは、そこまで推察できなかった。店員はさらに喋った。

「むろん、言ってみりゃあ、線香花火みたいなものでしょうよ。すぐ消えますな。わたしの意見ですが、著者は個人的な体験か何かからインスピレーションを得たんでしょうね。ハウスマンが『シュロップシャーの若者』を書いた場合と同じです。著者がもう書くことはないでしょうよ」

「いくらだね?」ジョージは相手のお喋りをやめさせるため冷やかに言った。

「包んでくれないでいい。ポケットにいれる」

十一月の午前中は肌寒く、厚手のコートを着ていたのだ。

駅で夕刊と雑誌を買い込み、大佐とイーヴィは一等車の車室の反対側の隅でくつろいで腰を下ろし、各自読んだ。五時には食堂車に行きお茶を飲みながらしばらく言葉を交わした。地元の駅に着き、待っていた車で屋敷に

戻った。入浴し、夕食のための着替えをした。夕食後、イーヴィは疲れたからもう休みます、といつもの習慣で、夫の額におやすみのキスをしてから自分の寝室に行った。その後、大佐は玄関に行ってコートのポケットから詩集を取り出して、自分の部屋で読み始めた。詩が楽に読める方ではなかったから、一語ももらすまいと丁寧に読んだものの、読後の印象はごく曖昧なものだった。そこで、また冒頭から読み直してみた。二回目は、読み進めると不快感が募ったものの、愚か者でないので、最後まで読んだ時には、詩集の内容がいかなるものであるか、はっきりと理解できた。自由詩で書いた部分と、伝統的な韻律で書いた部分が分かれているが、語られている話は首尾一貫していて、どんな鈍い頭の者でも理解できる。年配の人妻と青年との情熱的な恋の物語なのだ。

ジョージ・ペリグリンは、恋の出会いから終わりまでの進展をまるで簡単な足し算でもしているかのようにたどることができた。

一人称で書かれたその本は、盛りを過ぎた女性が、ある青年が自分を愛しているのを知った時の、身震いするような驚きから始まっている。最初はそれを信じるのをためらった。きっと勘違いだわ、と思った。ところが、

やがて突然、自分自身も青年に激しく恋していると気づき、恐怖におののいた。馬鹿げていると自分に言い聞かせた。年の開きがこんなにある以上、もし自分が感情に負けてしまったなら、不幸以外の何も残らないに決まっている。女は若者が愛の告白をするのをやめさせようとした。でも遂に、青年が愛を告白し、女にも本心を打ち明けさせる日が来てしまった。青年はすぐ駆け落ちしようと迫ってきた。でも、夫も家庭も捨て去ることなどできない。それにわたしは老いて行く女なのに、あなたはとても若いのだもの、どんな未来が二人にありうるというの? あなたの愛がずっと続くとどうして期待できるかしら? 無理は言わないでよ。いくら説いても、青年の愛は性急だった。君が欲しい。とうとう女は、震えながら、恐れながらて君が欲しい。ぼくの全身全霊を挙げて君が欲しい。とうとう女は、震えながら、恐れながら、彼に身を任せた。それから恍惚とした幸福な時期が訪れる。退屈で平凡だった日常の世界がにわかに栄光に包まれ、燦然と輝き始める。女のペンから愛の賛歌が湧き出る。若者の広い胸、ほっそりした脇腹、美しい脚、平らな腹を女が称える時、ジョージは陰気に顔を紅潮させた。

セクシーな本だとダフネの友人が言っていたそうだな。ふん、まさにその通りだ。胸が悪くなる。

悲哀に満ちた数点の短詩では、いずれ男が自分のもとから離れた後の生活の空しさを嘆いていた。だが、どの詩の最後も、僅かな間にせよ享受できた至福を思えば、いかなる苦悩も全て耐えられるという魂の叫びで結ばれている。二人で一緒に過ごした長いわくわくする夜のことと、快いけだるさを覚えて抱き合って眠ってしまったことと、などと述べられていた。二人があらゆる危険をものともせず、激情に圧倒され、その欲求に従ったときの逢瀬の歓喜も描かれていた。

彼女は数週間の情事だろうと思っていたが、奇跡的に長く続いた。三年の歳月が経過したのに、二人の心を満たす愛がまったく冷めなかったことに触れる詩もあった。青年は、いつも一緒にいられるように、遠くイタリアの丘の上の町とか、ギリシャの孤島とか、チュニジアの城壁に囲まれた都市とかへ駆け落ちをしようと懇願し続けたようであった。というのも、ある詩の中で、彼女は、どこにも行きたくない、今のままでいたい、と若者に懇願しているからだ。二人の幸福は安定したものではないどこにも行きたくない、今のままでいたい、と若者に懇願しているからだ。二人の愛があれほど長いこと最初の魅力的な熱

烈さを保持したのは、もしかすると、二人がいくつもの苦難に直面し、逢瀬が稀であったせいでもあったのかもしれない。それから唐突に若者に死が訪れる。どのようにして、いつ、どこで亡くなったのか、いくら読んでも分からない。その後、激しい悲しみの胸の張り裂けるような号泣が続く。しかも女は悲哀に没頭することは叶わず、隠さねばならない。光明が人生から消え去り、悲しみに打ちひしがれているというのに、明るくいつも通りに振る舞い、自宅で晩餐会を開き、よその晩餐会にも出席しなければならなかった。本全体を締めくくる最後は一組の四つの連からなる詩であった。そこで女は愛人の死を嘆きつつも運命だったと諦め、人の運命をつかさどる暗黒の神々にむしろ感謝している。たとえ僅かな間にせよ、哀れな人間が知りうる最高の幸福を享受できたのは、何という大きな恩恵であったことか、と。

大佐がようやく読み終わり、本を置いた時には、もう午前三時になっていた。どの行にもイーヴィの生の声が聞こえるように思えた。彼女が使うのをよく聞く言いまわしに何度となく出くわした。同じ家に住む者しか知らない身近な事柄がいくつも出ている。疑いの余地はない。イーヴィが夫

彼女が実際に経験したことを書いたのだ。イーヴィが夫

を裏切ったのも、相手の男が死んだのも、本当の話であるのは、火を見るよりも明らかだ。読み終えて大佐がもっとも強く感じたのは怒りではない。幻滅し愕然としたのは事実だが、幻滅や恐怖の気分でもない。ただただ、びっくり仰天したというのが、一番本当のところだ。あのイーヴィが恋に落ち、それも熱烈極まる恋に落ちたなんて、書斎の暖炉の上に置いたガラスケースの鱒の剥製（これまで大佐が釣った最高の逸品）が、突然尾ひれをピクッと振ったみたいなものだ。ありえない。ロンドンのクラブでお喋りした旧友がせせら笑いを浮かべてこちらを見たわけが、今やっと分かった。ダフネが最初に詩集を話題にした時に一人笑いをしている様子だったのも、カクテル・パーティで二人の女が自分が側を通ったとき、こそこそ笑ったのも、全て理由が分かった。

思い出すと冷汗が噴き出た。よくもコケにしやがったな、という怒りが込み上げ、さっと立ち上がった。イーヴィの寝室に行って叩き起こし、厳しく問いただしてやるのだ。行きかけたが、戸口で立ち止まった。何といっても、証拠がない。詩集があるのみだ。「読んだよ、いい本じゃないか」と妻に言ったことが頭に浮かんだ。あの時は、読んでいないのに、読んだふりをしただけだった。

でも、今さらそれを認めたりしたら、さぞかし愚かに見えてしまうからだ。万一認めたりしたら、さぞかし愚かに見えてしまうからだ。

「とにかくよく気をつけないといかんな」小声でつぶやいた。

二、三日待ってじっくり考えてみようと思った。今後の対応は、それから決めればよい、今はもう寝よう。床に就いたものの、なかなか寝つけなかった。

「イーヴィ、よりにもよって、あのイーヴィがね」と何度となく繰り返した。

夫妻はいつものように朝食の席で顔を合わせた。彼女はいつもと少しも変わらない。物静かで控えめで落ち着いている。年より若く見せようなどと一切つとめないタイプの中年女性であり、大佐が昔の癖でいまだに「イット」と呼んでいる性的魅力をまったく持たない女性だった。ジョージは、珍しいものでも見るような目つきで妻をしげしげと観察した。普段通り穏やかな様子だ。薄青い目には不安の影はない。晴れ晴れとした額には罪の意識などまったく窺えない。いつもと同じさりげない口調で、どうでもよい事を言った。

「ごみごみしたロンドンから田舎に戻ると落ち着きますわね。今朝のご予定は?」

まったくもって不可解だ。

その三日後、大佐は顧問弁護士に会いに行く。ハリー・ブレインは顧問弁護士でもあり、長年の友人でもあった。ペリグリンの屋敷の近くに屋敷があり、ずっと以前からお互いの猟場で狩猟を楽しんでいる仲だ。一週間に二日は地主をやり、残りの五日はシェフィールドで多忙な弁護士をやっている。背の高い、がっしりした体格で、いつも陽気な態度で、さも愉快そうによく笑った。察するところ、この男は、本業は狩猟と社交であり弁護士は副業なのだ、と世間に評されたいと望んでいたのであろう。だが実際は、頭の切れる、世情によく通じた人物だった。

「よう、よく来たな。今日はまた何か用事かい?」大佐が執務室に案内されてくると大きな声で言った。「ロンドンは楽しかった? うちの奴をつれて来週、二、三日行くつもりなんだよ。ところで奥さん、元気かい?」

「家内のことでやってきたのだ」ジョージは探るような目つきで相手を眺めた。「あれの本、読んだかね?」

大佐の感受性はこの数日悩み苦しんだせいで、鋭敏になっていた。友人の表情にかすかな変化が起きたのを見逃さなかった。急に身構えたようだった。

16

「ああ読んだとも。大成功じゃないか！奥さんが急に詩を書き始めたなんて、びっくりしたよ。世に不思議なことと絶えず、って言うからなあ」

ジョージ・ペリグリンはもう少しで癲癇を起こしそうだった。

「あの本のおかげで、おれは大馬鹿三太郎にされてしまった！」

「おいおい、何て馬鹿なことを言うのだ。奥さんが詩を書いたからって、ちっとも悪い事じゃない。むしろ夫として誇ったらいい」

「いい加減なことを言うな！あれはあいつの実話だ。それを君は知っているし、世間の人もみな知っている。相手が誰だったか、知らぬは亭主ばかりなり、なのだろうよ」

「おい君、想像力ってものがあるじゃないか。奥さんが実際に経験したことを書いたなんて信じる根拠はまったくないよ」

「ねえ君、聞いてくれ。いいかね、君とおれは生涯を共にしてきた友人同士だ。いろいろ楽しいことも一緒にやって来た仲だ。頼む、正直に言ってくれ。おれの顔をまっすぐに見て、あれが作り話だと信じる、と誓えるか

ね？」

ハリー・ブレインは椅子に座ったまま、居心地悪そうに体を動かした。親友の声にある苦悩の響きに動揺した。

「いくら君とおれの仲でも、そんなことを聞く権利はないい。直接奥さんに訊いたらいい」

ジョージは苦しそうに間を取ってから、「その勇気がない。真実を話すんじゃないかと思うのだ」と言った。

二人の間に気まずい沈黙があった。

ハリー・ブレインは相手の顔をじっと見つめた。

「相手の男は誰なんだ？」

「知らないよ。知っていたとしても教えない」

「意地悪だぞ！おれが今どんな立場に置かれているか分からないのか？ひどい笑いものにされるのが、いい気分だとでも思うのか？」

それに答えず、ハリーはタバコに火をつけ、黙ったまま数分間、吸い続けた。

「君のために弁護士として何ができるか分からない」よ
うやく言った。

「雇っている私立探偵がいるのだろう？彼らに命じてこの件に当たらせ、洗いざらい調べてくれ」

「自分の女房を探偵で調べるなんてみっともないじゃな

いか。それにね、まあ、仮にだよ、奥さんが本当に浮気をしたとしてみての話だが、もうずいぶん昔のことじゃあないか。今になって探り出せることなどひとつもないながら、今後どうして夫婦として暮らしてなどいけよと思う。かなり慎重に証拠隠滅したようでもあるし」

「構わん。いいから探偵に命じてくれ、どうしても真実が知りたいのだ」

「断る。どうしてもそうしたいのなら、他の弁護士事務所に行ってくれ。それにだね、よく考えてみたまえ、仮にイーヴィが浮気をしたという証拠を握ったとしたら、それでどうしようというのかい？　妻が十年前に不倫をしたので離婚しますというのはかなり馬鹿げて見えないかな？」

「証拠が手に入れば、あいつにつきつけて、対決できる」

「それなら今だってできる。だが、いいかね、もしそんなことをやれば、奥さんは家から出てゆくよ。それは君だって分かるだろう。そうして欲しいのかね？」

大佐は辛そうな顔を見せた。

「さあ、自分でも分からない。あいつはとてもいい妻だとずっと思ってきた。家事は完璧にこなすし、使用人の扱いもうまくて、もめたことなど一度もない。庭園の手入れはあっと驚くうまさだし、面倒見がいいから村人に

入れはあっと驚くうまさだし、面倒見がいいから村人にとって非常に重い経験であったので、詩に書くことで心の重荷を取り除きたかったんだろう」

「それはね、こういうことじゃないかな。つまり彼女にとって非常に重い経験であったので、詩に書くことで心の重荷を取り除きたかったんだろう」

「それはね、こういうことじゃないかな。つまり彼女に

は人気が高い。それはそうだが、ちえ、いまいましい、おれにだって自尊心がある。ひどく裏切られたと知っていながら、今後どうして夫婦として暮らしてなどいけようか！」

「君は浮気をしたことはないのかね？」

「いやあ、その、多少はいろいろあったさ。何と言っても、結婚してかれこれ二十四年になるのだし、それにあいつは昔から夜の相手としては落第だからな」

ハリーはちょっと眉をひそめた。だが、ジョージは喋るのに夢中で気づきもしない。

「正直に言えば、時々女遊びはしたよ。男には必要なことさ。女は違うがね」

「それは男の言い分だな」ハリー・ブレインは苦笑を浮かべた。

「あいつが道を誤るようなことをやらかすなんて、夢にも思っていなかった。そういう人柄じゃない。とても潔癖だし、控え目な女だからね。ねえ君、一体全体、あいつは何であんなけしからん本を書いたんだろうな？」

「それはね、こういうことじゃないかな。つまり彼女に

「そうか。だが書かざるを得なかったとしてもだな、どうして匿名で書かなかったのだ?」

「結婚前の名前を使ったじゃないか。それで充分だと思ったのだろうな。事実、こんなに評判になりさえしなければ、それで充分だったはずだもの」

ジョージ・ペリグリンとハリー・ブレインは間に机を挟んで相対して座っていた。ジョージは机に頬杖をついて、しかめ面をして考え込んでいる。ようやく口を開いた。

「相手がどんな男だか分からないというのは気持ちが悪いよ。紳士階級かどうかすら分からないんだものね。いやね、そいつが農家の働き手とか弁護士事務所の事務員だという可能性だってあるんだ。見当もつかんよ」

ハリー・ブレインはにやりとしそうになったが、どうにか抑えた。次に返答をした時には、目に親切で寛大な表情が浮かんでいた。

「奥さんをよく知っているから分かるんだが、その可能性は低いと思うな。いずれにせよ、大丈夫だよ、ここの事務員じゃないからね」

「今度のことはショックだったよ、君。あいつはおれのことを好いていると思っていたから。憎んでいるのでも

なけりゃ、あんな本を書くはずないものな」ジョージが溜息混じりに言った。

「いやあ、それは違う。イーヴィはおよそ人を憎むことなどできない人だ」

「だが、おれを愛しているとまでは、君だって言わないだろう?」

「ああ」

「じゃあ、一体どういう気持ちをおれに対して持っているのだろうな?」

ハリー・ブレインは回転椅子の背に体をそらして、友人をしげしげと眺めた。

「そうだな、強いて言えば、無関心というところかな」

そう聞くとジョージ・ペリグリンはかすかに身震いし、赤面した。

「だが、君だって、結局のところ、惚れているわけじゃあないのだろう?」

ジョージはすぐには返事をしなかった。

「そうだな、結婚後、あれに子供ができなかったのはおれには相当打撃だった。でも、そのことで失望したのは見せたことはない。いつだって優しく接してきた。無理なことさえ言われなければ、夫として妻への義務を果た

してきた胸を張って言えると思う」

ハリー・ブレインは、かすかな笑みが浮かんでくるの
を感じて、あわてて大きな手を口にあてた。

ジョージが言葉を続けた。

「大変なショックだったよ。十年前だって、あいつは若
い娘じゃあなかったし、それに、美人なんていうのじゃ
なかったのはたしかだ。男との関係は汚らわしいもの
だ」そこで深く溜息をついた。「君だったらどういう手
を打つね?」

「何もしない」

ジョージ・ペリグリンは椅子に座ったままで、直立不
動の姿勢をとった。ハリーを見据える厳しい顔は、その
昔連隊を閲兵した時に見せたのと同じに違いない。

「このようなことを見逃すのは許せん。笑いものにされ
たんだ。二度と世間に顔向けできなくなったのだ」

「馬鹿言うな」ハリーは鋭く言い、それから愛想のいい、
思いやりある口調で言った。「いいかね。相手の男はも
う死んだのだ。全てはずっと以前に起きたことだ。忘れ
るんだ。奥さんの本のことを人々に自分から語るように
するのだ。うんと褒めてな。妻を誇りにしていると言う
んだ。そして君が妻を絶対に信頼しているから、不倫な
のだ。

んかしたはずがないと心から信じているように振る舞う
のだ。人の噂も七十五日というだろう。人は他人のこと
など覚えていない。世間はじきに忘れるよ」

「おれは絶対に忘れん」

「君たちは二人とも中年だ。多分、イーヴィは君が考え
ている以上にいろいろ尽くしてくれるだろうし、それに、
彼女なしではとても寂しいだろう。君が忘れるかどうか、
大した問題じゃあない。それより、イーヴィには、にぶ
い君には見抜けなかった素晴らしい資質があるという事
実を、この機会に悟ることができれば、今度の騒ぎも無
駄でなかったと思う」

「ちょっと待て。君はまるでおれに責任があるような言
い方をするじゃないか!」

「いや、君に責任があるとは思わない。だが、イーヴィ
が悪いとも思わないんだ。彼女は浮気したくて青年に恋
したのではない、と思う。最後の詩を覚えているかな?
あそこを読んだ時の印象はね、彼女は青年の死をすごく
悲しんだけれど、不思議なことにそれを喜んでもいたよ
うなのだ。二人を結びつけている絆のもろさを最初から
ずっと彼女は意識していたようだ。青年は初恋の盛りに
死んだから、恋なるものが滅多に長続きしないという
の

にまったく気づかずに済んだ。恋の至福と美しさだけ味わって、恋の悲哀など、何も知らずに済んだのだ。そこに慰めを見出して、彼女はどうにか自分自身の深い悲嘆に耐えたのだと思うな」

「おれには難し過ぎる話だが、まあ、言わんとするところは大体分かるよ」

ジョージ・ペリグリンは机の上のインク差しをしょんぼりと見つめている。無言のままだ。ハリーはその様子を好奇心と同情の混じった目で見ていたが、やがて穏やかな口調で言った。

「イーヴィにどれほど勇気があったか、君に分かるかな？ つまり、自分がいかに不幸であるかを、おくびにも出さなかったのだからな」

ジョージは溜息をついた。

「おれの負けだ。君の言う通りだ。済んだことは済んだこと、おれが騒いだりしたら、事態はかえって面倒なことになるだけだ」

「それで？」

ジョージ・ペリグリンは悄然として微笑を浮かべた。「君の助言に従うよ。何もしないことにする。世間がおれをどう思おうと構わない。勝手にしろだ。実際の話、

もしイーヴィがいなくなったらどうしていいか途方に暮れる。だが、これだけは言っておくけどね、死ぬ日が来ても納得いかぬことがひとつある。相手の若者は、一体全体イーヴィなんかのどこがよくて惚れたのかね？」

『大佐の奥方』をどう読むか

『英文精読術』で読んだ短編『赤毛』が刊行されたのは、一九二二年でした。モームは四十七歳で、小説としては最高傑作の『人間の絆』、世界的に有名な『月と六ペンス』を発表して、人間としても作家としても、文字通り絶頂期にありました。それに対して、今回取り上げる短編『大佐の奥方』は、一九四六年の執筆であり（《環境の動物》という短編集に収められたのは一九四七年）モームは七十三歳で、小説としては後期の代表作『かみそりの刃』、『カタリーナ』、『昔も今も』を発表した時期、つまり晩年期でした。しかし、すでにお読みになった方はよくお分かりのように、短編作品としての面白さは『赤毛』と比べても、まったく遜色ありません。短編の名手としてのモームの力量は冴えたままであり、人間性への洞察は深まっていると思わざるをえません。

覚え書き発見 『大佐の奥方』の着想は、驚くほど以前のことだったのです。『作家の手帳』の一九〇一年の記述に次のようなものが見つかります。

人々が全員のよく知っているある女性について話し合っていた。その女性は情熱的な恋愛詩集を出したのだが、愛の相手はどうも夫ではないらしいのだ。彼女が言わば夫の鼻先で長い間情事を行っていたのを思って、皆笑った。夫が詩集を読んだ時に一体どんな感想を持ったか、それを是が非でも知りたいものだと誰もが願った。

この覚え書きから、何と四十五年も経ってから作品になったのには驚きます。『作家の手帳』には、このようにモームがいずれ役立つかもしれぬというので書きとめた覚え書きがその後作品に実った例はいくつもあるのですが、着想から執筆までにこの作品ほど長い期間があった例は他にはありません。有名な『雨』の覚え書きはよく知られていますが、着想から数年で作品化されています。

この作品はもともとニューヨークの *Good Housekeeping* という雑誌の一九四六年三月号に出ました。この時期のモームは戦禍を逃れてアメリカに暮らしていました。南仏のフェラ岬にある自宅がドイツ軍に攻撃されそうになり、一九四〇年秋から滞在していたのです。一九四四年

に刊行してすぐアメリカでベストセラーになった『かみそりの刃』の主人公が典型的なアメリカ青年であるのも、アメリカ滞在中に執筆したということと無関係ではないでしょう。短編寄稿の依頼を受けた一九四六年初め頃というと、モームは五年を越える在米生活を切り上げようとして、ヨーロッパに戻る準備を始め、ロンドンを慌ただしく訪ねたりしています。

実は、同じ時期にモームが準備中のものがもうひとつありました。ごく若い頃から書きとめておいた様々なメモ、日記、見聞記、感想、人生論、文学談が膨大な量になっていたのを整理して一冊の本にまとめる作業でした。これは結局大著『作家の手帳』として一九四九年に刊行されたわけです。この大著の準備中に何を書くか考えていた時は、この大著の準備中であり、上記の覚え書きを見つけて飛びついた、というのが真相ではないかと私は推察します。

婦人雑誌の読者 モームがこの覚え書きに飛びついたのは、この雑誌には、普通の主婦でありながら、突然詩集を刊行した女性を中心にした物語が打ってつけだと思ったからでしょう。何しろ、この雑誌はアメリカの主婦を読者とする月刊誌で、発行部数は当時のアメリ

カの主婦を読者とする月刊誌で、発行部数は当時のアメリ

う膨大な部数だったのです。主婦は外で働かずもっぱら家を守り、夫と子供のために家事にいそしむ時代のことです。以前日本にも『主婦の友』、『婦人倶楽部』、『主婦と生活』という月刊誌があったのを覚えている年配の読者もいらっしゃるでしょう。主婦向けの役に立つ情報の他に一流作家の短編小説も載っていました。

狐につままれた気分 イギリスの地方の名門の紳士である大佐は、退役軍人で、今は大地主として土地の管理をし、趣味の狩猟と魚釣りの日々を送り、ロンドンに愛人がいて、時々デートをしています。奥方が執筆し刊行した恋愛詩集が評判となり、大佐がそれを「読んだ時に一体どんな感想を持つか」が、山場となっていて、覚え書きは細部まで活かされています。読書の習慣のない大佐ですので、詩集を最初に手にした時は、よく読めなかったのですが、奥方には「読んだよ。面白かった」と愛想よく言います。その後、大佐の身辺に次々に不可解な出来事が起こり、遂に大佐が詩集を本気で読まざるえなくなるまでの話の展開は、推理小説のようで、読者も大佐と同じ緊張感を味わいながら読み進めます。

最初にロンドンの愛人から詩集が評判になっていると聞いた時は、詩集でも売れるのかと思うだけで、驚きす

らしないのですが、その後、旧友から「有名な詩人の夫であるのはどんな気持ちだ」と聞かれたり、詩集を絶賛する高踏的な批評家に引き合わされたり、クラブの図書室で好意的な書評を読むうちに、次第に狐につままれた気分に襲われたりします。この経緯の描き方が実に巧みで、読者は大佐の気持ちに寄り添って、疑惑の解明を切望する気分になります。

出版記念会がロンドンの一流ホテルで開かれ、いやいや出席した大佐は、アメリカの出版社から奥方に贈られた豪華なランの鉢を見て、身分不相応で馬鹿馬鹿しいと思うだけです。しかし出席者が自分を見る目にどこか嘲笑的なものがあるように思えてなりません。鈍感だった大佐が敏感になる様子が感知されます。

詩集の真相　こうして大佐が詩集を実際に読んで、真相を知る山場に来ます。『大佐の奥方』という題名であるのに、ここまではもっぱら大佐のことしか書かれていないようでした。奥方のことは、外見であれ、性格であれ、僅かしか述べられていません。奥方が片づけてしまったので、新たに詩集を買った店員の話から詩集には一貫した筋があると知った大佐は、二度読んで、ようやく奥方が年下の青年と密かに愛し合ったこと、それも数

年も続けて情熱的に愛し合ったことを知ります。

読者は、ここまではずっと大佐に寄り添ってきましたが、奥方の情事への反応を作者が描写し始める辺りから、大佐と距離を置き始めます。自分にとっては女としての魅力の失われた奥方が、大胆不敵な行為に走ったという魅力の失われた奥方が、大胆不敵な行為に走ったという理由で、大佐が怒りよりも驚きを覚えた、と指摘する作者の揶揄するような視点に同調し始めるのです。

あのイーヴィが恋に落ち、それも熱烈極まる恋に落ちたなんて、書斎の暖炉の上に置いたガラスケースの鱒の剥製（これまで大佐が釣った最高の逸品）が、突然尾ひれをピクッと振ったみたいなものだ。

この描写には、作者の揶揄が感じられませんか？読後、浮気女を問い詰めてやろうとばかりに、奥方の寝室に向かうものの、不倫の証拠が詩集一冊と気づいて思い止まる姿も滑稽に描かれていますね。この大佐に対して距離を置いて批判的に見る作者モームの態度は、大佐が相談に行く友人の弁護士に引き継がれていきます。大佐が奥方の不倫を知る、というところまで話はまとまっています。『作家の手帳』の覚え書きを活かした

作品ができました。ここで終わっても、物語は完結していXます。これに続く弁護士との相談は余分なもの、蛇足と取れなくもないでしょう。推測に過ぎませんが、以前のモームなら、ここで終わらせていたかもしれません。

しかし、蛇足とも言える部分にこそ、晩年のモームならではの真骨頂がうかがわれる、というのが私の考えです。

ハリーの役割
弁護士ハリーの口を通して奥方イーヴィの本当の姿が見えてきます。弁護士事務所に現れた大佐ジョージは、妻の情事を調査し、探偵を雇って相手の青年の身元を調べさせようとします。真相が分かったら、それを妻につきつけて不倫を白状させようとしています。そんなことをすれば、イーヴィは去ってゆく、それでいいのか、とハリーに諭されると、それは困る、「家事は完璧で、使用人ともめたことが一度もないし、庭園の手入れもうまく、村人の間で人気がある」奥方に、去られては暮らしていけない、と本音を漏らします。その点を確認した上で、ハリーはイーヴィに関するジョージの見方の誤りをいくつも指摘していきます。ハリーは夫以上に正確にイーヴィの真実の姿を捉えているようです。

イーヴィはハリーにとって、長年親しく付き合ってきた友人の妻であり、しかもハリーはジョージより知性の面

で上であるだけに、そのイーヴィ像は真実に近いのでしょう。推測に過ぎませんが、イーヴィが青年との関係をハリーに打ち明けていたのかもしれません。

さて、ジョージは妻の青年との関係をdisgusting（胸が悪くなる）と評しているように、年増女が若い燕を作ったと考えています。「十年前だって、イーヴィは若い娘じゃなかったし、それに、美人なんていうものじゃなかった。男との関係は汚らわしいものだ」と語ります。あたかも若く美しい人でなければ、清らかな恋はできない、といわんばかりですね。ハリーはこれを否定して、「イーヴィは浮気したくてあの青年と恋に落ちたのではないと思う」と言い、青年の死を歓迎さえしたことを指摘します。

イーヴィの実像
青年の唐突の死によって、イーヴィが生きる喜びを奪われ不幸のどん底にありながらも、必死に堪えて、地主夫人としての日常的な義務を果たし続けたことに触れ、ハリーはその健気な勇気を称えます。青年が恋の至福と美だけを知り、悲哀を知らずに死んだことを思って、イーヴィはそこに慰藉を見出したのも、賢明な態度であり立派だと評価します。

ジョージはイーヴィが詩集を書き公表したことを非難

します。これに対して、ハリーは「彼女にとって非常に大切な経験だったので、詩に書くことで心の重荷を取り除きたかった」からだと弁護します。モームが自伝的な小説『人間の絆』を書いた動機として述べたのとまったく同じ説明です。モームは作家がカタルシスを得るのは執筆しただけでは不十分で公表しなくてはならない、とも述べています。このようにハリーの説明はモーム自身のものと重なっています。

ハリーの説得で、青年の身元を探すことは断念したジョージですが、それでは今後具体的にどうしたらよいか、について相談します。ハリーが「自分なら何もしないな」と答えると、連隊長として閲兵したときのような厳しい表情を見せて、「笑いものにされたんだ。二度と世間に顔向けできない」と言い張ります。

ハリーはジョージが又もや建前を持ち出したとして、今後の穏やかな生活のためには、全てを忘れて、何もせず、素晴らしい詩人である妻を誇りにしているように振る舞った方がいい、と助言します。「人の噂も七十五日故、世間は忘れるさ」と慰めるハリーに、「おれは絶対に忘れん！」とジョージは食ってかかりますが、最後にはようやく全面的にハリーの助言に従います。

作者の姿勢

モームがハリーと重なることに読者は気づきますね。モームがこれほど女性を肯定的に描いたことは滅多にありません。実生活では、レベッカ・ウエストなどの女流作家と親しかったのが知られていますが、作品ではイーヴィのような知性と感性と両方で優れた人物は描いていません。*Good Housekeeping* の女性読者へのサービスという面が大きいと思います。

当時のアメリカの女性読者は、性道徳の面では保守的でして、健全な家庭生活を壊すものとして、不倫一般に批判的でした。しかし、イーヴィのような「不倫」なら許容範囲内だったと思います。更に言えば、内面ではイーヴィを羨やんだかもしれません。

『赤毛』のレッドとサリーの相思相愛がモームの憧れだったことを覚えている読者は、イーヴィと青年の恋にも相思相愛の甘美な面が描かれているのに気づいたかもしれません。青年の愛が性急で、全身全霊を挙げて君が欲しいと望まれた時、「とうとう女は、震えながら、恐れながら、自分も本心ではそう欲しながら、彼に身を任せた……平凡だった日常の世界がにわかに栄光に包まれ、燦然（さんぜん）と輝きはじめる」という描写に、作者の相思相愛への憧憬を垣間見るように感じませんか？　モームの全作

品でも、このような描写はあまり見られないのです。晩年の短編に、恋愛への憧れがまた現れたのに私は興味を覚えます。しかしジョージはこれを「胸が悪くなる」として切り捨てましたね。ジョージはこれを全面的に肯定するハリーの登場がもしなければ、作者の憧れ方が読者に正しく伝わらなかったかもしれません。

作品の狙い　蛇足的な弁護士事務所での大佐と弁護士のやりとりは、読者にイーヴィの魅力を認めてもらうために必要だったのです。また、モームの人間観、つまり普通の人間は建前でなく本音で生きるのがよい、という考え方を述べるのにも必要だったのです。モームは人に教えるのは嫌いだと言っていますが、時々生き方をやんわりと説く癖があるのです。

モームの人間観の中核をなすのは、人間は相矛盾するさまざまな要素から成り立っている、首尾一貫した人間などどこにもいない、という考えです。永遠の謎としての人間を生涯描き続けたモームですから、そういう複雑な人間を多く描いているのですが、イーヴィも地味で善良な主婦でありながら、情熱的な愛の詩人でもあったわけで、モームの人間不可知論の格好の実例になっていています。

ジョージの本音　親友から、「イーヴィにはにぶい君には見抜けなかった素晴らしい資質があるという事実をこの機会に悟ることだな」と諭されたにもかかわらず、物語の最後で、イーヴィのどこがよくて青年が惚れたのかは、死ぬまで考えても分からん、などと言い、友人は苦笑いするしかありません。ジョージの描き方は、さっきも述べたように、批判的ではありますが、晩年に目立ってきたモームのユーモア感覚や弱い存在である人間一般への共感も混入しているようで、読者も、「人間はいくら助言されたってそう変わるものじゃあないからな」と大目にみる気持ちになるのではないでしょうか。

以上、総合して考えると、『大佐の奥方』は、「知らぬは亭主ばかりなり」のありふれた話に終わらず、優れた語り口で読者を堪能させるだけでなく、作者の寛容な人間観、恋愛観をたっぷり示す、深みのある傑作になっているという結論になります。皆さまはいかがでしょう？　私の読み方にとらわれず、文学作品の読み方は自由です。皆さまはいかがでしょう？　私の読み方にとらわれず、周囲の人とも論じ合ってください。

【著者・訳者】

行方昭夫（なめかた　あきお）

1931年生まれ。東京大学教養学部イギリス科卒業。東京大学名誉教授、東洋学園大学名誉教授。日本モーム協会会長。英米言語文化学会顧問。主な著書に『英文の読み方』『英語のセンスを磨く』『サマセット・モームを読む』『モームの謎』（岩波書店）などがある。

英文翻訳術
東大名誉教授と名作・モームの『大佐の奥方』を訳す

【PRODUCTION　STAFF】

編集協力	宮崎麻実
イラスト	いけがみますみ
ブックデザイン	山之口正和（OKIKATA）
DTP	株式会社 Sun Fuerza